#3주_완성
#쉽게
#빠르게
#재미있게

초등
수학 전략

Chunjae
Makes
Chunjae

[수학 전략]

기획총괄	김안나
편집개발	이근우, 김정희, 서진호, 한인숙, 김현주, 최수정, 김혜민, 박웅, 김정민
디자인총괄	김희정
표지디자인	윤순미, 안채리
내지디자인	박희춘
제작	황성진, 조규영

발행일	2021년 12월 15일 초판 2021년 12월 15일 1쇄
발행인	(주)천재교육
주소	서울시 금천구 가산로9길 54
신고번호	제2001-000018호
고객센터	1577-0902

※ 정답 분실 시에는 천재교육 교재 홈페이지에서 내려받으세요.

※ KC 마크는 이 제품이 공통안전기준에 적합하였음을 의미합니다.

※ 주의
책 모서리에 다칠 수 있으니 주의하시기 바랍니다.
부주의로 인한 사고의 경우 책임지지 않습니다.
8세 미만의 어린이는 부모님의 관리가 필요합니다.

수학 전략

초등 수학 1-1

핵심 개념

단원별로 꼭 필요한 핵심 개념을 만화를 보면서
재미있게 익힐 수 있도록 하였습니다.

개념 돌파 전략❶, ❷

개념 돌파 전략❶에서는 단원별로
기본적인 개념을 설명하고 개념의 기초를 확인하는
문제를 제시하였습니다.
개념 돌파 전략❷에서는 기본적인 개념을 알고 있는지
문제로 확인할 수 있습니다.

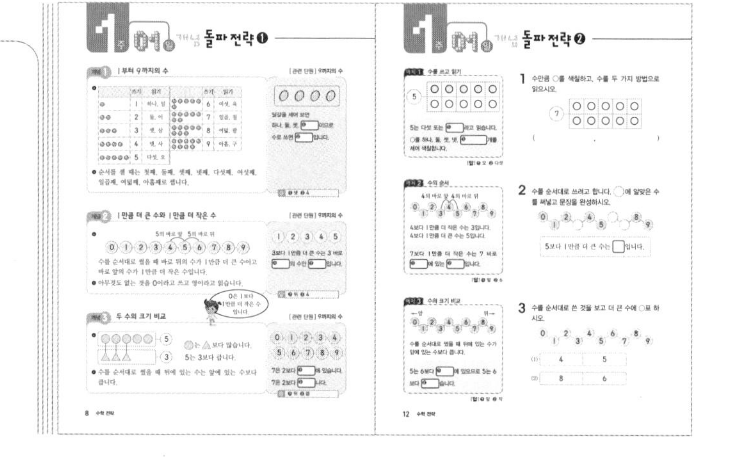

필수 체크 전략❶, ❷

필수 체크 전략❶에서는 단원별로
중요한 유형을 선택하여 반복 연습할 수 있도록
하였습니다.
필수 체크 전략❷에서는 추가적으로
중요한 유형을 선택하여 문제로 확인할 수 있도록
하였습니다.

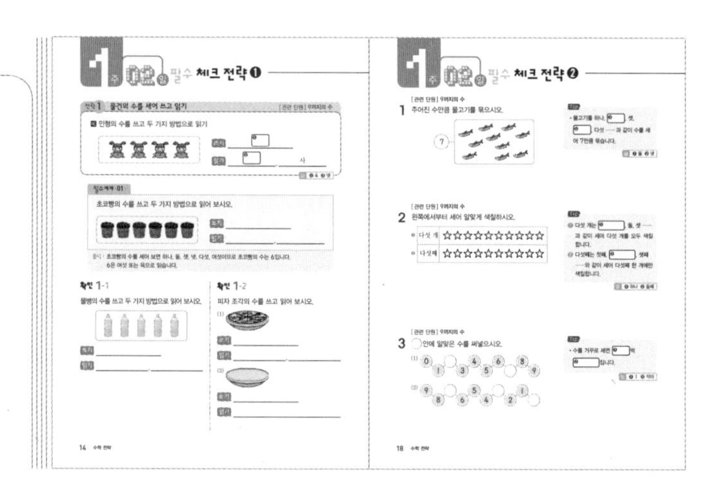

1주에 4일 구성+1일에 6쪽 구성

교과서 대표 전략❶, ❷

교과서 대표 전략❶에서는 단원별로 교과서에 나오는 대표적인 문제를 제시하였습니다.
교과서 대표 전략❷에서는 한 번 더 확인할 수 있는 문제를 제시하였습니다.

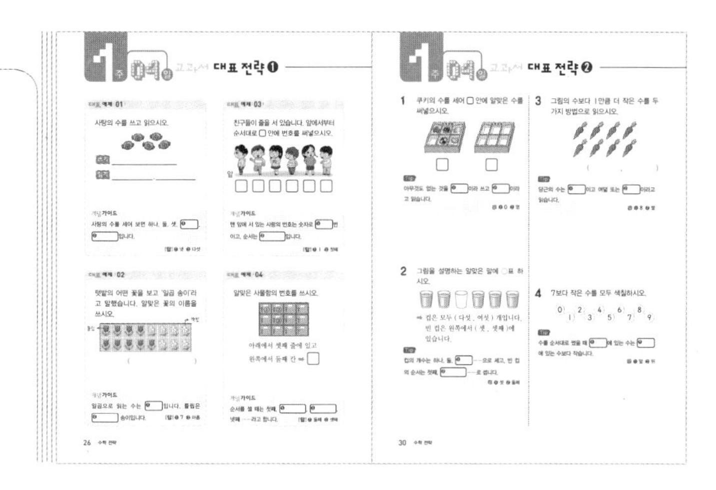

누구나 만점 전략
창의·융합·코딩 전략❶, ❷

누구나 만점 전략에서는 단원별로 꼭 풀어야 하는 문제를 제시하여 누구나 만점을 받을 수 있도록 하였습니다.
창의•융합•코딩 전략에서는 새 교육과정에서 제시하는 창의, 융합, 코딩 문제를 쉽게 접근할 수 있도록 제시하였습니다.

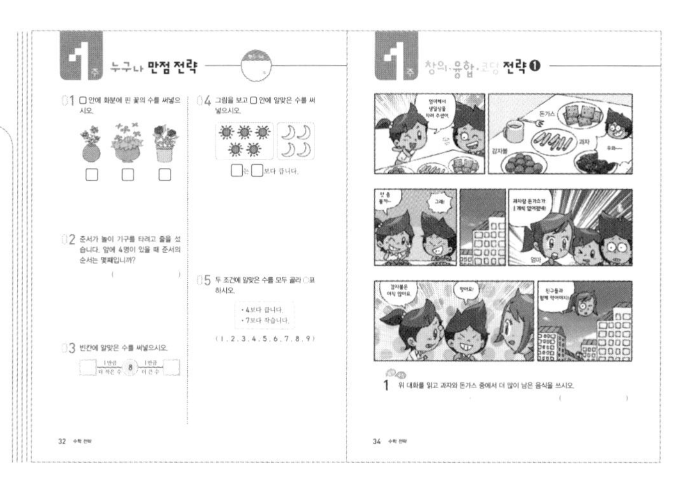

권말정리 마무리 전략
신유형·신경향·서술형 전략
학력진단 전략 1~3회

권말정리 마무리 전략은 만화로 마무리할 수 있게 하였습니다.
신유형•신경향•서술형 전략에서는 신유형, 신경향, 서술형 문제를 쉽게 풀 수 있도록 단계별로 제시하였습니다.
학력진단 전략은 총 3회로 전 단원의 학력을 진단할 수 있도록 구성하였습니다.

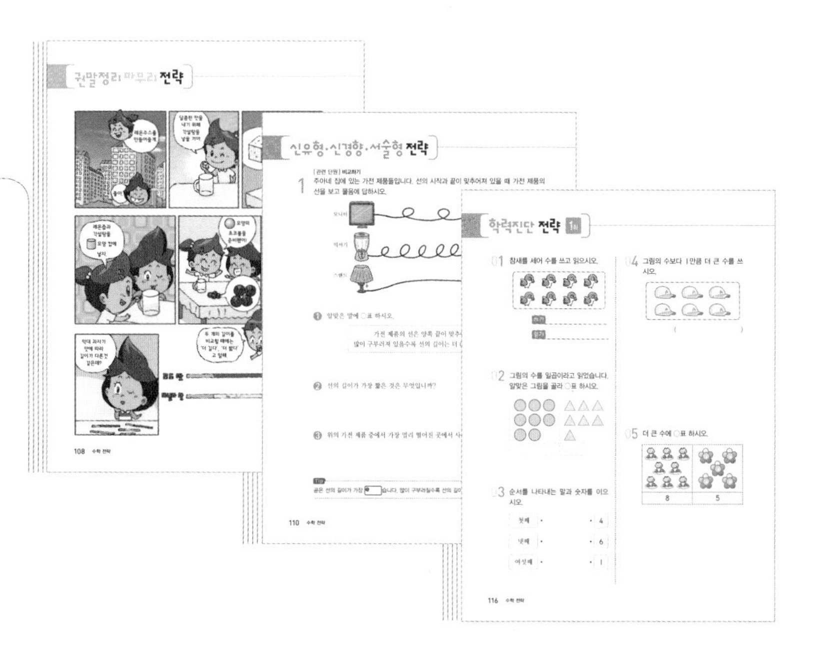

이 책의 차례

1주

[관련 단원]
9까지의 수 • 덧셈과 뺄셈 6쪽

01일 개념 돌파 전략 ❶ .... 8~11쪽
개념 돌파 전략 ❷ .... 12~13쪽
02일 필수 체크 전략 ❶ .... 14~17쪽
필수 체크 전략 ❷ .... 18~19쪽
03일 필수 체크 전략 ❶ .... 20~23쪽
필수 체크 전략 ❷ .... 24~25쪽
04일 교과서 대표 전략 ❶ .... 26~29쪽
교과서 대표 전략 ❷ .... 30~31쪽
누구나 만점 전략 .... 32~33쪽
창의•융합•코딩 전략 ❶ .... 34~35쪽
창의•융합•코딩 전략 ❷ .... 36~39쪽

2주

[관련 단원]
여러 가지 모양 • 비교하기 40쪽

01일 개념 돌파 전략 ❶ .... 42~45쪽
개념 돌파 전략 ❷ .... 46~47쪽
02일 필수 체크 전략 ❶ .... 48~51쪽
필수 체크 전략 ❷ .... 52~53쪽
03일 필수 체크 전략 ❶ .... 54~57쪽
필수 체크 전략 ❷ .... 58~59쪽
04일 교과서 대표 전략 ❶ .... 60~63쪽
교과서 대표 전략 ❷ .... 64~65쪽
누구나 만점 전략 .... 66~67쪽
창의•융합•코딩 전략 ❶ .... 68~69쪽
창의•융합•코딩 전략 ❷ .... 70~73쪽

[관련 단원]
50까지의 수 74쪽

01일 개념 돌파 전략 ❶ ······ 76~79쪽
개념 돌파 전략 ❷ ······ 80~81쪽

02일 필수 체크 전략 ❶ ······ 82~85쪽
필수 체크 전략 ❷ ······ 86~87쪽

03일 필수 체크 전략 ❶ ······ 88~91쪽
필수 체크 전략 ❷ ······ 92~93쪽

04일 교과서 대표 전략 ❶ ······ 94~97쪽
교과서 대표 전략 ❷ ······ 98~99쪽

누구나 만점 전략 ······ 100~101쪽
창의•융합•코딩 전략 ❶ ······ 102~103쪽
창의•융합•코딩 전략 ❷ ······ 104~107쪽

108쪽

권말정리 마무리 전략 ······ 108~109쪽
신유형•신경향•서술형 전략 ······ 110~115쪽
학력진단 전략
- 1회 ······ 116~119쪽
- 2회 ······ 120~123쪽
- 3회 ······ 124~127쪽

1 주

9까지의 수, 덧셈과 뺄셈

생일 축하해.

고마워.
모자를 선물로 준비했어.

나는 모자를 여러 개 가지고 있어.
몇 개나 있는데?

으..응 그냥 많아.
개수를 세어 보면 되잖아.
하나, 일
둘, 이
셋, 삼
넷, 사
다섯, 오
여섯, 육
일곱, 칠
여덟, 팔
아홉, 구
모자는 모두 9개네.
엄마가 도넛과 요구르트를 함께 나눠 먹으라고 하셨어.
초코 맛이 2개, 딸기 맛이 3개 있으니까

학습할 내용

❶ 1부터 9까지의 수
❷ 1만큼 더 큰 수와 1만큼 더 작은 수
❸ 두 수의 크기 비교
❹ 모으고 가르기
❺ 덧셈
❻ 뺄셈

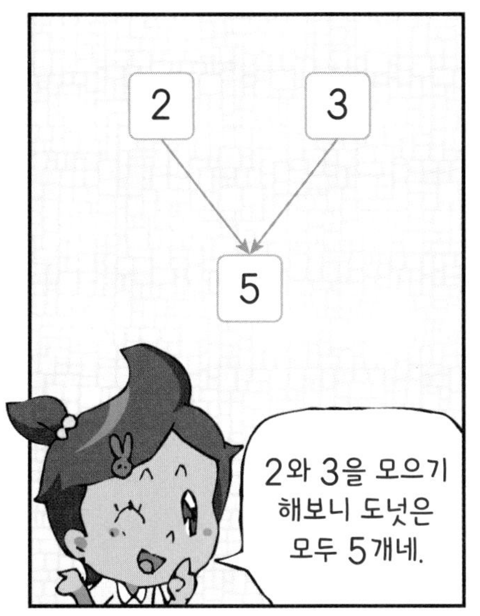

1주 04일 개념 돌파 전략 ❶

개념 1 ㅣ부터 9까지의 수

[관련 단원] 9까지의 수

	쓰기	읽기		쓰기	읽기
●	1	하나, 일	●●●●●●	6	여섯, 육
●●	2	둘, 이	●●●●●●●	7	일곱, 칠
●●●	3	셋, 삼	●●●●●●●●	8	여덟, 팔
●●●●	4	넷, 사	●●●●●●●●●	9	아홉, 구
●●●●●	5	다섯, 오			

- 순서를 셀 때는 첫째, 둘째, 셋째, 넷째, 다섯째, 여섯째, 일곱째, 여덟째, 아홉째로 셉니다.

달걀을 세어 보면
하나, 둘, 셋, ❶ [ ] 이므로
수로 쓰면 ❷ [ ] 입니다.

답 ❶ 넷 ❷ 4

개념 2 ㅣ만큼 더 큰 수와 ㅣ만큼 더 작은 수

[관련 단원] 9까지의 수

- 5의 바로 앞 5의 바로 뒤

0 - 1 - 2 - 3 - 4 - 5 - 6 - 7 - 8 - 9

수를 순서대로 썼을 때 바로 뒤의 수가 ㅣ만큼 더 큰 수이고 바로 앞의 수가 ㅣ만큼 더 작은 수입니다.

- 아무것도 없는 것을 0이라고 쓰고 영이라고 읽습니다.

1 2 3 4 5

3보다 ㅣ만큼 더 큰 수는 3 바로 ❶ [ ] 의 수인 ❷ [ ] 입니다.

답 ❶ 뒤 ❷ 4

0은 ㅣ보다 ㅣ만큼 더 작은 수입니다.

개념 3 두 수의 크기 비교

[관련 단원] 9까지의 수

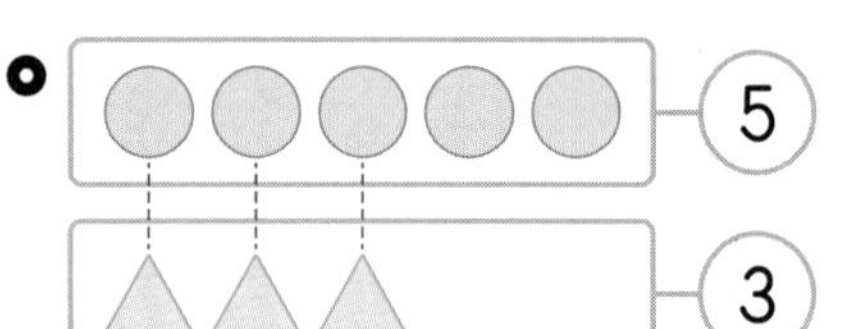

●는 ▲보다 많습니다.
5는 3보다 큽니다.

- 수를 순서대로 썼을 때 뒤에 있는 수는 앞에 있는 수보다 큽니다.

0 1 2 3 4
5 6 7 8 9

7은 2보다 ❶ [ ] 에 있습니다.
7은 2보다 ❷ [ ] 니다.

답 ❶ 뒤 ❷ 큽

개념 기초 확인

▶정답 및 풀이 2쪽

1-1 그림의 수만큼 ○를 그리고, ◯에 알맞은 수를 써넣으시오.

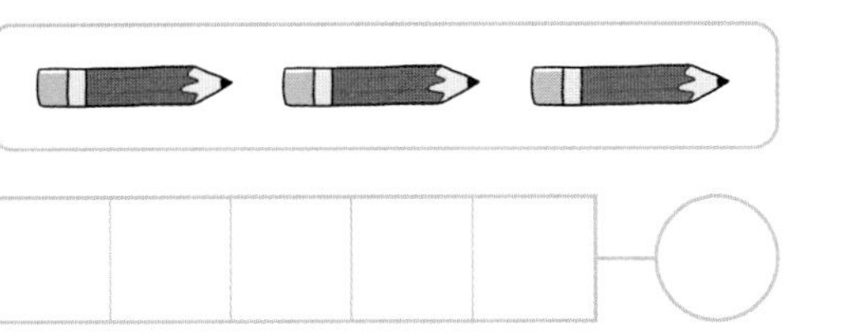

• 풀이 • 연필을 세어 보면 하나, 둘, ❶ [ ] 이므로 수로 쓰면 ❷ [ ] 입니다.

답 ❶ 셋 ❷ 3

1-2 그림의 수를 세어 ◯에 알맞은 수를 써넣고, 두 가지 방법으로 읽어 보시오.

(,)

2-1 4보다 1만큼 더 큰 수를 나타내는 것에 ○표 하시오.

( ) ( )

• 풀이 • 4보다 1만큼 더 큰 수는 수를 순서대로 썼을 때 4 바로 ❶ [ ] 의 수인 ❷ [ ] 입니다.

답 ❶ 뒤 ❷ 5

2-2 6보다 1만큼 더 작은 수를 나타내는 것에 ○표 하시오.

( ) ( )

3-1 그림을 보고 알맞은 말에 ○표 하시오.

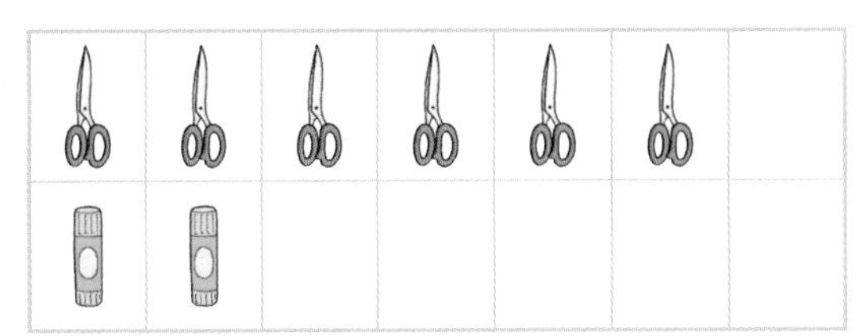

가위는 풀보다 (많습니다 , 적습니다).

6은 2보다 (큽니다 , 작습니다).

• 풀이 • 가위와 풀을 짝 지어 보면 가위가 남으므로 ❶ [ ] 가 더 많습니다. 따라서 가위의 수인 6이 풀의 수인 ❷ [ ] 보다 더 큽니다.

답 ❶ 가위 ❷ 2

3-2 그림을 보고 알맞은 말에 ○표 하시오.

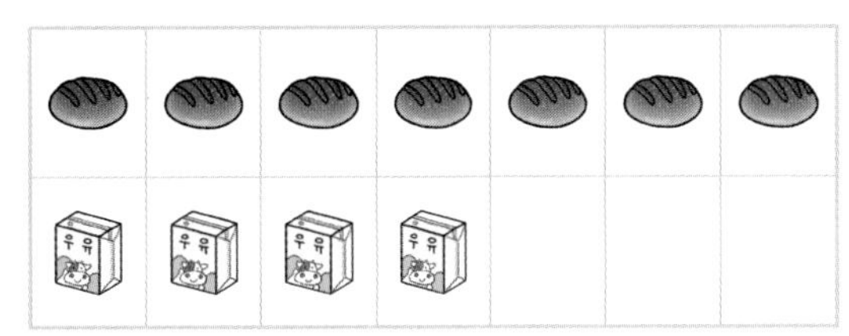

빵은 우유보다 (많습니다 , 적습니다).

7은 4보다 (큽니다 , 작습니다).

개념 돌파 전략 ❶

개념 4 모으고 가르기

[관련 단원] **덧셈과 뺄셈**

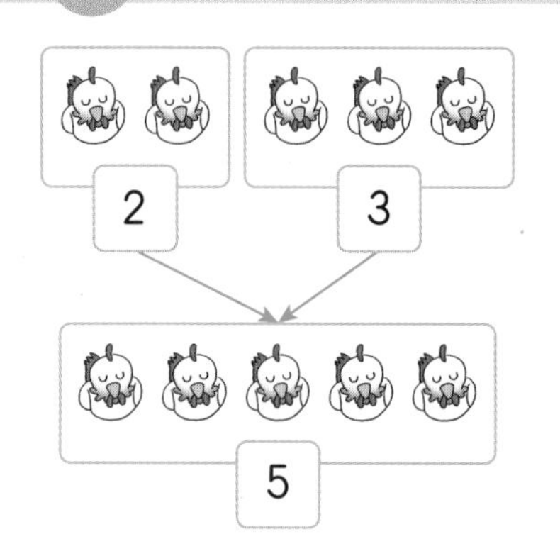

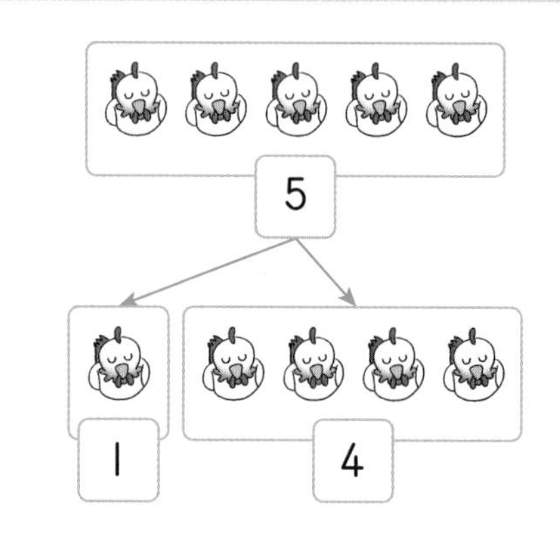

닭 2마리와 닭 3마리를 모으면 닭은 5마리가 됩니다.

닭 5마리는 1마리와 4마리로 가르기 할 수 있습니다.

2와 3을 모으기 하면 ❶ ☐ 입니다.

5는 1과 4, 2와 3, 3과 ❷ ☐, 4와 1로 가르기 할 수 있습니다.

답 ❶ 5 ❷ 2

개념 5 덧셈

[관련 단원] **덧셈과 뺄셈**

쓰기 $2+4=6$ **읽기** 2 더하기 4는 6과 같습니다.
2와 4의 합은 6입니다.

- $0+3=3$ ➡ 0에 어떤 수를 더하면 어떤 수가 됩니다.
  $4+0=4$ ➡ 어떤 수에 0을 더하면 어떤 수가 됩니다.

2와 4의 합은 2와 ❶ ☐ 를 ❷ ☐ 기 한 것입니다.

답 ❶ 4 ❷ 모으

개념 6 뺄셈

[관련 단원] **덧셈과 뺄셈**

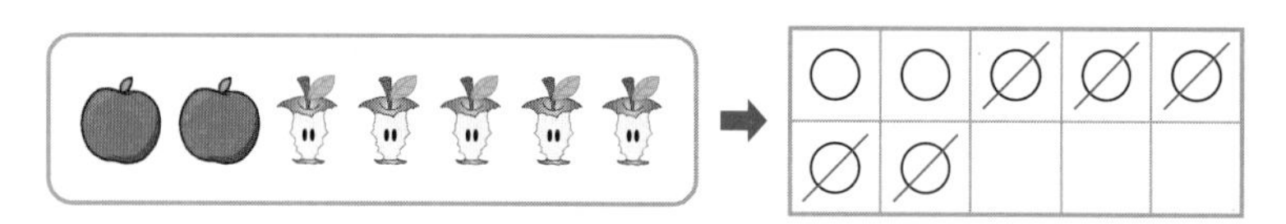

쓰기 $7-5=2$ **읽기** 7 빼기 5는 2와 같습니다.
7과 5의 차는 2입니다.

- $5-0=5$ ➡ 어떤 수에서 0을 빼면 어떤 수가 됩니다.
  $2-2=0$ ➡ 어떤 수에서 그 수 전체를 빼면 0입니다.

7은 5와 ❶ ☐ 로 가르기 할 수 있습니다.

7 빼기 5는 ❷ ☐ 입니다.

답 ❶ 2 ❷ 2

개념 기초 확인

▶정답 및 풀이 2쪽

4-1 ☐ 안에 알맞은 수를 써넣으시오.

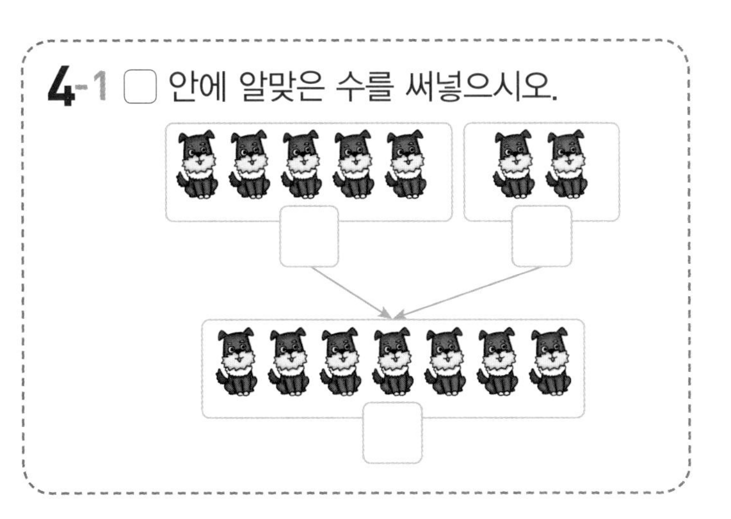

• **풀이** • 5와 ❶ ☐ 를 모으면 ❷ ☐ 입니다. 답 ❶ 2 ❷ 7

4-2 ☐ 안에 알맞은 수를 써넣으시오.

5-1 ☐ 안에 알맞은 수를 써넣고 덧셈식을 쓰시오.

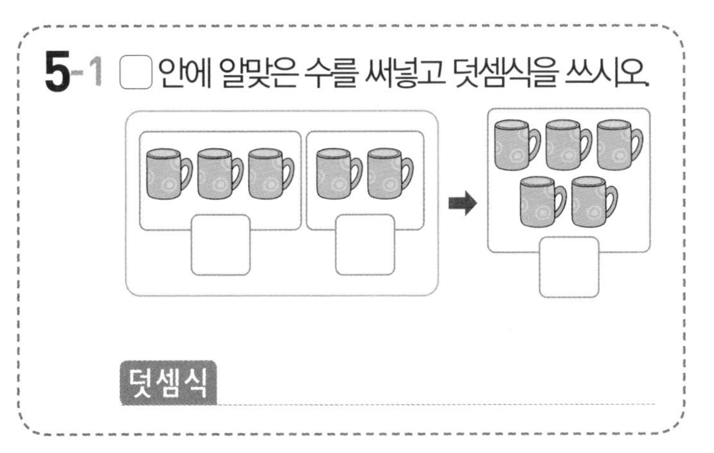

덧셈식

• **풀이** • 3 더하기 ❶ ☐ 는 ❷ ☐ 입니다. 답 ❶ 2 ❷ 5

5-2 ☐ 안에 알맞은 수를 써넣고 덧셈식을 쓰시오.

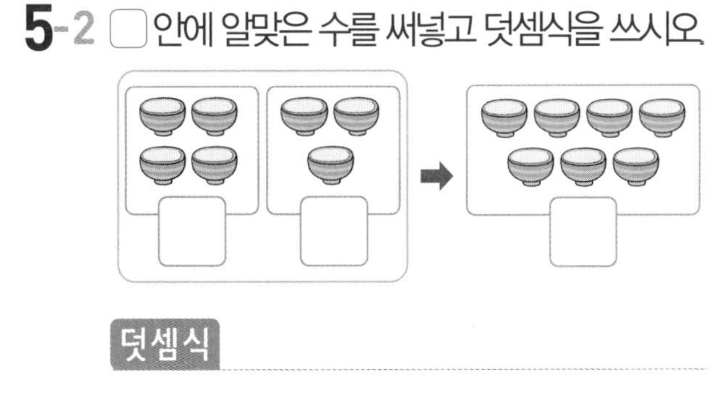

덧셈식

6-1 ☐ 안에 알맞은 수를 써넣고 뺄셈식을 쓰시오.

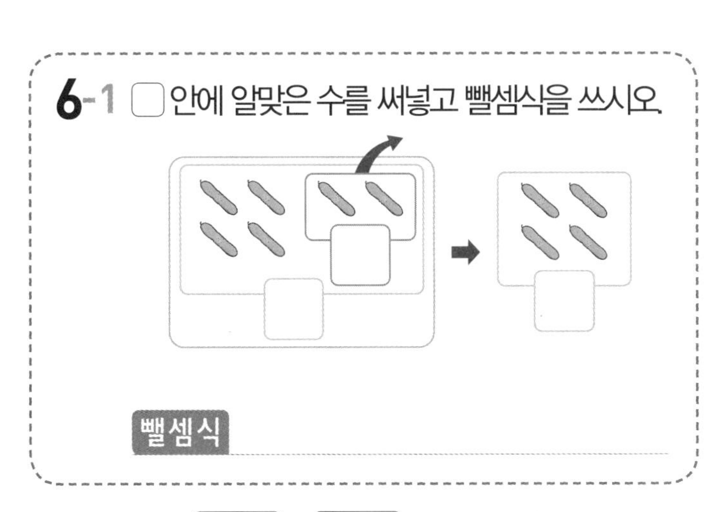

뺄셈식

• **풀이** • 6 빼기 ❶ ☐ 는 ❷ ☐ 입니다. 답 ❶ 2 ❷ 4

6-2 ☐ 안에 알맞은 수를 써넣고 뺄셈식을 쓰시오.

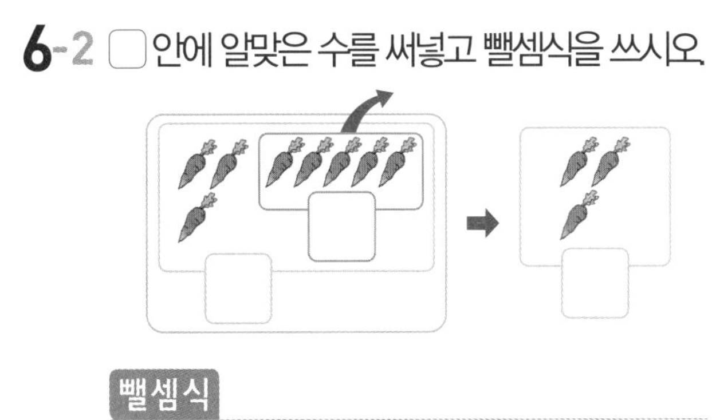

뺄셈식

1주 01일 개념 돌파 전략 ❷

예제 1 수를 쓰고 읽기

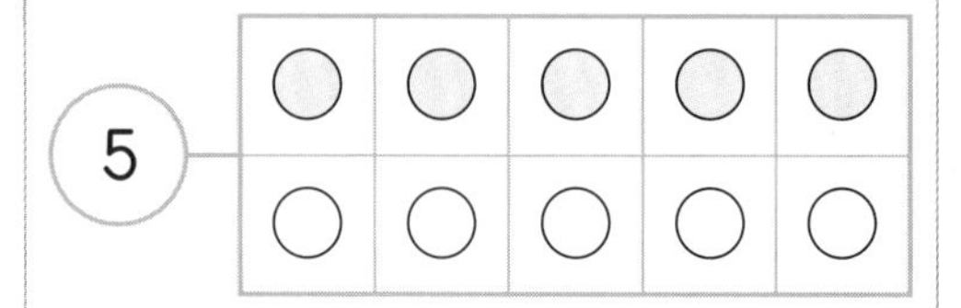

5는 다섯 또는 ❶ [ ] 라고 읽습니다.

○를 하나, 둘, 셋, 넷, ❷ [ ] 개를 세어 색칠합니다.

[답] ❶ 오 ❷ 다섯

예제 2 수의 순서

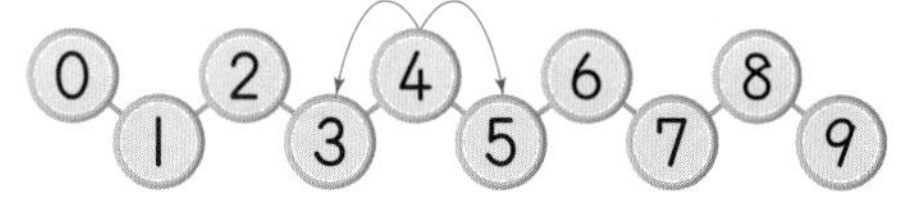

4보다 1만큼 더 작은 수는 3입니다.
4보다 1만큼 더 큰 수는 5입니다.

7보다 1만큼 더 작은 수는 7 바로 ❶ [ ] 에 있는 ❷ [ ] 입니다.

[답] ❶ 앞 ❷ 6

예제 3 수의 크기 비교

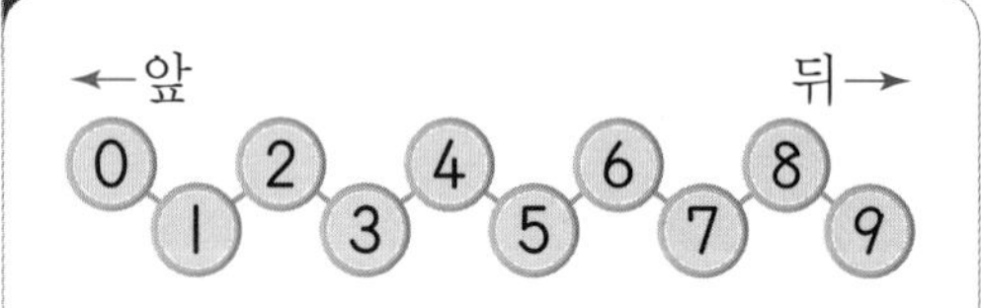

수를 순서대로 썼을 때 뒤에 있는 수가 앞에 있는 수보다 큽니다.

5는 6보다 ❶ [ ] 에 있으므로 5는 6보다 ❷ [ ] 습니다.

[답] ❶ 앞 ❷ 작

1 수만큼 ○를 색칠하고, 수를 두 가지 방법으로 읽으시오.

7

(　　　　　　　,　　　　　　　)

2 수를 순서대로 쓰려고 합니다. ○에 알맞은 수를 써넣고 문장을 완성하시오.

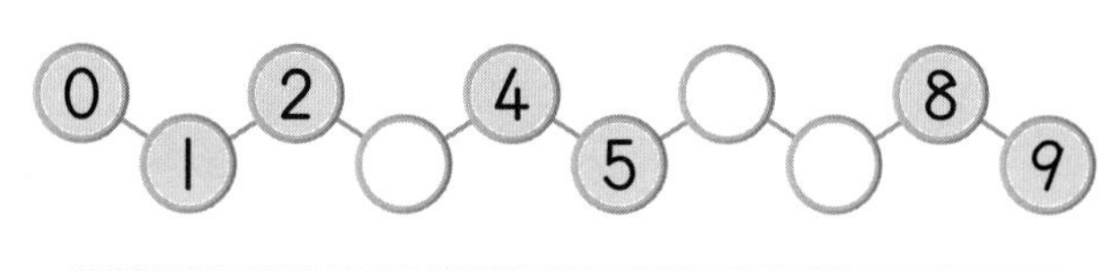

5보다 1만큼 더 큰 수는 [ ] 입니다.

3 수를 순서대로 쓴 것을 보고 더 큰 수에 ○표 하시오.

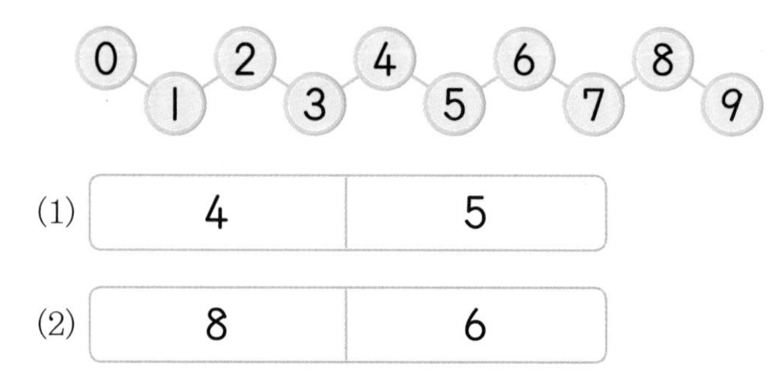

(1)	4	5
(2)	8	6

▶정답 및 풀이 2쪽

예제 4 모으기

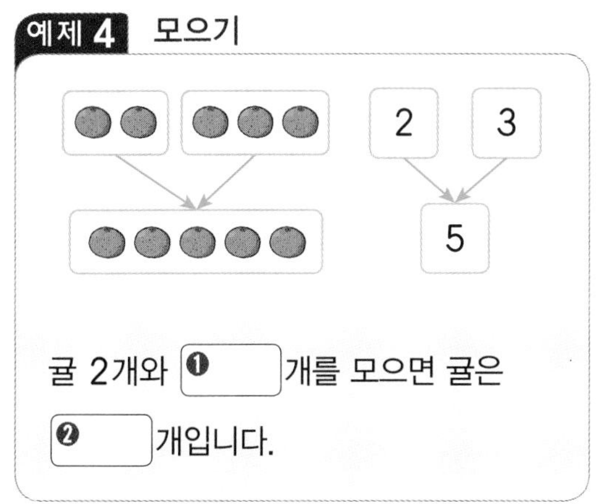

귤 2개와 ❶ 개를 모으면 귤은 ❷ 개입니다.

[답] ❶ 3 ❷ 5

4 빈 곳에 알맞은 수만큼 ○를 그려 넣고, □ 안에 알맞은 수를 써넣으시오.

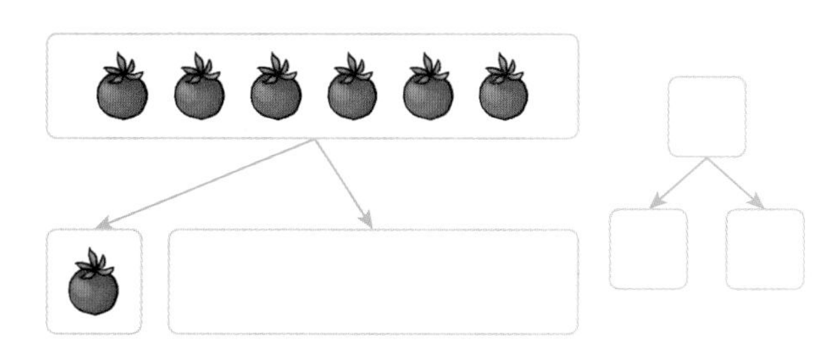

예제 5 덧셈

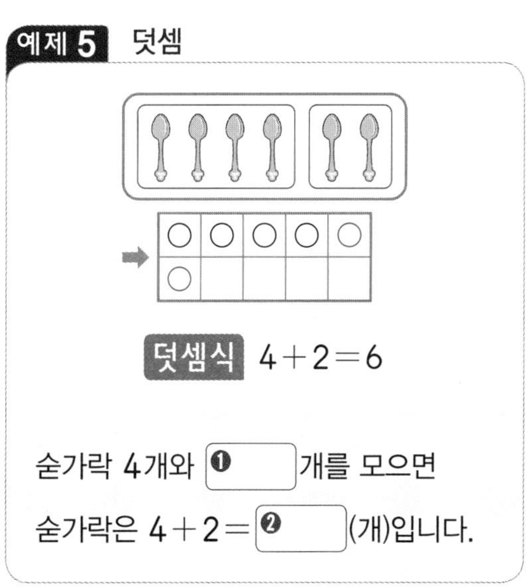

숟가락 4개와 ❶ 개를 모으면 숟가락은 $4+2=$ ❷ (개)입니다.

[답] ❶ 2 ❷ 6

5 그림을 보고 □ 안에 알맞은 수를 써넣으시오.

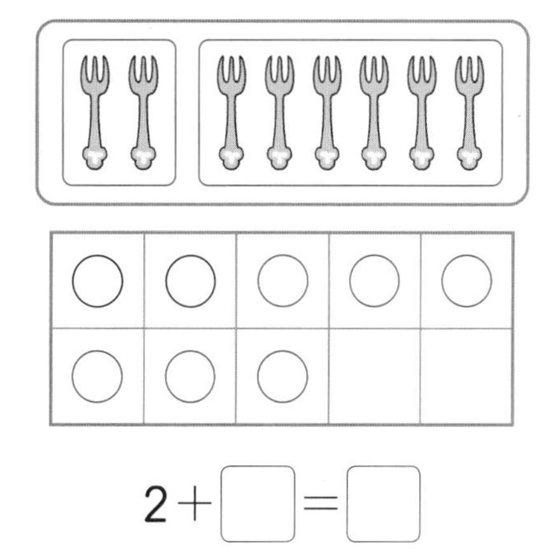

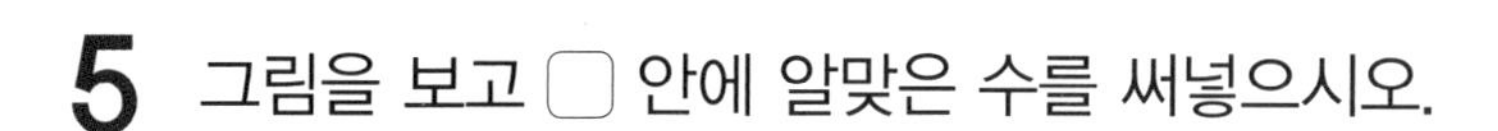

$2+\square=\square$

예제 6 뺄셈

아이스크림 7개에서 ❶ 개를 빼면 아이스크림은 $7-4=$ ❷ (개)입니다.

[답] ❶ 4 ❷ 3

6 그림을 보고 □ 안에 알맞은 수를 써넣으시오.

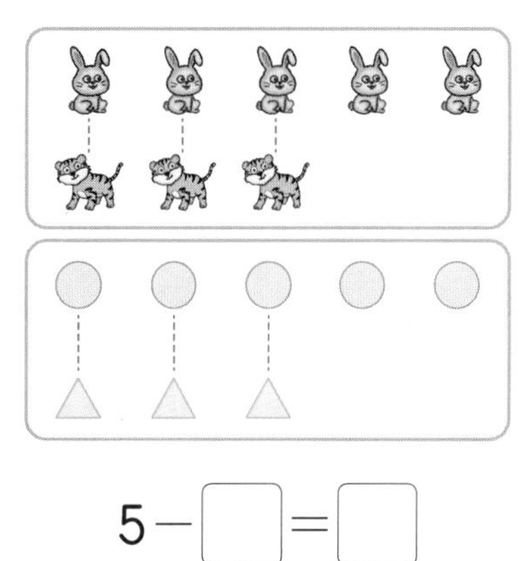

$5-\square=\square$

1주

필수 체크 전략 ❶

전략 1 물건의 수를 세어 쓰고 읽기

[관련 단원] 9까지의 수

예 인형의 수를 쓰고 두 가지 방법으로 읽기

쓰기 ❶

읽기 ❷ , 사

답 ❶ 4 ❷ 넷

필수 예제 01

초코빵의 수를 쓰고 두 가지 방법으로 읽어 보시오.

쓰기 ____________

읽기 ____________, ____________

풀이 | 초코빵의 수를 세어 보면 하나, 둘, 셋, 넷, 다섯, 여섯이므로 초코빵의 수는 6입니다.
6은 여섯 또는 육으로 읽습니다.

확인 1-1

물병의 수를 쓰고 두 가지 방법으로 읽어 보시오.

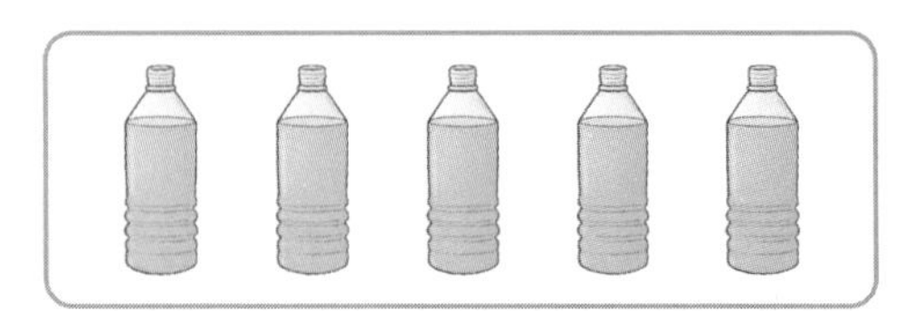

쓰기 ____________

읽기 ____________, ____________

확인 1-2

피자 조각의 수를 쓰고 읽어 보시오.

(1)

쓰기 ____________

읽기 ____________, ____________

(2)

쓰기 ____________

읽기 ____________

▶정답 및 풀이 3쪽

전략 2 몇째인지 알기

[관련 단원] 9까지의 수

예 순서를 나타내는 말 쓰기

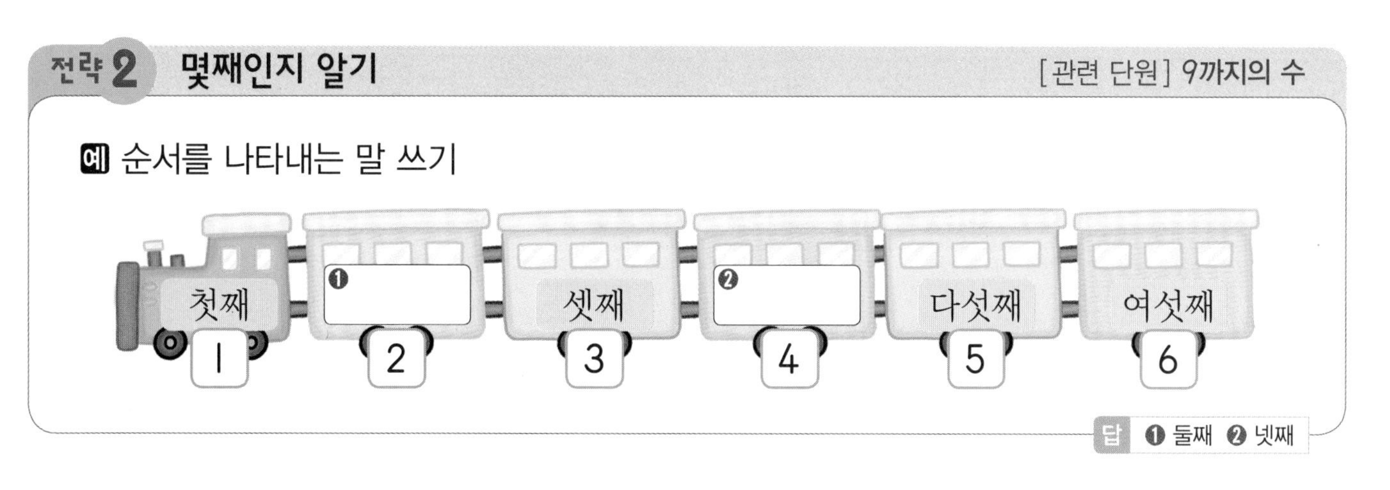

답 ❶ 둘째 ❷ 넷째

필수 예제 02

순서에 맞게 □ 안에 알맞은 말을 써넣으시오.

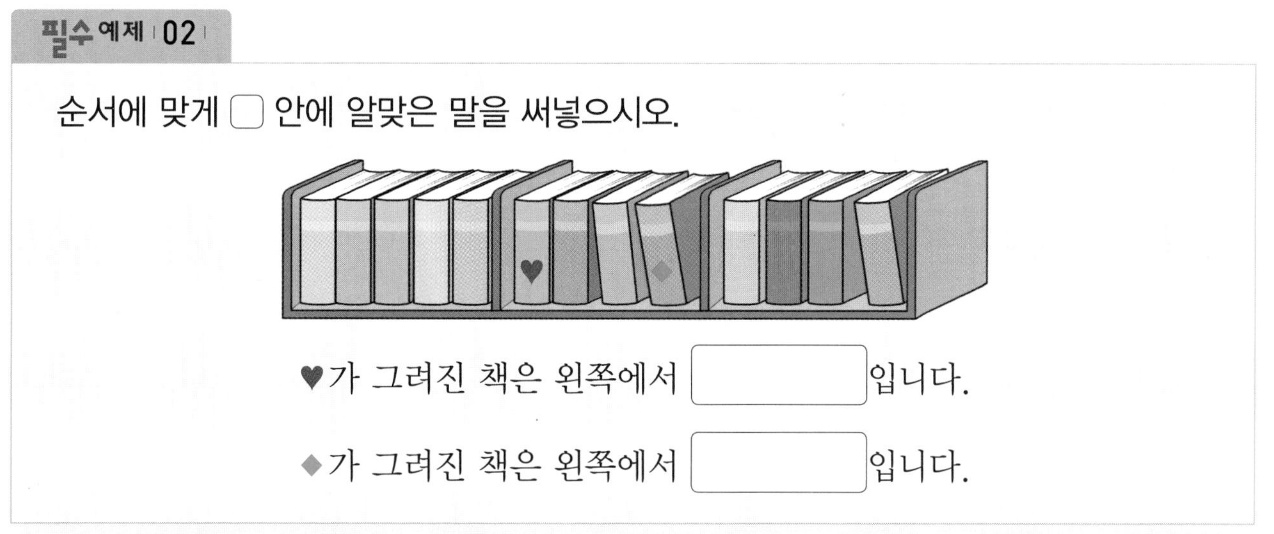

♥가 그려진 책은 왼쪽에서 □입니다.

◆가 그려진 책은 왼쪽에서 □입니다.

풀이 | 순서를 왼쪽에서부터 첫째 – 둘째 – 셋째 – 넷째 – 다섯째 – 여섯째 – 일곱째 – 여덟째 – 아홉째로 셉니다.

확인 2-1

왼쪽에서부터 세었을 때 색칠한 것의 순서는 몇째입니까?

( )

확인 2-2

위에서부터 세었을 때 색칠한 칸의 순서는 몇째입니까?

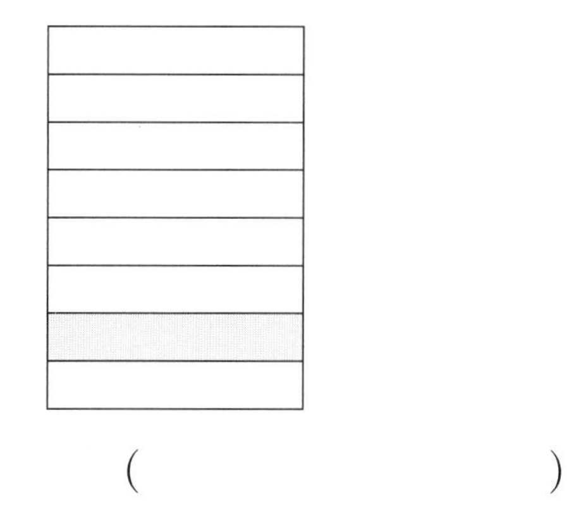

( )

전략 3 그림을 그리지 않고 모으고 가르기

[관련 단원] 덧셈과 뺄셈

예 3과 3을 모으기

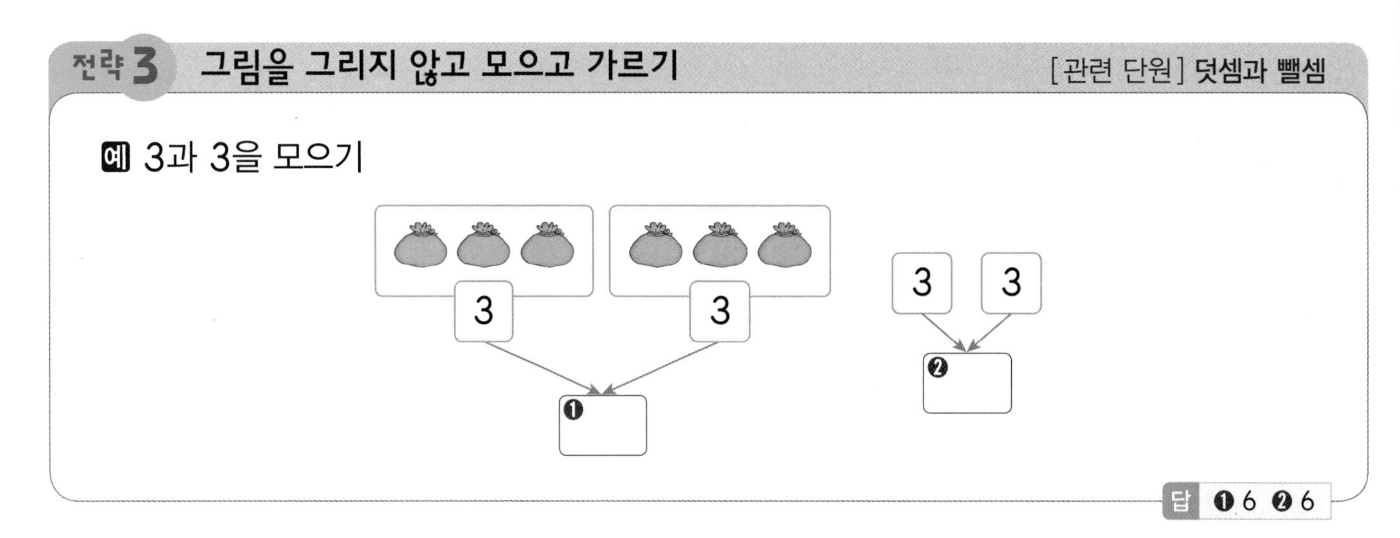

답 ❶ 6 ❷ 6

필수 예제 | 03

☐ 안에 알맞은 수를 써넣으시오.

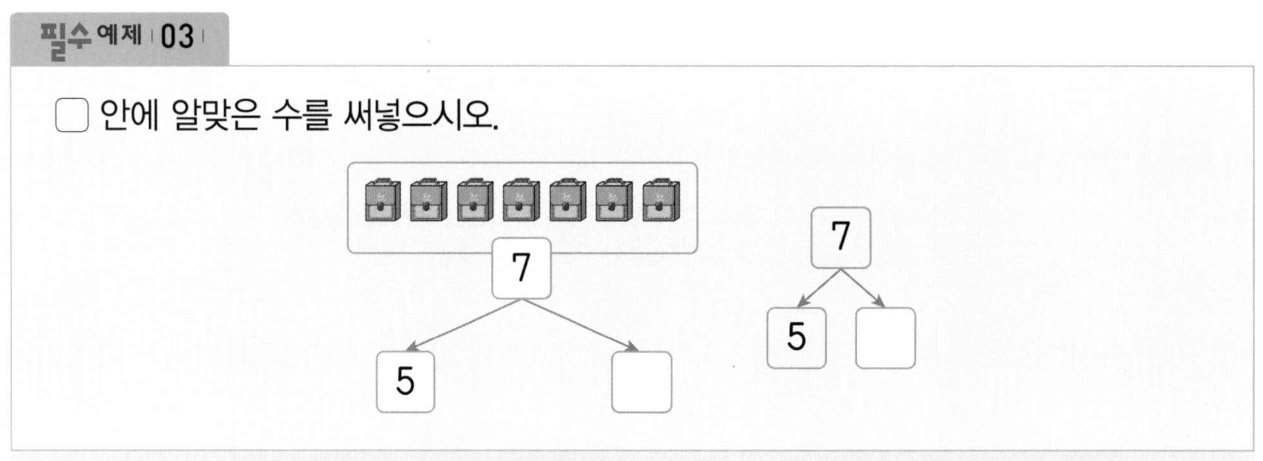

풀이 | 가방 7개 중에서 5개를 지우면 2개가 남으므로 가방 7개는 5개와 2개로 가르기 할 수 있습니다.
따라서 7은 5와 2로 가르기 할 수 있습니다.

확인 3-1

☐ 안에 알맞은 수를 써넣으시오.

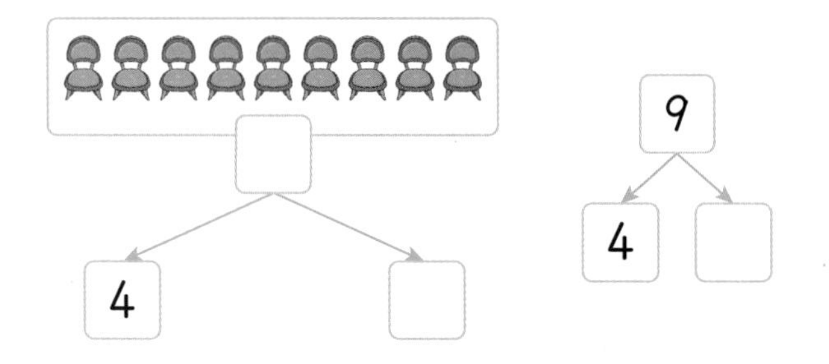

확인 3-2

☐ 안에 알맞은 수를 써넣으시오.

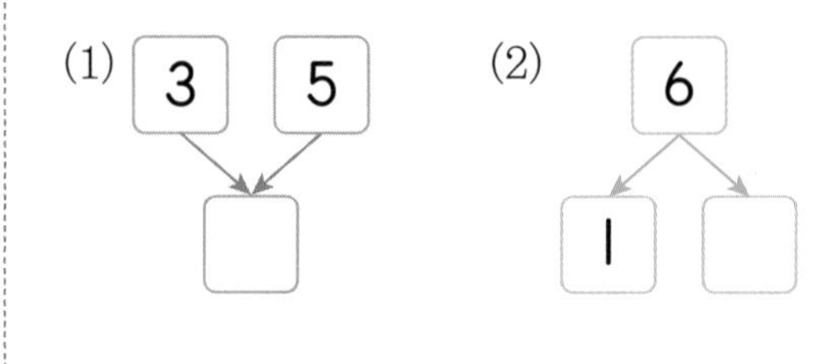

▶정답 및 풀이 3쪽

전략 4 그림에 대한 덧셈식을 쓰고 읽기

[관련 단원] 덧셈과 뺄셈

예 덧셈식을 쓰고 필통이 모두 몇 개인지 구하기

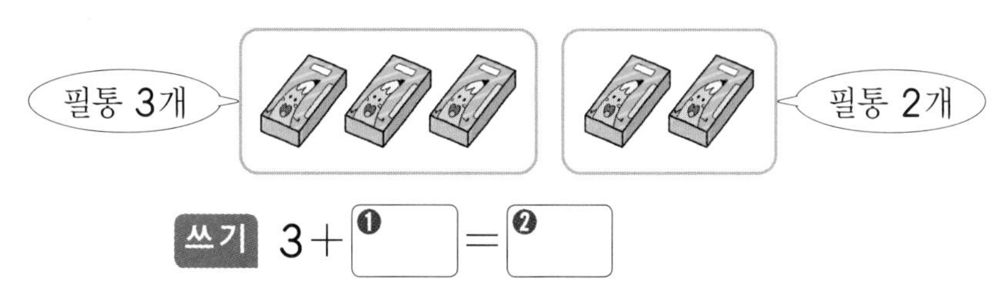

쓰기 3+❶☐=❷☐

읽기 3 더하기 2는 ❷☐와 같습니다.

답 ❶ 2 ❷ 5

1 주

필수 예제 04

그림을 보고 덧셈식을 쓰고 읽으시오.

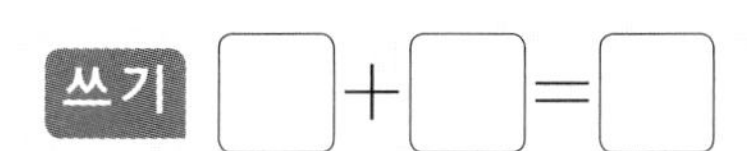

쓰기 ☐+☐=☐

읽기 5와 3의 합은 ☐입니다.

풀이 | 주사위의 눈의 수는 5와 3입니다. 따라서 두 주사위의 눈의 수의 합은 5+3=8입니다.

확인 4-1

그림을 보고 공이 모두 몇 개 있는지 알아보는 덧셈식을 쓰고 읽으시오.

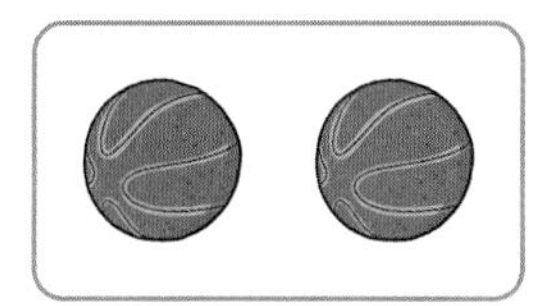 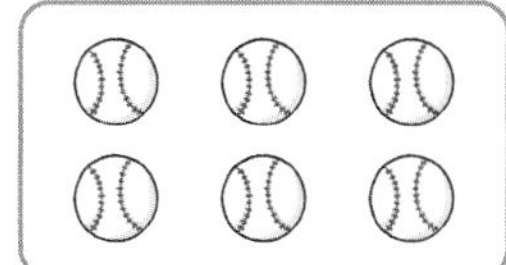

쓰기

읽기

확인 4-2

그림을 보고 구슬은 모두 몇 개인지 알아보는 덧셈식을 쓰고 읽으시오.

 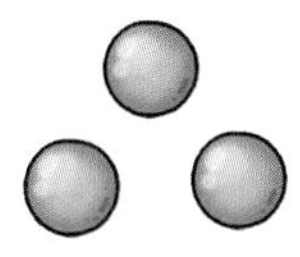

쓰기

읽기

1주 02일 필수 체크 전략 ❷

[관련 단원] 9까지의 수

1 주어진 수만큼 물고기를 묶으시오.

Tip

• 물고기를 하나, ❶ ☐, 셋, ❷ ☐, 다섯 ……과 같이 수를 세어 7만큼 묶습니다.

답 ❶ 둘 ❷ 넷

[관련 단원] 9까지의 수

2 왼쪽에서부터 세어 알맞게 색칠하시오.

❶	다섯 개	☆☆☆☆☆☆☆☆☆☆
❷	다섯째	☆☆☆☆☆☆☆☆☆☆

Tip

❶ 다섯 개는 ❶ ☐, 둘, 셋 ……과 같이 세어 다섯 개를 모두 색칠합니다.

❷ 다섯째는 첫째, ❷ ☐, 셋째 ……와 같이 세어 다섯째 한 개에만 색칠합니다.

답 ❶ 하나 ❷ 둘째

[관련 단원] 9까지의 수

3 ◯ 안에 알맞은 수를 써넣으시오.

(1)

(2)

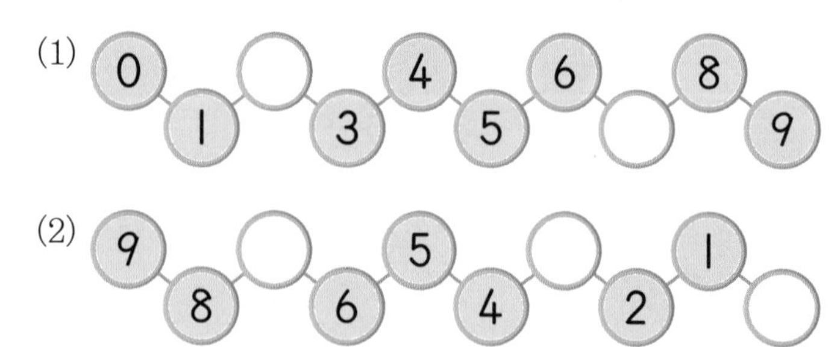

Tip

• 수를 거꾸로 세면 ❶ ☐씩 ❷ ☐집니다.

답 ❶ 1 ❷ 작아

▶정답 및 풀이 4쪽

[관련 단원] **덧셈과 뺄셈**

4 가르기를 하고 알맞은 말에 ○표 하시오.

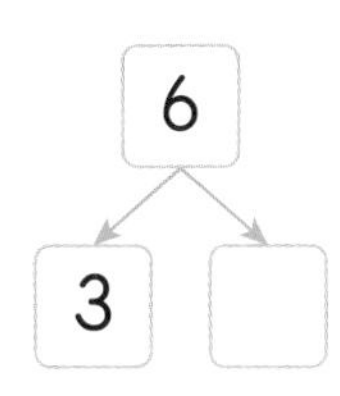

6은 같은 수로 가르기 할 수
(있습니다 , 없습니다).

Tip

• 6은 1과 ❶ ☐, 2와 ❷ ☐로 도 가르기 할 수 있습니다.

답 ❶ 5 ❷ 4

1주

[관련 단원] **덧셈과 뺄셈**

5 ☐ 안에 알맞은 수를 쓰고 덧셈식을 쓰시오.

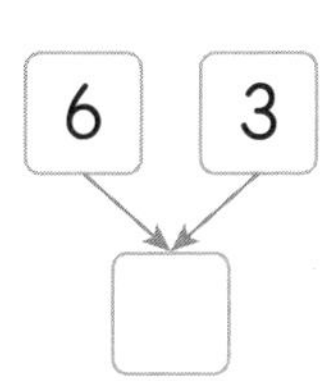

덧셈식 ______

Tip

• 6과 3을 모으기 하면 ❶ ☐이므로 6과 ❷ ☐을 더하는 식을 씁니다.

답 ❶ 9 ❷ 3

[관련 단원] **덧셈과 뺄셈**

6 저금통에 있는 ❶동전의 수가 몇 개인지 알아보려고 합니다. 그림을 보고 알맞은 ❷식을 쓰시오.

식 ______

Tip

❶ 저금통에 동전이 ❶ ☐개가 있었는데 동전 2개를 더 넣었습니다.

❷ ❷ ☐셈식을 씁니다.

답 ❶ 5 ❷ 덧

1주 03일 필수 체크 전략 ❶

전략 1 그림의 수보다 1만큼 더 큰 수, 1만큼 더 작은 수 쓰기 [관련 단원] 9까지의 수

예 사탕의 수보다 1만큼 더 큰 수와 1만큼 더 작은 수 쓰기

❶ ☐ 1만큼 더 작은 수 — 3 — 1만큼 더 큰 수 ❷ ☐

답 ❶ 2 ❷ 4

필수 예제 01

가위의 수를 쓰고, 가위의 수보다 1만큼 더 큰 수와 1만큼 더 작은 수를 쓰시오.

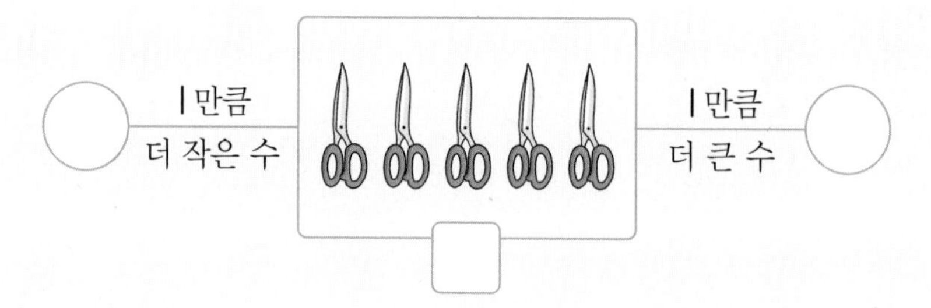

풀이 | 가위의 수는 5입니다. 5보다 1만큼 더 작은 수는 4이고, 5보다 1만큼 더 큰 수는 6입니다.

확인 1-1

가방의 수보다 1만큼 더 큰 수와 1만큼 더 작은 수를 쓰시오.

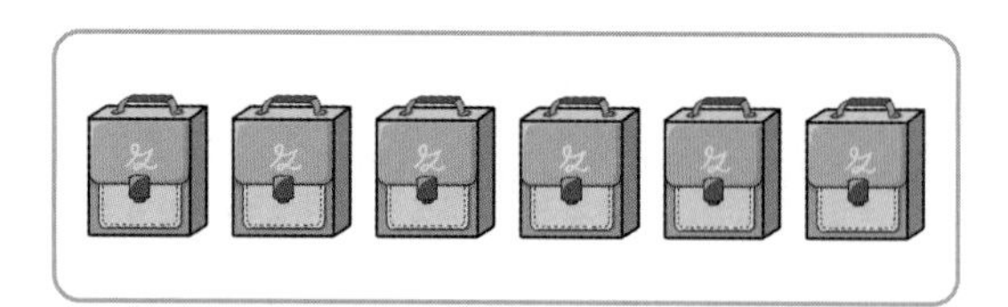

1만큼 더 작은 수 (　　　　　　)

1만큼 더 큰 수 (　　　　　　)

확인 1-2

사과의 수보다 1만큼 더 작은 수를 쓰고 두 가지 방법으로 읽으시오.

쓰기 ____________

읽기 ____________, ____________

전략 2 그림을 보고 두 수의 크기 비교하기

[관련 단원] 9까지의 수

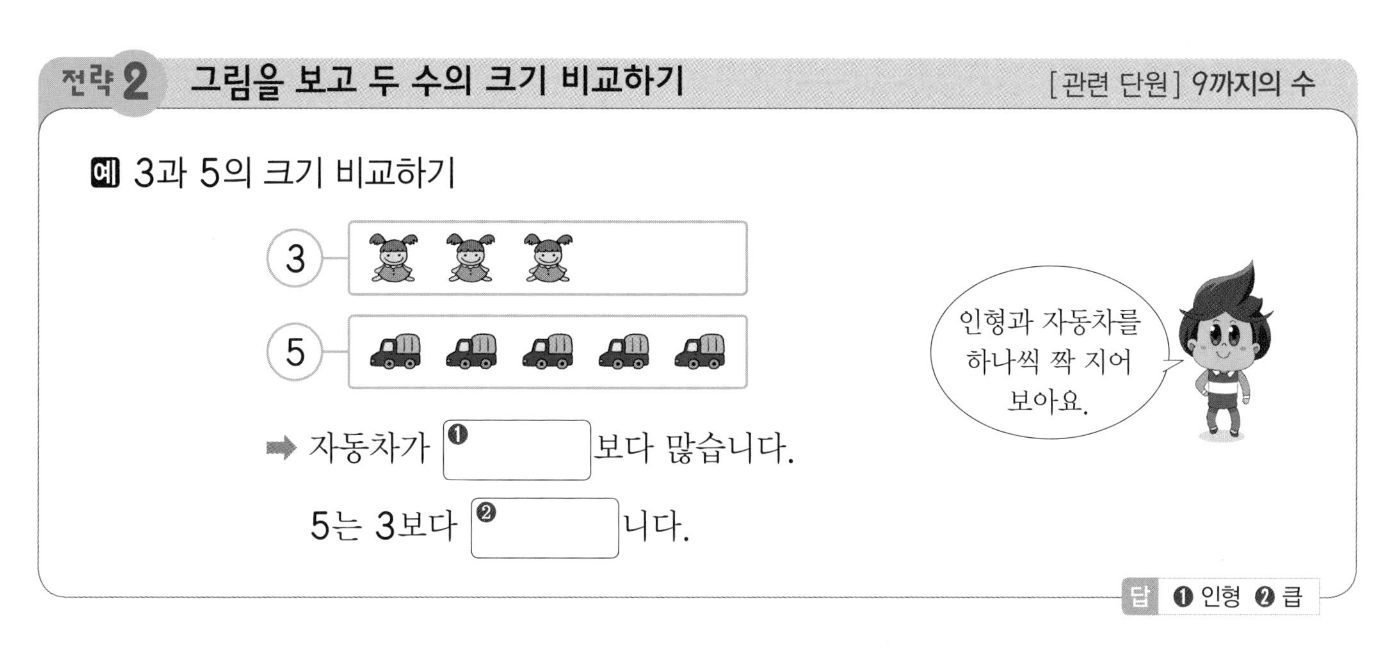

예 3과 5의 크기 비교하기

3

5

➡ 자동차가 ❶ [ ] 보다 많습니다.

5는 3보다 ❷ [ ] 니다.

답 ❶ 인형 ❷ 큼

필수 예제 | 02 |

그림을 보고 알맞은 말에 ○표 하시오.

4

5

➡ 빵이 접시보다 (많습니다 , 적습니다).

4는 5보다 (큽니다 , 작습니다).

풀이 | 빵은 4개이고 접시는 5개입니다. 빵과 접시를 하나씩 짝 지어 보면 접시가 1개 남으므로 빵은 접시보다 적습니다. 따라서 빵의 수인 4는 접시의 수인 5보다 작습니다.

확인 2-1

그림을 보고 알맞은 말에 ○표 하시오.

6은 2보다 (큽니다 , 작습니다).

확인 2-2

수만큼 ○를 그리고 두 수의 크기를 비교하시오.

5
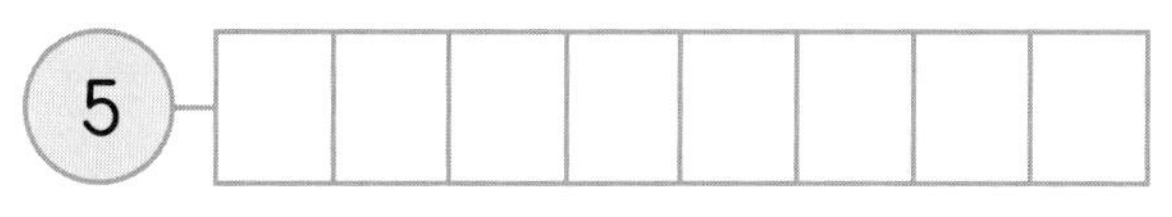

8
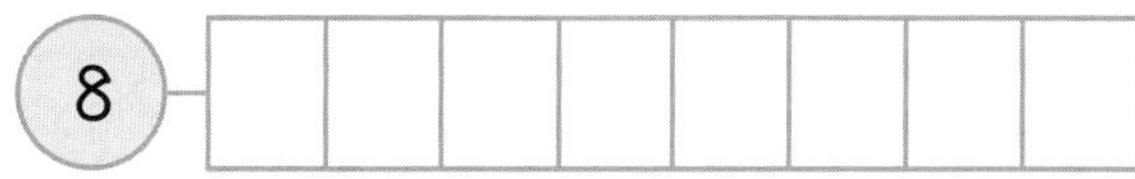

8은 5보다 (큽니다 , 작습니다).

필수 체크 전략 ❶

전략 3 그림에 대한 뺄셈식을 쓰고 읽기

[관련 단원] 덧셈과 뺄셈

예 남은 풍선이 몇 개인지 뺄셈식을 쓰고 읽기

풍선 1개가 터졌어요.

쓰기 4 − ❶ ☐ = ❷ ☐

읽기 4 빼기 1은 ❷ ☐ 과 같습니다.

답 ❶ 1 ❷ 3

필수 예제 | 03

그림을 보고 뺄셈식을 쓰고 읽으시오.

쓰기 ☐ − ☐ = ☐

읽기 7과 4의 차는 ☐ 입니다.

풀이 | 도토리 7개 중에서 도토리 4개를 뺍니다. 따라서 뺄셈식을 쓰면 7 − 4 = 3입니다.

확인 3-1

그림을 보고 뺄셈식을 쓰고 읽으시오.

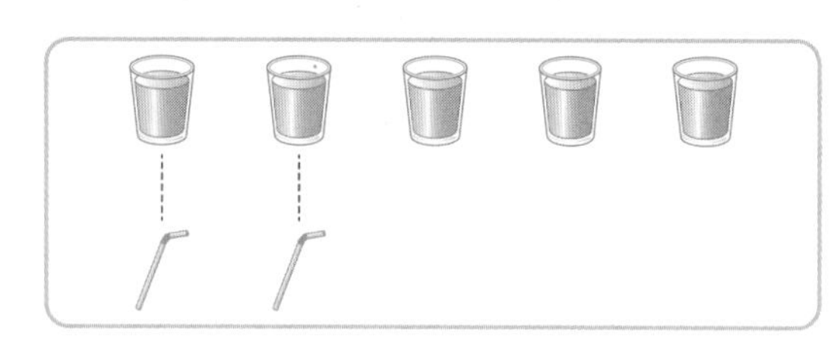

쓰기 5 − ☐ = ☐

읽기

확인 3-2

그림을 보고 뺄셈식을 쓰고 읽으시오.

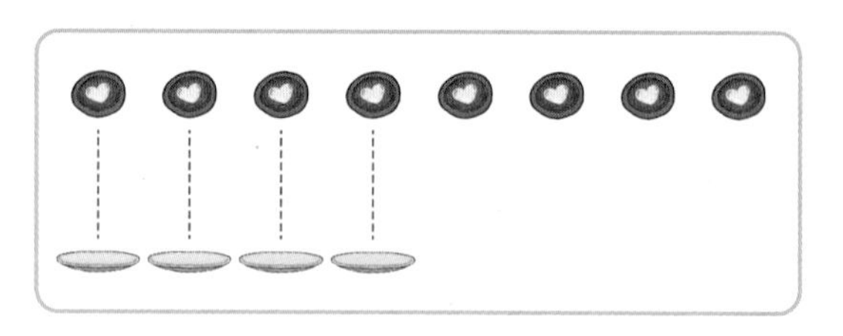

쓰기

읽기

▶정답 및 풀이 4쪽

전략 4 0이 포함된 덧셈식과 뺄셈식 쓰기

[관련 단원] 덧셈과 뺄셈

예 아무것도 없는 것을 더하기

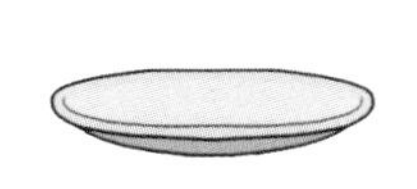

$0+3=$ ❶ □

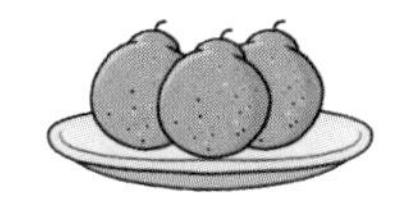
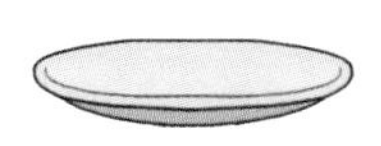

$3+0=$ ❷ □

답 ❶ 3 ❷ 3

필수 예제 04

□ 안에 알맞은 수를 써넣으시오.

$4-\square=4$

$4-4=\square$

풀이 | • 알의 개수가 변하지 않았으므로 아무것도 빼지 않았습니다. 따라서 $4-0=4$입니다.
• 알 4개에서 알 4개를 빼면 아무것도 없습니다. 따라서 $4-4=0$입니다.

확인 4-1

□ 안에 알맞은 수를 써넣으시오.

(1)

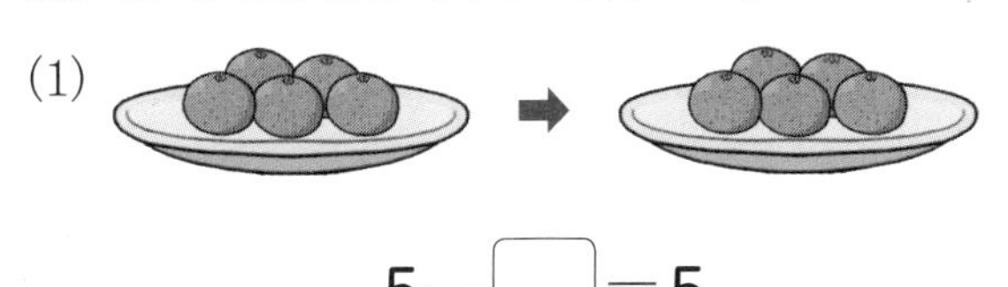

$5-\square=5$

(2)

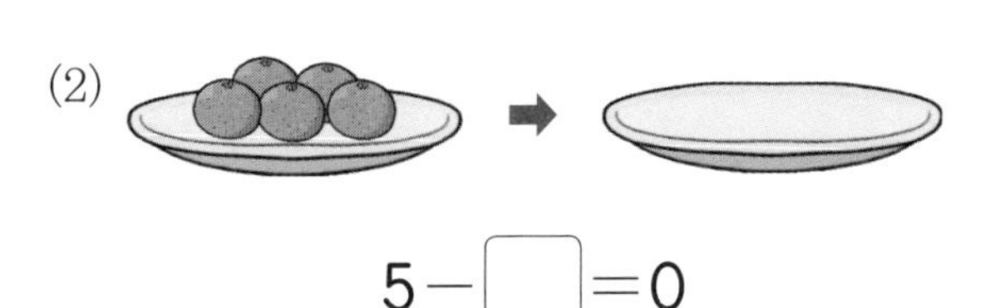

$5-\square=0$

확인 4-2

□ 안에 알맞은 수를 써넣으시오.

(1) $2+0=\square$

(2) $0+8=\square$

(3) $6-6=\square$

(4) $9-0=\square$

필수 체크 전략 ❷

[관련 단원] 9까지의 수

1 그림을 보고 알맞은 말에 ○표 하시오.

(1) 귤의 수는 배의 수보다 (큽니다 , 작습니다).

(2) 사과의 수보다 1만큼 더 (큰 , 작은) 수는 0입니다.

> **Tip**
> • 배는 3개, 귤은 ❶ ☐ 개, 사과는 ❷ ☐ 개입니다.
>
> 답 ❶ 4 ❷ 1

[관련 단원] 9까지의 수

2 친구들이 주사위의 눈의 수를 설명했습니다. 잘못 설명한 사람은 누구입니까?

빛나: 여섯 또는 육이라고 읽습니다.
지연: 5보다 1만큼 더 작습니다.
연경: 5보다 1만큼 더 큽니다.

( )

> **Tip**
> • 주사위의 눈의 수를 쓰면 ❶ ☐ 입니다.
> • 6은 5 바로 ❷ ☐ 의 수입니다.
>
> 답 ❶ 6 ❷ 뒤

[관련 단원] 9까지의 수

3 ☐ 안에 알맞은 수를 써넣어 ❶ 벌집과 벌의 수를 비교하시오.

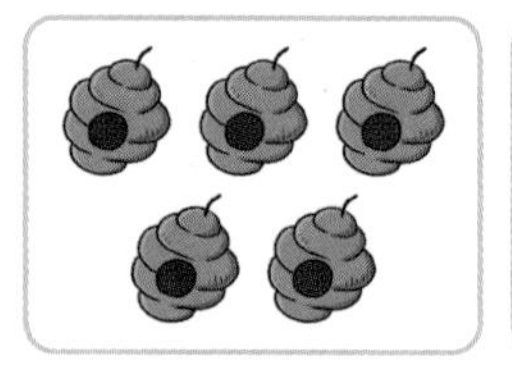

❷ ☐ 은/는 ☐ 보다 큽니다.

> **Tip**
> ❶ 벌집은 5개이고, 벌은 ❶ ☐ 마리입니다.
> ❷ 벌이 벌집보다 더 ❷ ☐ 습니다.
>
> 답 ❶ 7 ❷ 많

[관련 단원] **덧셈과 뺄셈**

4 남은 꽃이 몇 송이인지 알아보려고 합니다. ❶그림을 보고 알맞은 ❷식을 쓰시오.

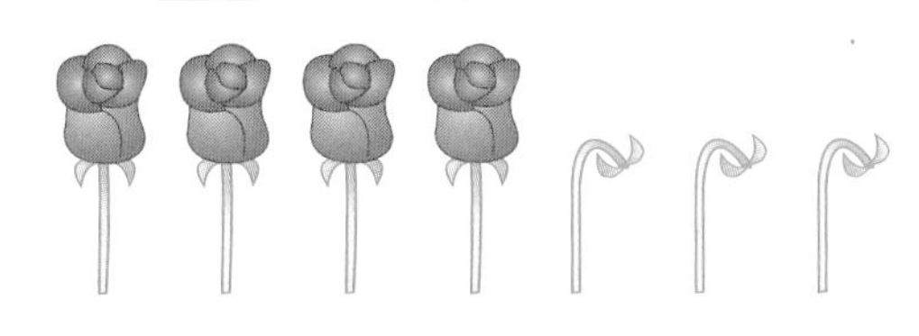

쓰기

Tip

❶ 꽃이 7송이가 있었는데, ❶ [ ]송이가 시들었습니다.

❷ ❷ [ ]셈식을 씁니다.

답 ❶ 3 ❷ 뺄

[관련 단원] **덧셈과 뺄셈**

5 계산을 하시오.

(1) $4+2$ (2) $2+7$

(3) $9-9$ (4) $8-3$

Tip

• $4+2$는 4와 ❶ [ ]를 ❷ [ ]기 하는 것과 같습니다.

답 ❶ 2 ❷ 모으

[관련 단원] **덧셈과 뺄셈**

6 계산 결과가 다른 카드의 색깔을 쓰시오.

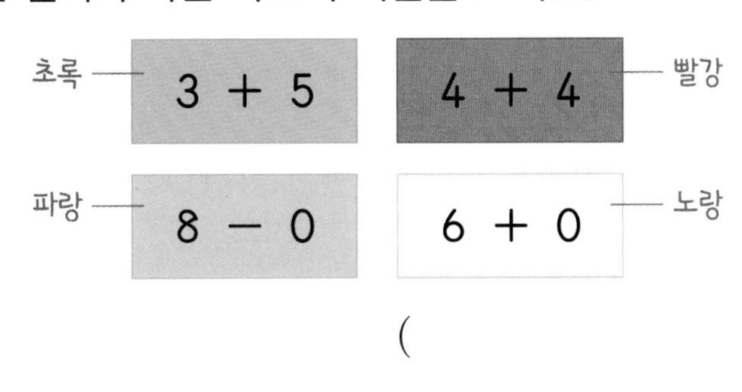

( )

Tip

• 어떤 수에 ❶ [ ]을 더하면 어떤 수 그대로입니다.

• 어떤 수에서 ❷ [ ]을 빼면 어떤 수 그대로입니다.

답 ❶ 0 ❷ 0

1주 04일 교과서 대표 전략 ❶

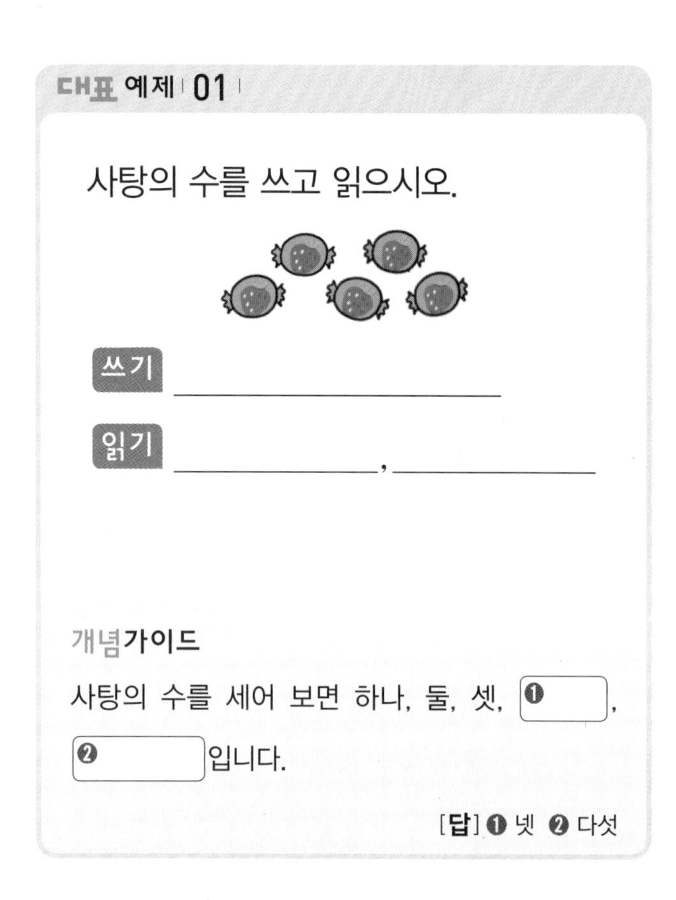

대표 예제 | 01

사탕의 수를 쓰고 읽으시오.

개념가이드

사탕의 수를 세어 보면 하나, 둘, 셋, ❶ ☐, ❷ ☐입니다.

[답] ❶ 넷 ❷ 다섯

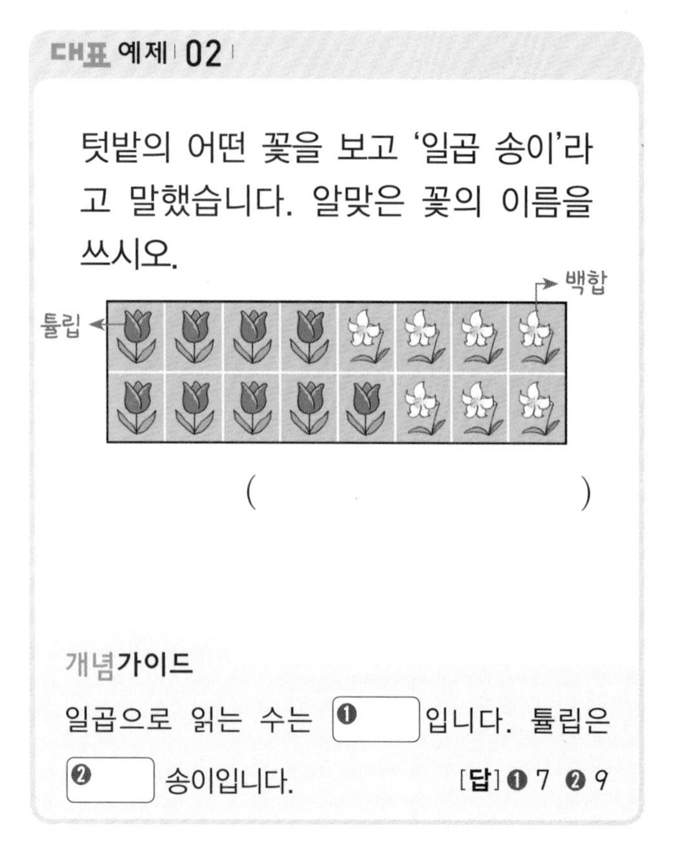

대표 예제 | 02

텃밭의 어떤 꽃을 보고 '일곱 송이'라고 말했습니다. 알맞은 꽃의 이름을 쓰시오.

( )

개념가이드

일곱으로 읽는 수는 ❶ ☐입니다. 튤립은 ❷ ☐ 송이입니다.

[답] ❶ 7 ❷ 9

대표 예제 | 03

친구들이 줄을 서 있습니다. 앞에서부터 순서대로 ☐ 안에 번호를 써넣으시오.

개념가이드

맨 앞에 서 있는 사람의 번호는 숫자로 ❶ ☐번이고, 순서는 ❷ ☐입니다.

[답] ❶ 1 ❷ 첫째

대표 예제 | 04

알맞은 사물함의 번호를 쓰시오.

아래에서 셋째 줄에 있고
왼쪽에서 둘째 칸 ➡ ☐

개념가이드

순서를 셀 때는 첫째, ❶ ☐, ❷ ☐, 넷째 ……라고 합니다.

[답] ❶ 둘째 ❷ 셋째

▶정답 및 풀이 6쪽

대표 예제 05

수를 순서대로 쓴 것입니다. □ 안에 알맞은 수를 쓰시오.

0 1 2 3 4 5 6 7 8 9

8보다 1만큼 더 큰 수는 □입니다.

1보다 1만큼 더 작은 수는 □입니다.

개념가이드

5보다 1만큼 더 큰 수는 5 바로 ❶□에 있는 수인 ❷□입니다.

[답] ❶ 뒤 ❷ 6

대표 예제 07

그림의 수보다 1만큼 더 작은 수를 쓰시오.

(　　　　　　)

개념가이드

도넛은 ❶□개입니다. 도넛 한 개를 먹으면 도넛의 수는 이전보다 ❷□만큼 더 작습니다.

[답] ❶ 8 ❷ 1

대표 예제 06

4보다 1만큼 더 큰 수를 쓰고 수만큼 ○를 그리시오.

4보다 1만큼 더 큰 수 (　　　　)

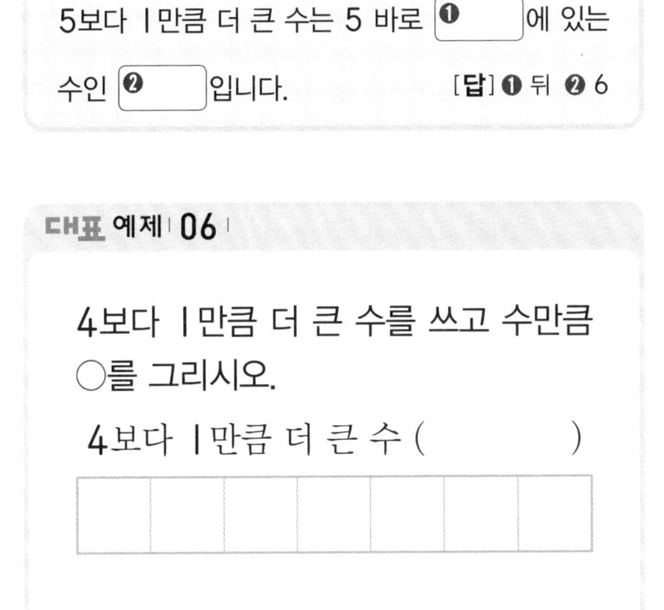

개념가이드

4보다 1만큼 더 작은 수는 ❶□입니다.

4보다 1만큼 더 큰 수는 4 바로 ❷□의 수입니다.

[답] ❶ 3 ❷ 뒤

대표 예제 08

알맞은 말에 ○표 하시오.

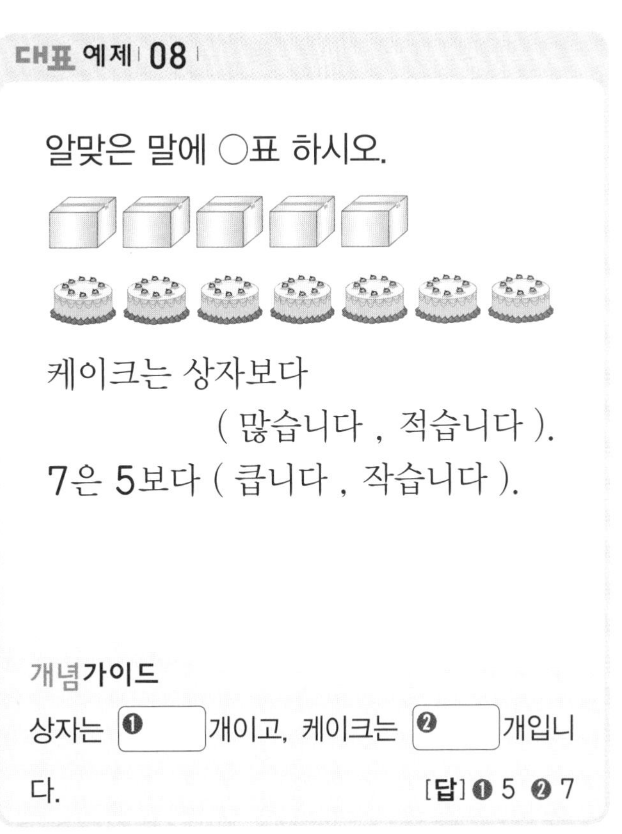

케이크는 상자보다 (많습니다 , 적습니다).

7은 5보다 (큽니다 , 작습니다).

개념가이드

상자는 ❶□개이고, 케이크는 ❷□개입니다.

[답] ❶ 5 ❷ 7

1 주

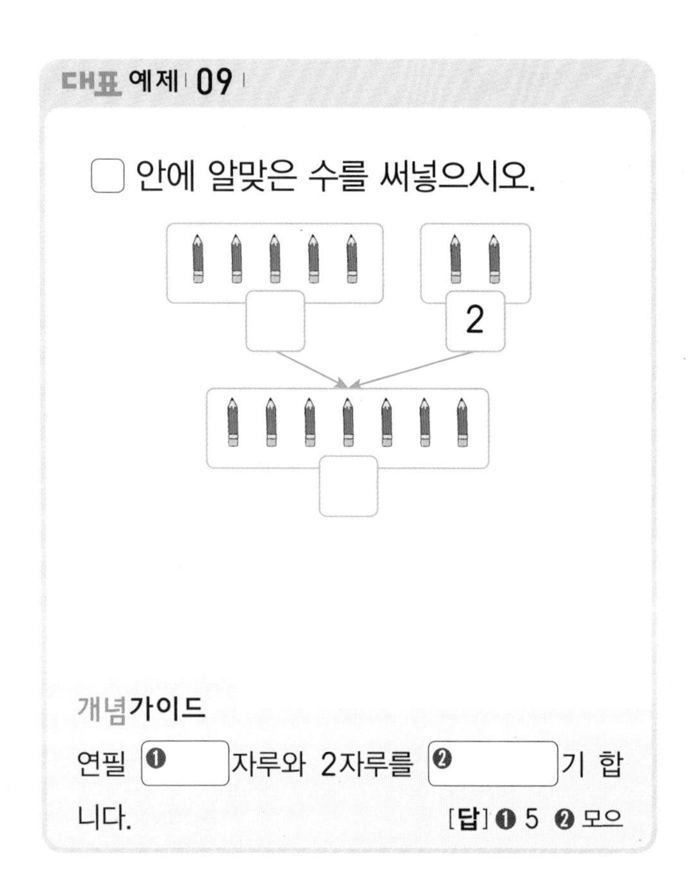

대표 예제 | 09 |

☐ 안에 알맞은 수를 써넣으시오.

개념가이드

연필 ❶ ☐ 자루와 2자루를 ❷ ☐ 기 합니다.

[답] ❶ 5 ❷ 모으

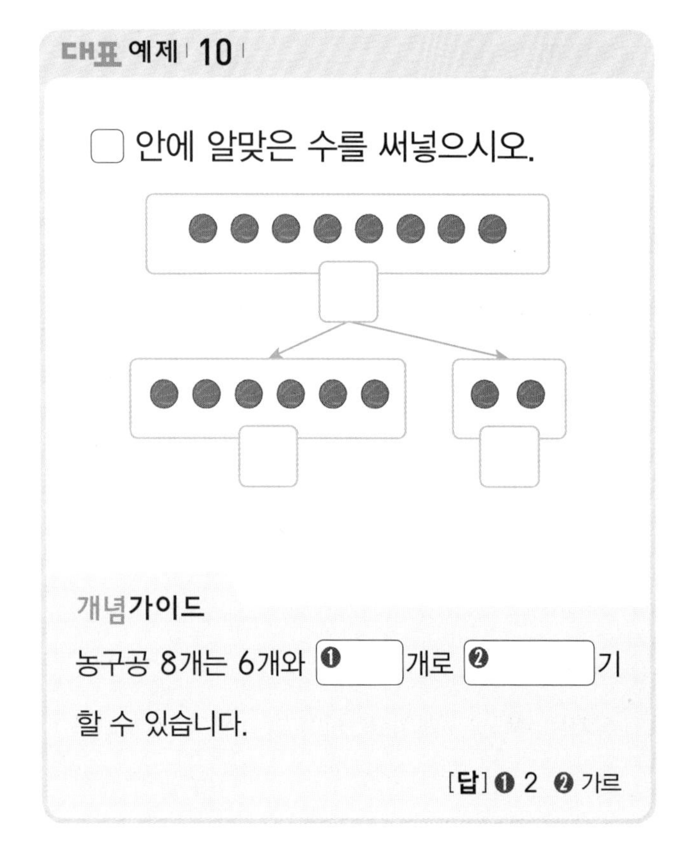

대표 예제 | 10 |

☐ 안에 알맞은 수를 써넣으시오.

개념가이드

농구공 8개는 6개와 ❶ ☐ 개로 ❷ ☐ 기 할 수 있습니다.

[답] ❶ 2 ❷ 가르

대표 예제 | 11 |

덧셈식을 완성하고 읽으시오.

식 $3+3=$ ☐

읽기

개념가이드

3과 ❶ ☐ 을 ❷ ☐ 니다.

[답] ❶ 3 ❷ 더합

대표 예제 | 12 |

다람쥐의 수만큼 ○를 그리고 덧셈식을 완성하시오.

식 $4+$ ☐ $=$ ☐

개념가이드

동그라미 ❶ ☐ 개에 ❷ ☐ 개를 더 그립니다.

[답] ❶ 4 ❷ 3

▶정답 및 풀이 6쪽

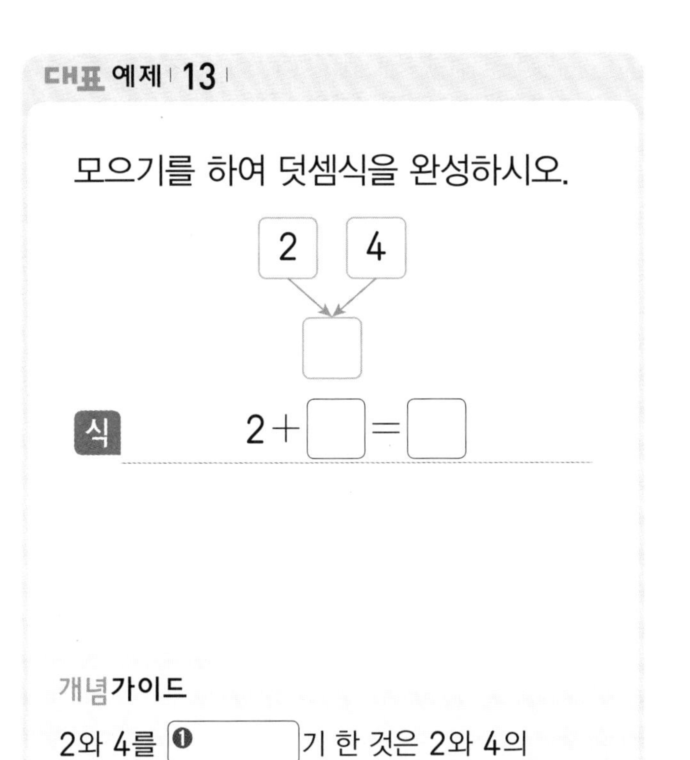

대표 예제 | 13 |

모으기를 하여 덧셈식을 완성하시오.

2, 4 → □

식 2+□=□

개념가이드

2와 4를 ❶□기 한 것은 2와 4의 ❷□과 같습니다.

[답] ❶ 모으 ❷ 합

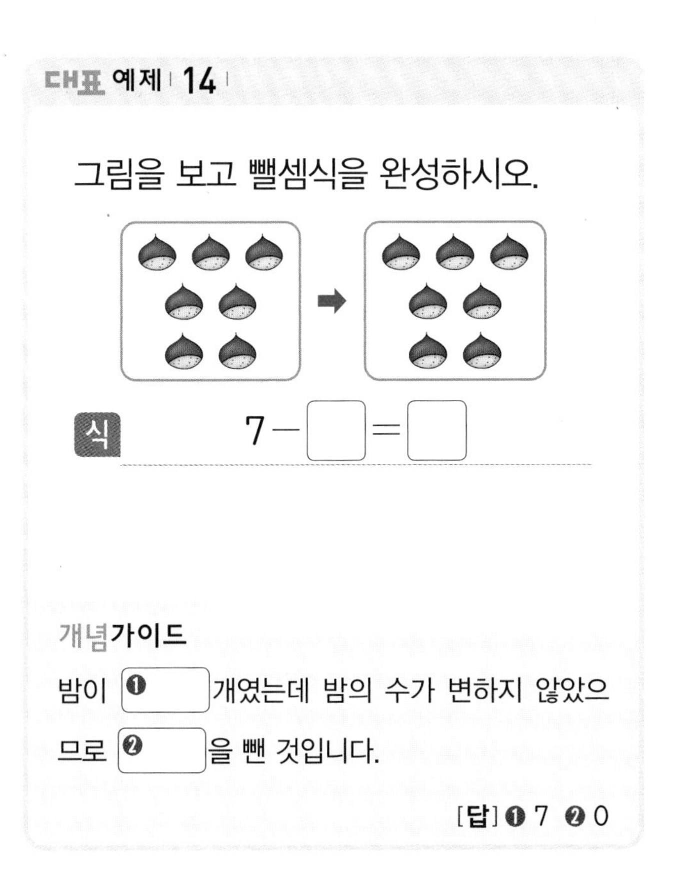

대표 예제 | 14 |

그림을 보고 뺄셈식을 완성하시오.

식 7−□=□

개념가이드

밤이 ❶□개였는데 밤의 수가 변하지 않았으므로 ❷□을 뺀 것입니다.

[답] ❶ 7 ❷ 0

대표 예제 | 15 |

주어진 ○를 /로 지우고 뺄셈식을 완성하시오.

○ ○ ○ ○ ○

식 5−□=□

개념가이드

건전지 ❶□개 중에 ❷□개를 뺐습니다.

[답] ❶ 5 ❷ 2

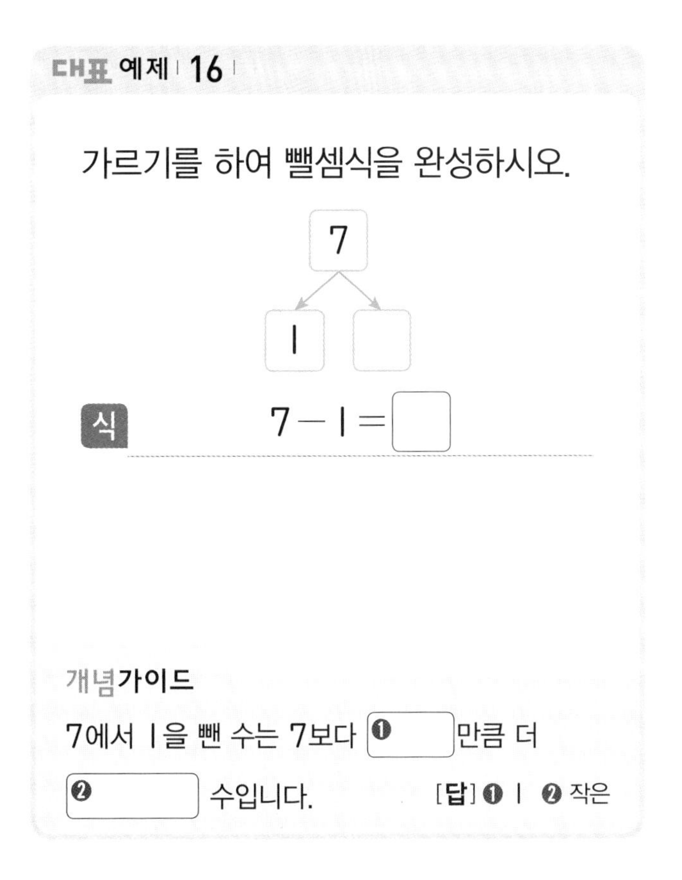

대표 예제 | 16 |

가르기를 하여 뺄셈식을 완성하시오.

7 → 1, □

식 7−1=□

개념가이드

7에서 1을 뺀 수는 7보다 ❶□만큼 더 ❷□ 수입니다.

[답] ❶ 1 ❷ 작은

1 주

교과서 대표 전략 ❷

1 쿠키의 수를 세어 ☐ 안에 알맞은 수를 써넣으시오.

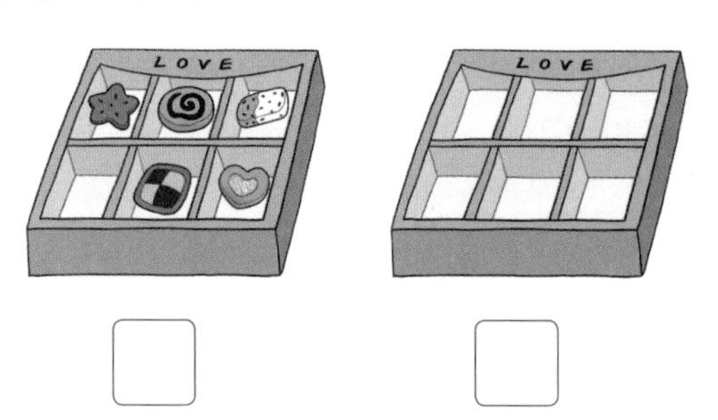

☐ ☐

Tip
아무것도 없는 것을 ❶☐이라 쓰고 ❷☐이라고 읽습니다.

답 ❶ 0 ❷ 영

2 그림을 설명하는 알맞은 말에 ○표 하시오.

➡ 컵은 모두 (다섯 , 여섯) 개입니다.
빈 컵은 왼쪽에서 (셋 , 셋째)에 있습니다.

Tip
컵의 개수는 하나, 둘, ❶☐……으로 세고, 빈 컵의 순서는 첫째, ❷☐……로 셉니다.

답 ❶ 셋 ❷ 둘째

3 그림의 수보다 1만큼 더 작은 수를 두 가지 방법으로 읽으시오.

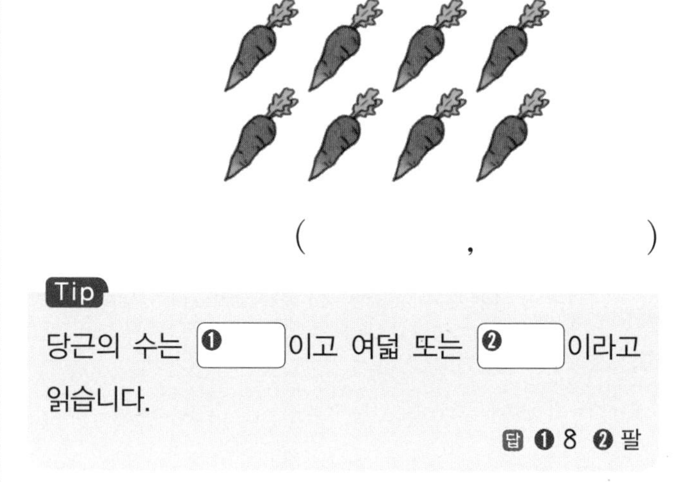

(,)

Tip
당근의 수는 ❶☐이고 여덟 또는 ❷☐이라고 읽습니다.

답 ❶ 8 ❷ 팔

4 7보다 작은 수를 모두 색칠하시오.

0 1 2 3 4 5 6 7 8 9

Tip
수를 순서대로 썼을 때 ❶☐에 있는 수는 ❶☐에 있는 수보다 작습니다.

답 ❶ 앞 ❷ 뒤

▶정답 및 풀이 7쪽

5 5를 여러 가지 방법으로 가르기 하시오.

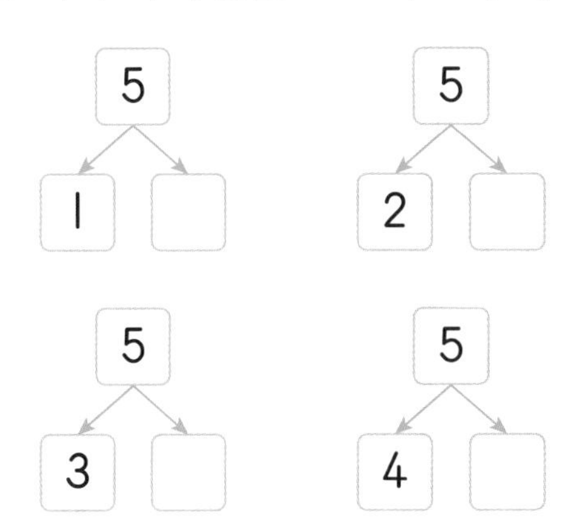

Tip
5는 1과 ❶ ☐, 4와 ❷ ☐로 가르기 할 수 있습니다.

답 ❶ 4 ❷ 1

6 엘리베이터에 2명이 타고 있었습니다. 3층에서 4명이 더 탔습니다. 엘리베이터에 타고 있는 사람의 수를 구하시오.

2＋☐＝☐

Tip
엘리베이터에 ❶ ☐명이 타고 있었는데 ❷ ☐명이 더 탔습니다.

답 ❶ 2 ❷ 4

7 뺄셈식을 완성하고 ☐ 안에 알맞은 수를 써넣으시오.

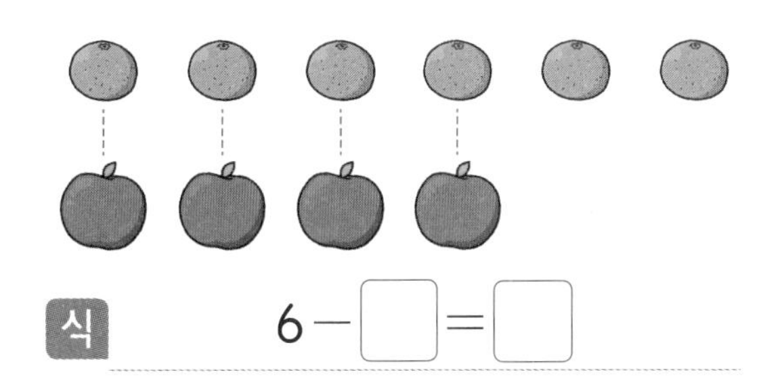

식 6－☐＝☐

귤이 사과보다 ☐개 더 많습니다.

Tip
귤과 사과를 하나씩 짝 지어 보면 ❶ ☐이 ❷ ☐개 남습니다.

답 ❶ 귤 ❷ 2

8 계산 결과가 다른 트럭의 번호를 쓰시오.

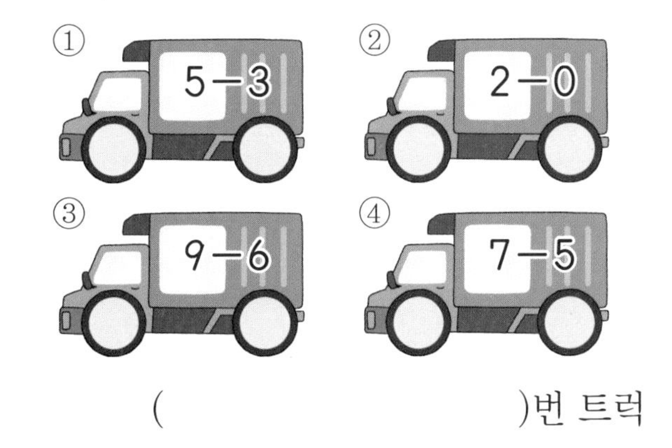

(　　　　　)번 트럭

Tip
2에서 ❶ ☐을 빼면 2입니다.
2에 0을 더하면 ❷ ☐입니다.

답 ❶ 0 ❷ 2

1 주

누구나 만점 전략

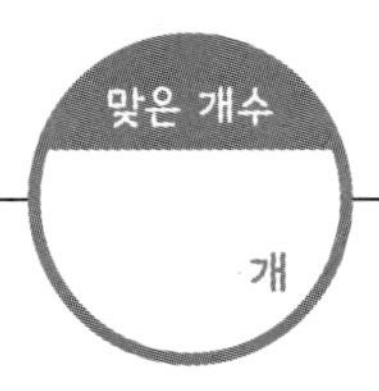

01 ▢ 안에 화분에 핀 꽃의 수를 써넣으시오.

▢ ▢ ▢

02 준서가 놀이 기구를 타려고 줄을 섰습니다. 앞에 4명이 있을 때 준서의 순서는 몇째입니까?

(　　　　　　　　)

03 빈칸에 알맞은 수를 써넣으시오.

▢ —(1만큼 더 작은 수)— 8 —(1만큼 더 큰 수)— ▢

04 그림을 보고 ▢ 안에 알맞은 수를 써넣으시오.

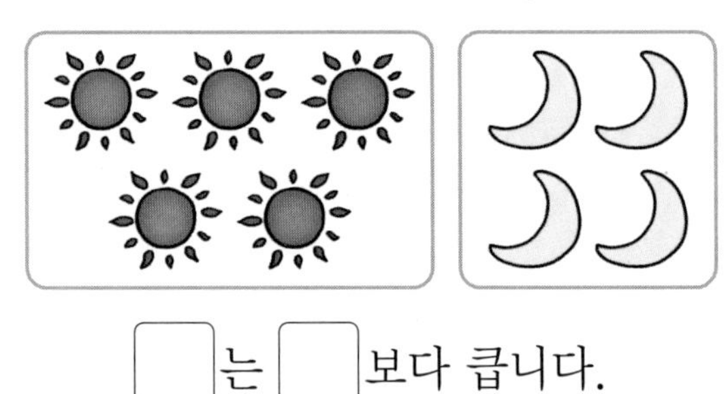

▢는 ▢보다 큽니다.

05 두 조건에 알맞은 수를 모두 골라 ○표 하시오.

- 4보다 큽니다.
- 7보다 작습니다.

(1 , 2 , 3 , 4 , 5 , 6 , 7 , 8 , 9)

06 □ 안에 알맞은 수를 써넣으시오.

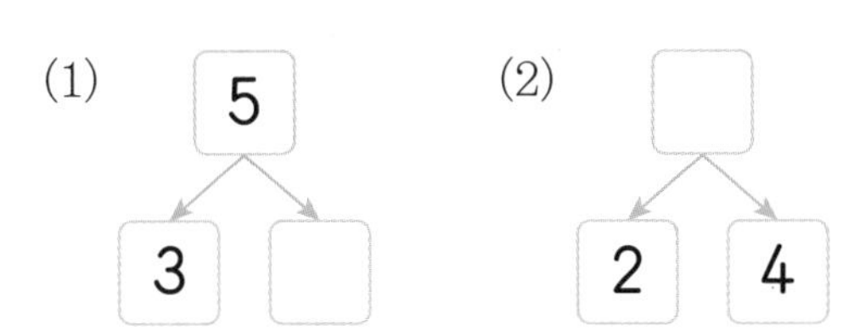

07 그림을 보고 덧셈식을 쓰시오.

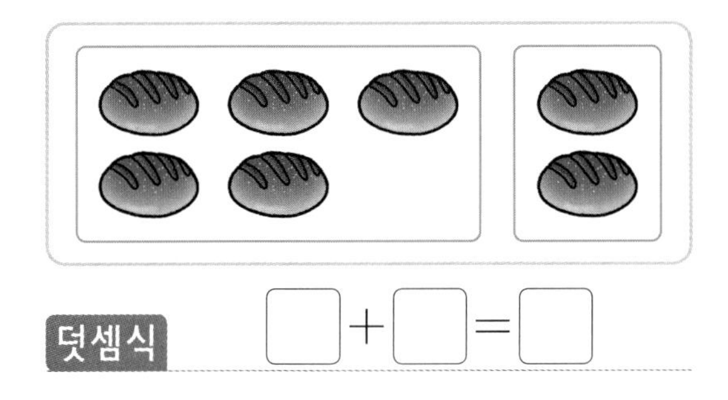

덧셈식 □+□=□

08 계산을 하시오.

(1) $3+5$

(2) $9-3$

09 의자에 앉아 있던 4명이 모두 교실을 나갔습니다. 그림을 보고 뺄셈식을 완성하시오.

뺄셈식 4－□=□

10 다음은 미정이의 일기입니다. 토끼는 모두 몇 마리인지 식을 쓰고 구하시오.

8월 5일

우리집 토끼는 2마리였는데 드디어

아기 토끼 4마리가 태어났다.

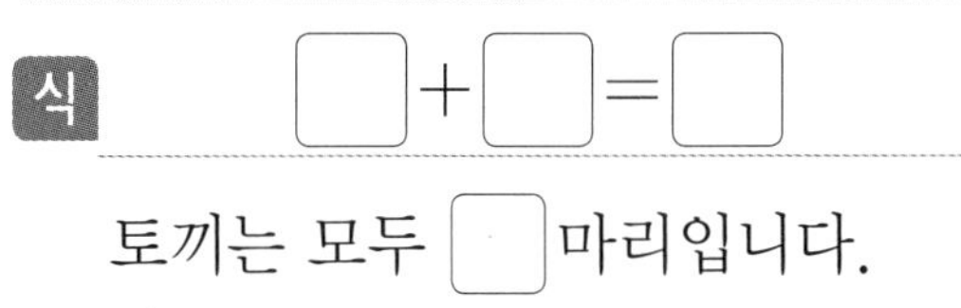

토끼는 모두 □마리입니다.

1 주

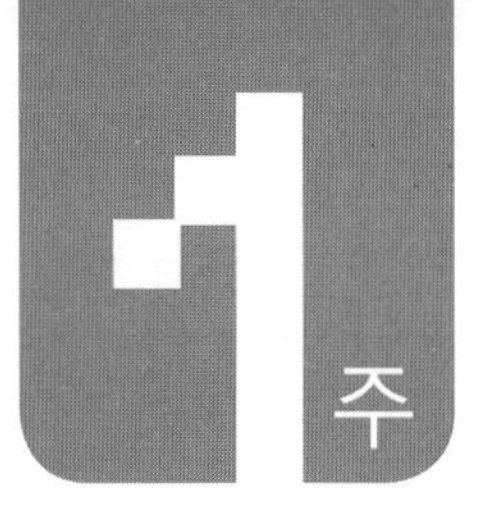

창의·융합·코딩 전략 ❶

창의 융합

1 위 대화를 읽고 과자와 돈가스 중에서 더 많이 남은 음식을 쓰시오.

( )

▶정답 및 풀이 8쪽

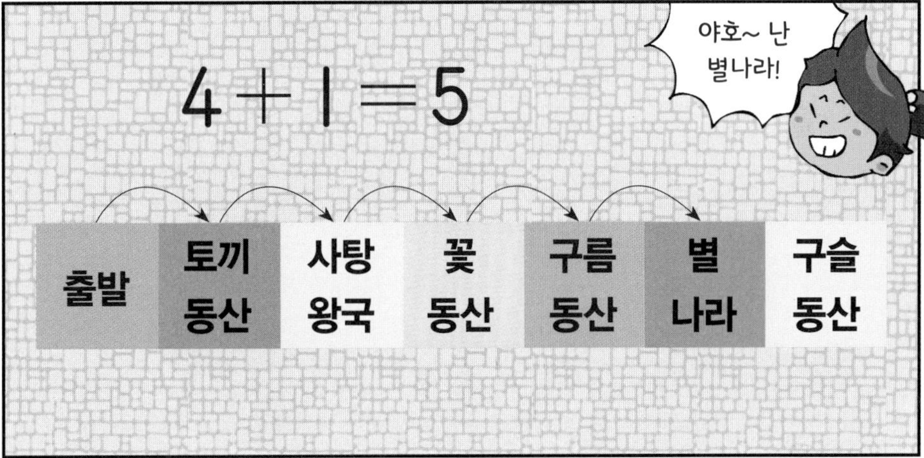

문제 해결

2 위 대화를 읽고 준우의 말이 도착하는 칸의 이름을 쓰시오.

( )

창의 융합

1 배에 쓰인 수와 같은 수가 적힌 물고기만 잡고 있습니다. 배에서 잡으려고 하는 물고기를 모두 선으로 이으시오.

Tip

1은 일 또는 ❶ ☐ 라고 읽고 2는 이 또는 ❷ ☐ 이라고 읽습니다.

[답] ❶ 하나 ❷ 둘

문제 해결

2 친구들이 번호 순서대로 줄을 섰습니다. 잘못 선 친구 2명을 찾아 ○표 하고 알맞은 자리를 설명해 보시오.

(1) 잘못 선 친구 2명을 찾아 ○표 하시오.

(2) ☐ 안에 알맞은 수를 써넣어 바르게 선 자리를 설명해 보시오.

6번 친구와 ☐ 번 친구 사이에 ☐ 번 친구가 서야 합니다.

Tip

수를 순서대로 읽으면 하나, 둘, 셋, 넷, ❶ ☐, 여섯, 일곱, ❷ ☐, 아홉입니다.

[답] ❶ 다섯 ❷ 여덟

▶정답 및 풀이 8쪽

3 지우네 집은 8층입니다. 엘리베이터를 타고 3층에 사는 친구 집에 가려고 합니다. 지우가 눌러야 하는 버튼을 찾아 ○표 하시오.

Tip

8층에서 1층 더 올라가면 ❶ ☐층이고, 1층 더 내려가면 ❷ ☐층입니다.

[답] ❶ 9 ❷ 7

4 민준이는 칭찬 도장을 3개 모았습니다. 인형 선물을 받을 때 필요한 칭찬 도장의 개수가 다음과 같을 때 민준이가 받을 수 있는 인형을 모두 찾아 ○표 하시오.

Tip

칭찬 도장 6개가 있으면 기린 인형은 받을 수 ❶ ☐지만 개구리 인형은 받을 수 ❷ ☐습니다.

[답] ❶ 없 ❷ 있

1주

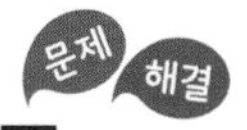

5 동완이와 선호는 화살을 쏘아 과녁 맞히기 놀이를 하였습니다. 동완이와 선호가 다음과 같이 화살을 2개씩 맞혔을 때 누가 이겼는지 쓰시오. (단, 점수가 높은 사람이 이깁니다.)

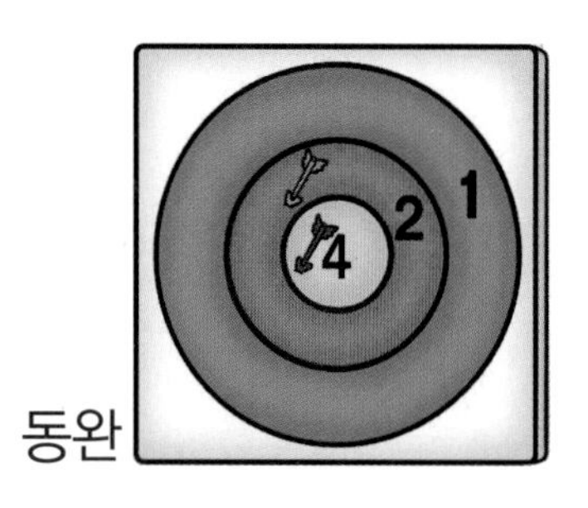

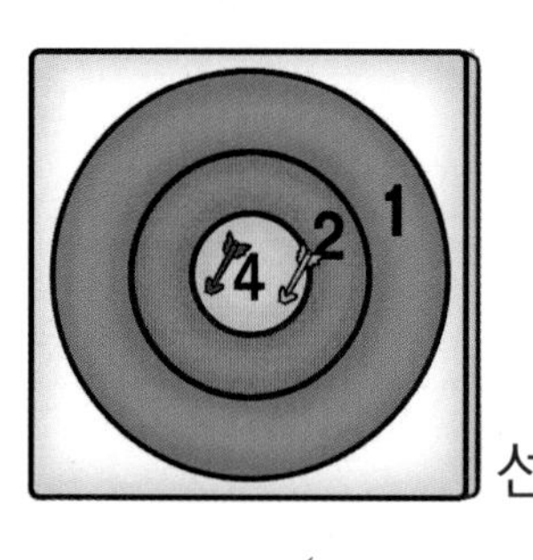

(　　　　　　　　)

Tip

동완이는 화살을 4점과 ❶ ☐ 점에 맞혔으므로 동완이의 점수는 4와 2의 ❷ ☐ 입니다.

[답] ❶ 2 ❷ 합

코딩

6 화살표 방향으로 움직이면서 화살표의 색깔에 따라 수가 변하는 규칙이 있습니다. 규칙에 따라 움직였을 때 ★에 알맞은 수를 구하시오.

➡ 1만큼 작아집니다. ➡ 3만큼 커집니다.

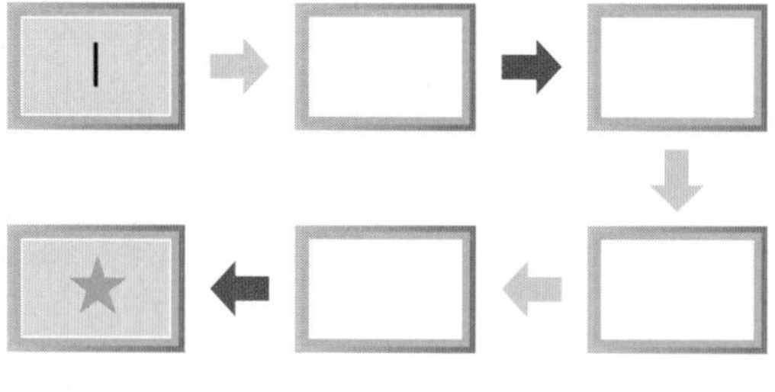

(　　　　　　　　)

Tip

1은 노란색 화살표를 따라가면 ❶ ☐ 만큼 작아지므로 1 다음 칸에 들어갈 수는 ❷ ☐ 입니다.

[답] ❶ 1 ❷ 0

▶정답 및 풀이 8쪽

코딩

7 수 구슬을 이용하여 가르기 퍼즐을 완성하려고 합니다. ◯ 안에 알맞은 수를 써넣으시오.

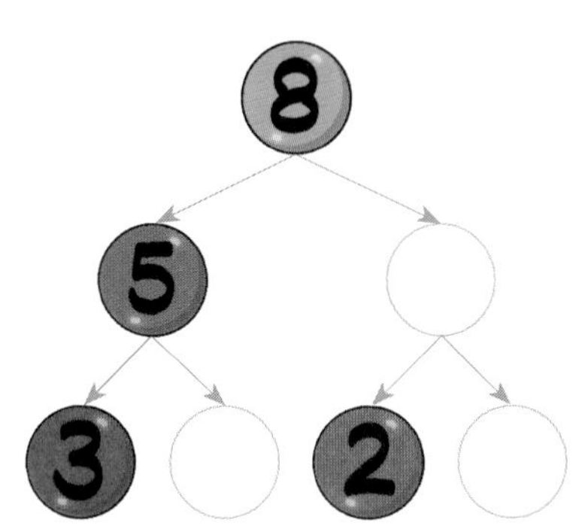

Tip

8은 5와 ❶ [ ] 으로 ❷ [ ] 기 할 수 있습니다.

[답] ❶ 3 ❷ 가르

1 주

문제 해결

8 지붕 위의 세 수를 이용해 뺄셈식을 2개 만들려고 합니다. ☐ 안에 알맞은 수를 써넣으시오.

Tip

5에서 5를 빼면 ❶ [ ] 이고 5에 ❷ [ ] 을 더하면 5입니다.

[답] ❶ 0 ❷ 0

2주

여러 가지 모양, 비교하기

숙제가 있었잖아.
응!
생활 속에서 여러 가지 모양을 찾아봐야 해.
집에 어떤 모양의 물건이 있는지 찾아볼게.
모양은 주사위와 두부!
모양은 화장지, 물병을 찾았어.
모양은 축구공과 야구공!

같은 모양의 물건을 잘 찾았어.
이 정도는 쉽지.

화장실
누가 화장지 좀 가져다 줘.
화장실에서 가져왔거든.
크크~

학습할 내용

❶ (상자) 모양 알아보기 ❷ (원기둥) 모양 알아보기
❸ (공) 모양 알아보기

❹ 길이, 높이, 키 비교하기
❺ 무게, 넓이 비교하기
❻ 담을 수 있는 양 비교하기

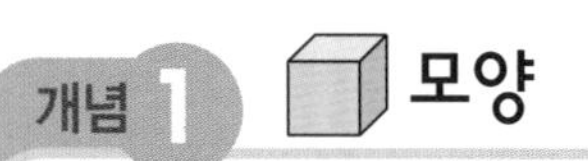

[관련 단원] 여러 가지 모양

모양 살펴보기

평평한 부분이 있습니다.
➡ 쌓을 수 있습니다.

뾰족한 부분이 있습니다.
둥근 부분이 없습니다.
➡ 굴릴 수 없습니다.

주사위는 모양입니다. 뾰족한 부분이 ❶ ☐고, 평평한 부분이 ❷ ☐습니다.

답 ❶ 있 ❷ 있

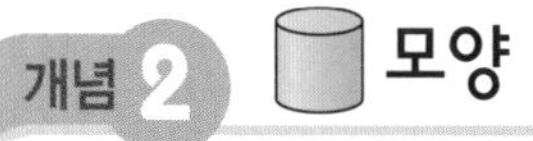

[관련 단원] 여러 가지 모양

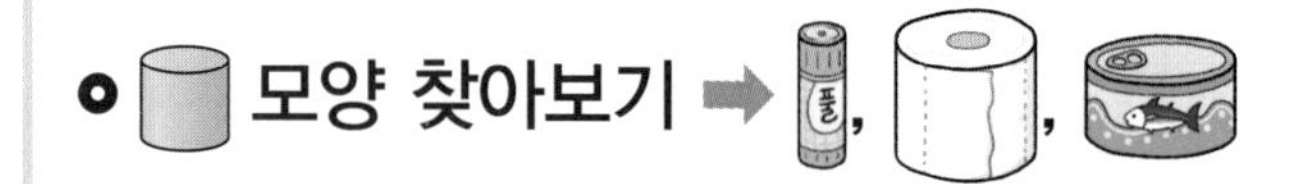

모양 살펴보기

평평한 부분이 있습니다.
➡ 쌓을 수 있습니다.

둥근 부분이 있습니다.
➡ 눕히면 굴릴 수 있습니다.

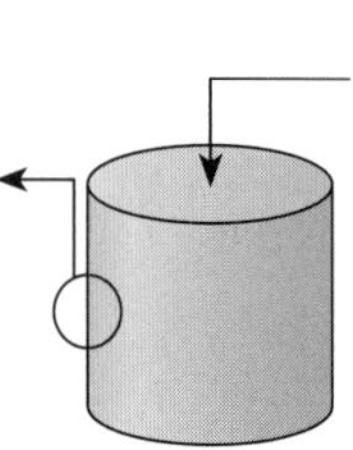

위의 풀은 모양입니다. 평평한 부분이 ❶ ☐고, 둥근 부분이 ❷ ☐습니다.

답 ❶ 있 ❷ 있

개념 3 모양

[관련 단원] 여러 가지 모양

모양 살펴보기

평평한 부분이 없습니다.
➡ 쌓을 수 없습니다.

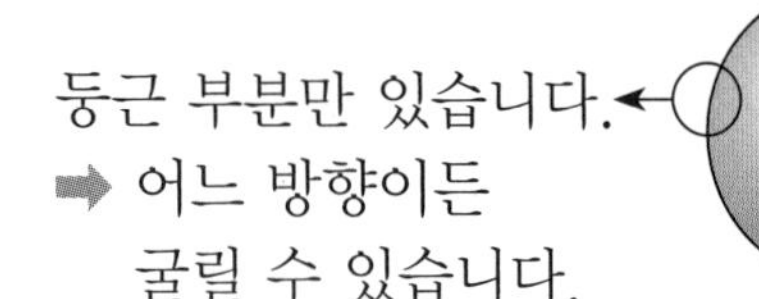

축구공은 모양입니다. 둥근 부분만 ❶ ☐고, 평평한 부분은 ❷ ☐습니다.

답 ❶ 있 ❷ 없

개념 기초 확인

▶정답 및 풀이 9쪽

1-1 다음 모양과 같은 모양의 물건에 ○표 하시오.

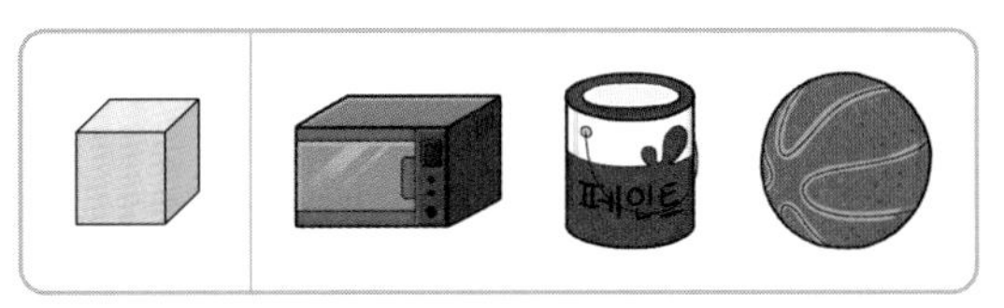

• **풀이** • 주어진 모양은 뾰족한 부분이 ❶ [ ] 고 둥근 부분은 ❷ [ ] 습니다.

답 ❶ 있 ❷ 없

1-2 다음 모양과 같지 않은 모양의 물건에 ○표 하시오.

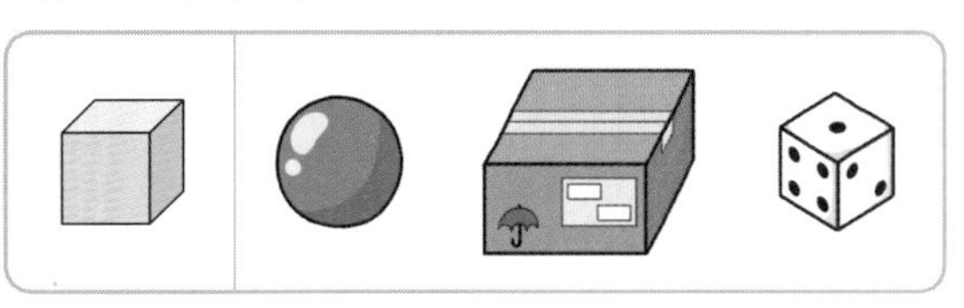

2-1 같은 모양의 물건을 모았습니다. 어떤 모양인지 ○표 하시오.

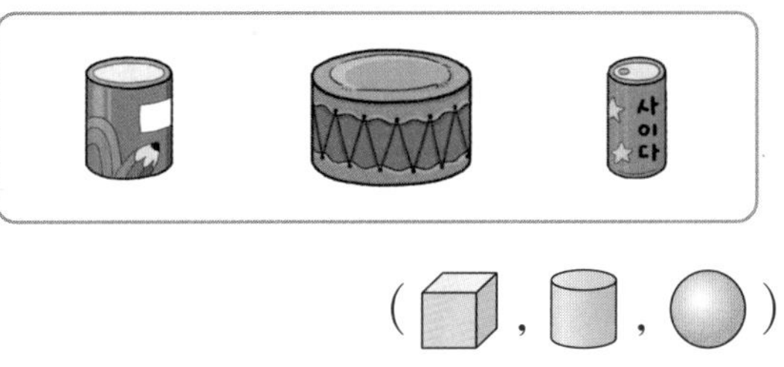

• **풀이** • 주어진 물건들은 평평한 부분이 ❶ [ ] 고, 둥근 부분도 ❷ [ ] 습니다.

답 ❶ 있 ❷ 있

2-2 같은 모양의 물건을 모았습니다. 어떤 모양인지 ○표 하시오.

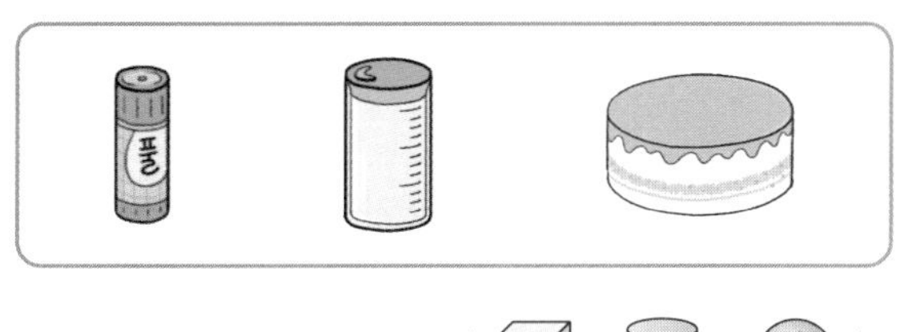

(, ,)

3-1 모양이 다른 하나에 ○표 하시오.

( ) ( ) ( )

• **풀이** • 축구공은 평평한 부분이 ❶ [ ] 습니다. 그리고 쌓을 수 ❷ [ ] 습니다.

답 ❶ 없 ❷ 없

3-2 모양이 다른 하나에 ○표 하시오.

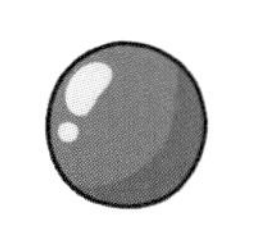
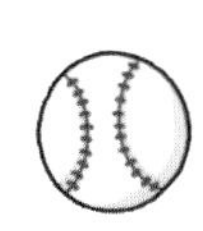
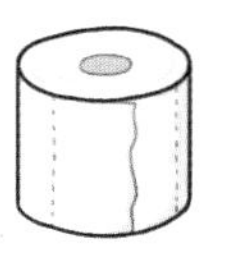

( ) ( ) ( )

개념 4 길이, 높이, 키 비교

[관련 단원] 비교하기

길이, 높이, 키 비교

한쪽 끝을 맞추어 맞대고 반대쪽 끝을 비교합니다.

길이 비교	높이 비교	키 비교
더 길다	더 높다	더 크다
더 짧다	더 낮다	더 작다

더 길다

더 짧다

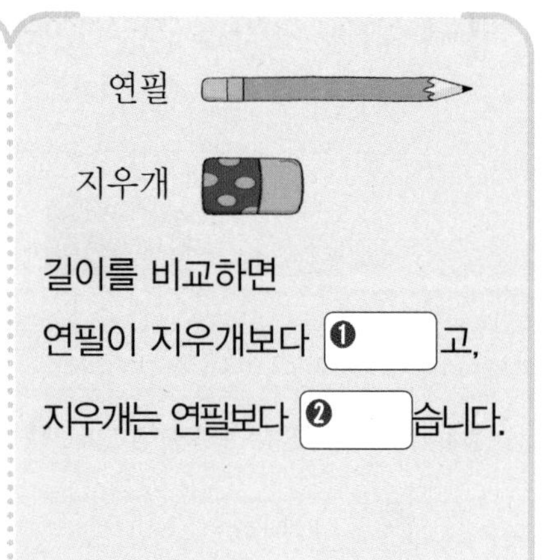

길이를 비교하면
연필이 지우개보다 ❶ ☐고,
지우개는 연필보다 ❷ ☐습니다.

답 ❶ 길 ❷ 짧

개념 5 무게, 넓이 비교

[관련 단원] 비교하기

무게 비교

물건을 직접 손으로 들어서 비교합니다.
양팔 저울이 내려가는 쪽이 더 무겁습니다.

무게 비교
더 무겁다
더 가볍다

넓이 비교

포개었을 때 남는 부분이 있는 것이 더 넓습니다.

넓이 비교
더 넓다
더 좁다

사전 수첩

무게를 비교하면 ❶ ☐이
❷ ☐보다 더 무겁습니다.

답 ❶ 사전 ❷ 수첩

개념 6 담을 수 있는 양 비교

[관련 단원] 비교하기

담을 수 있는 양 비교

그릇의 크기가 클수록 담을 수 있는 양이 더 많습니다.

담을 수 있는 양 비교
더 많다
더 적다

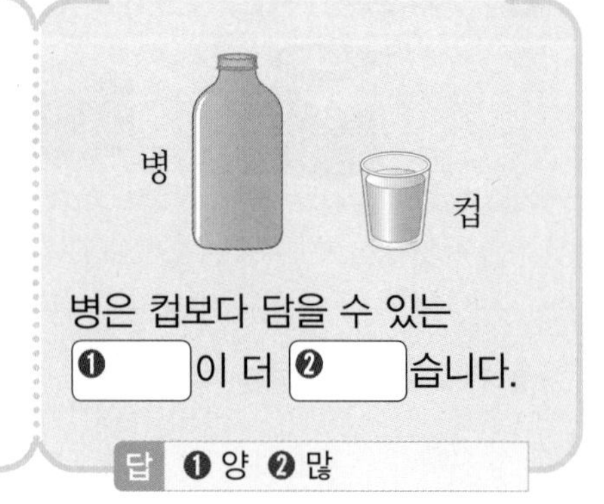

병은 컵보다 담을 수 있는
❶ ☐이 더 ❷ ☐습니다.

답 ❶ 양 ❷ 많

개념 기초 확인

▶정답 및 풀이 9쪽

4-1 더 긴 것에 ○표 하시오.

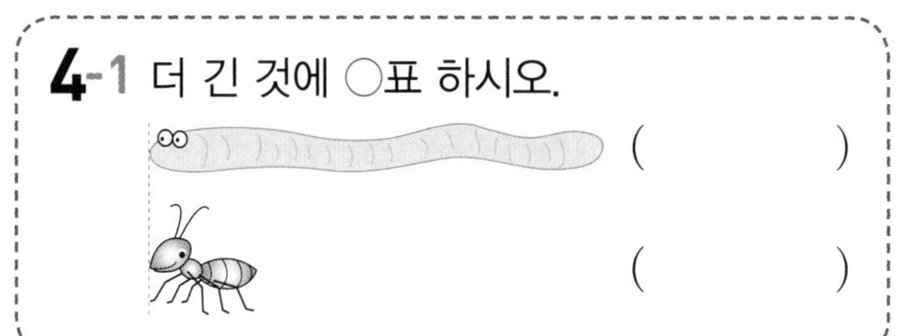

( )

( )

• **풀이** • 왼쪽 끝을 맞추었으므로 ❶ ☐쪽 끝이 더 많이 나간 것이 더 ❷ ☐니다.

답 ❶ 오른 ❷ 깁

4-2 더 높은 것에 ○표 하시오.

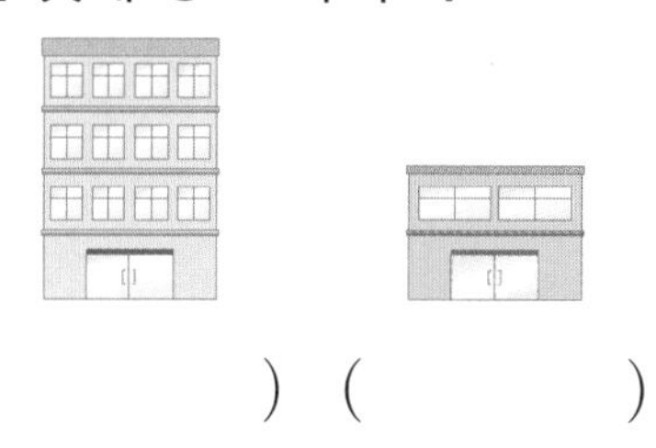

( ) ( )

5-1 더 무거운 것에 ○표 하시오.

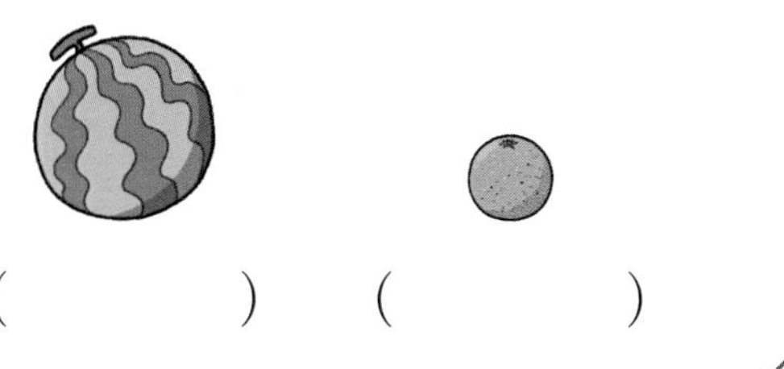

( ) ( )

• **풀이** • 손으로 직접 들어 보면 ❶ ☐은 들기 쉽고, ❷ ☐은 들기 어렵습니다.

답 ❶ 귤 ❷ 수박

5-2 더 가벼운 것에 △표 하시오.

( ) ( )

6-1 담을 수 있는 양이 더 많은 것에 ○표 하시오.

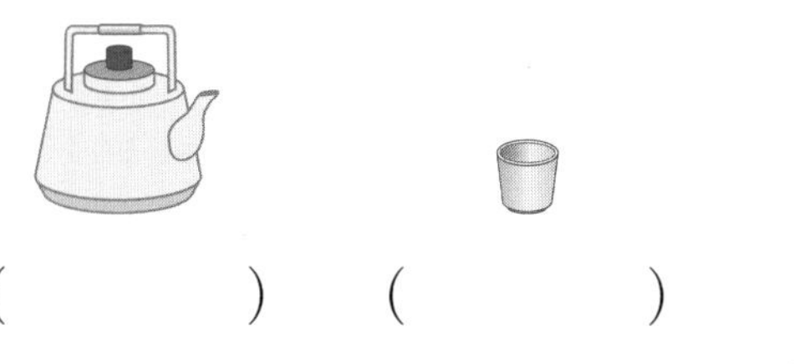

( ) ( )

• **풀이** • 그릇의 크기가 더 큰 것이 담을 수 있는 ❶ ☐이 더 ❷ ☐습니다.

답 ❶ 양 ❷ 많

6-2 담을 수 있는 양이 더 적은 것에 △표 하시오.

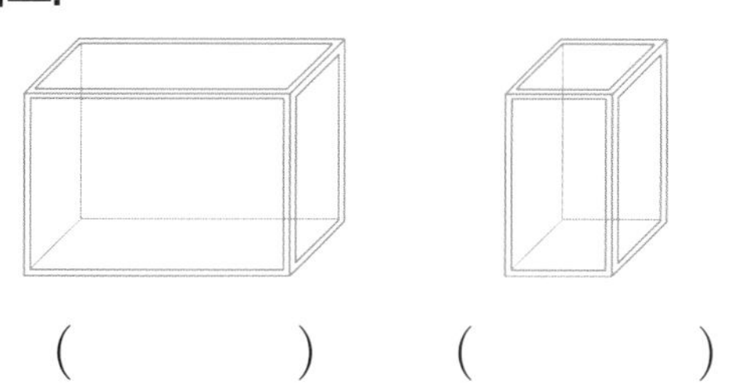

( ) ( )

2주 04일 개념 돌파 전략 ❷

예제 1 일부분을 보고 모양 찾기

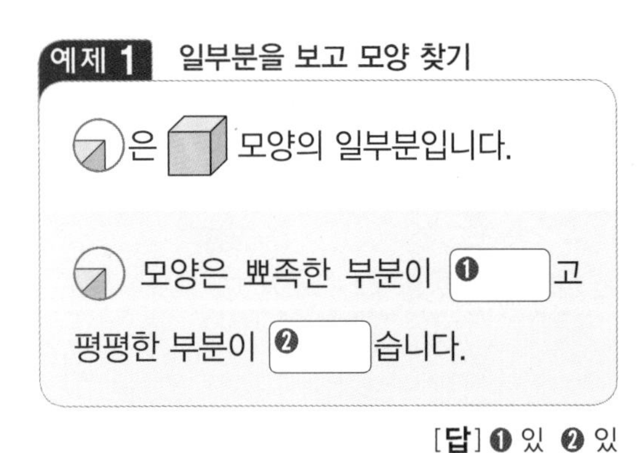

(그림)은 (그림) 모양의 일부분입니다.

(그림) 모양은 뾰족한 부분이 ❶ [ ]고 평평한 부분이 ❷ [ ]습니다.

[답] ❶ 있 ❷ 있

예제 2 쌓아 보고 굴려 보기

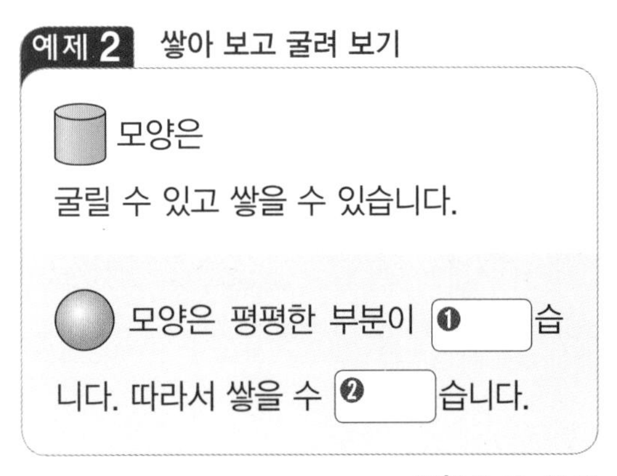

(그림) 모양은 굴릴 수 있고 쌓을 수 있습니다.

(그림) 모양은 평평한 부분이 ❶ [ ]습니다. 따라서 쌓을 수 ❷ [ ]습니다.

[답] ❶ 없 ❷ 없

예제 3 모양을 설명하기

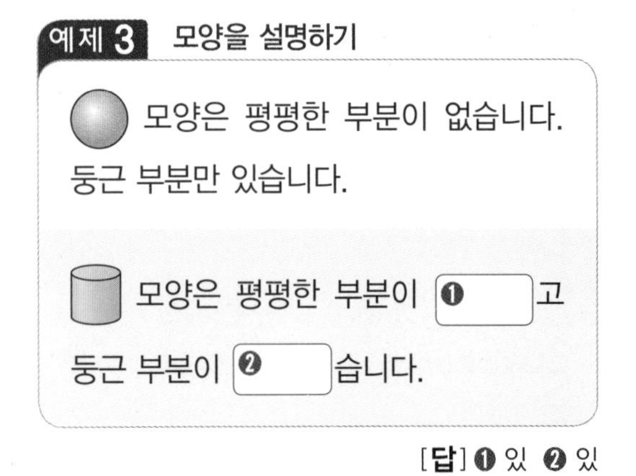

(그림) 모양은 평평한 부분이 없습니다. 둥근 부분만 있습니다.

(그림) 모양은 평평한 부분이 ❶ [ ]고 둥근 부분이 ❷ [ ]습니다.

[답] ❶ 있 ❷ 있

1 일부분이 (그림)인 모양과 같은 모양의 물건에 ○표 하시오.

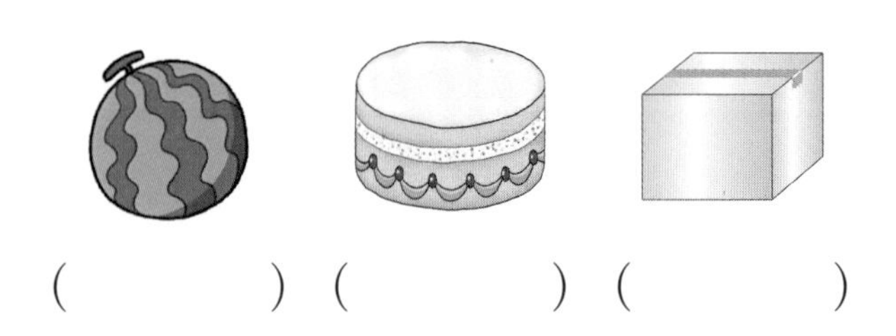

( ) ( ) ( )

2 잘 굴러가지 않는 물건에 ○표 하시오.

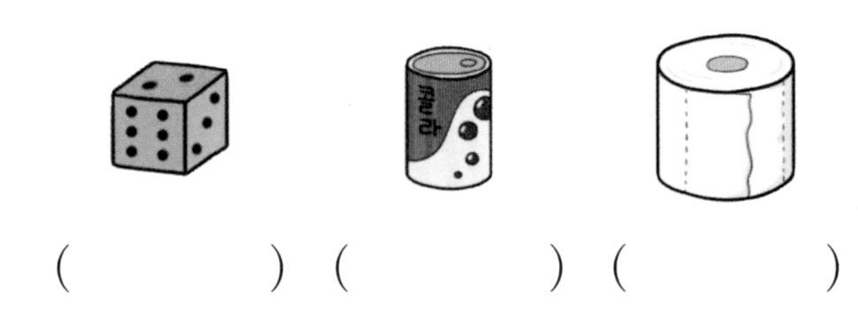

( ) ( ) ( )

3 아래에서 설명하는 물건에 ○표 하시오.

> 평평한 부분이 있고, 둥근 부분도 있습니다.
> 눕히면 잘 굴러갑니다.

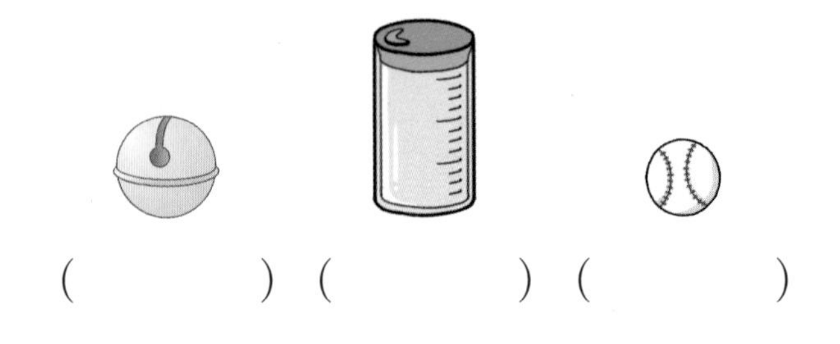

( ) ( ) ( )

▶정답 및 풀이 10쪽

예제 4 두 물건의 길이 비교

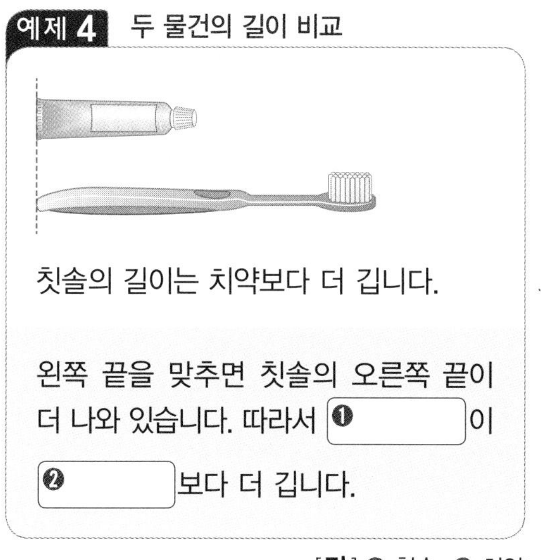

칫솔의 길이는 치약보다 더 깁니다.

왼쪽 끝을 맞추면 칫솔의 오른쪽 끝이 더 나와 있습니다. 따라서 ❶ ☐ 이 ❷ ☐ 보다 더 깁니다.

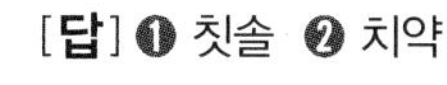

[답] ❶ 칫솔 ❷ 치약

4 빈칸에 알맞은 말을 써넣으시오.

열대어의 길이는 붕어보다 더 ☐.

예제 5 두 사람의 무게 비교

정민이는 지현이보다 더 가볍습니다.

❶ ☐ 에 앉았을 때 내려간 쪽이 더 ❷ ☐ 습니다.

[답] ❶ 시소 ❷ 무겁

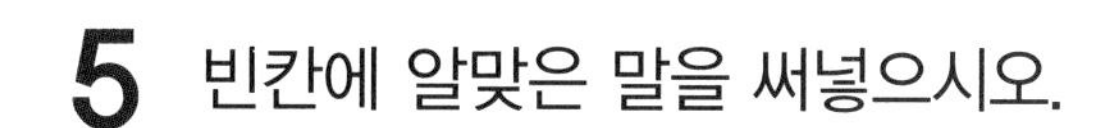

5 빈칸에 알맞은 말을 써넣으시오.

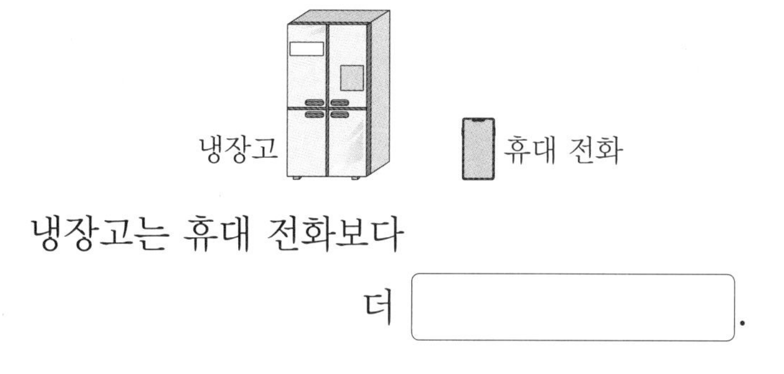

냉장고는 휴대 전화보다 더 ☐.

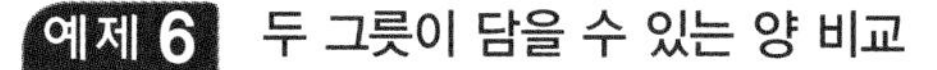

예제 6 두 그릇이 담을 수 있는 양 비교

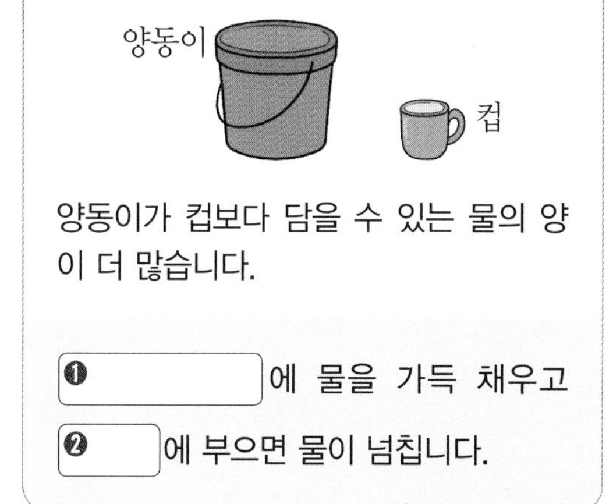

양동이가 컵보다 담을 수 있는 물의 양이 더 많습니다.

❶ ☐ 에 물을 가득 채우고 ❷ ☐ 에 부으면 물이 넘칩니다.

[답] ❶ 양동이 ❷ 컵

6 빈칸에 알맞은 말을 써넣으시오.

왼쪽 컵은 오른쪽 컵보다 담긴 물이 더

☐.

체크 전략 ❶

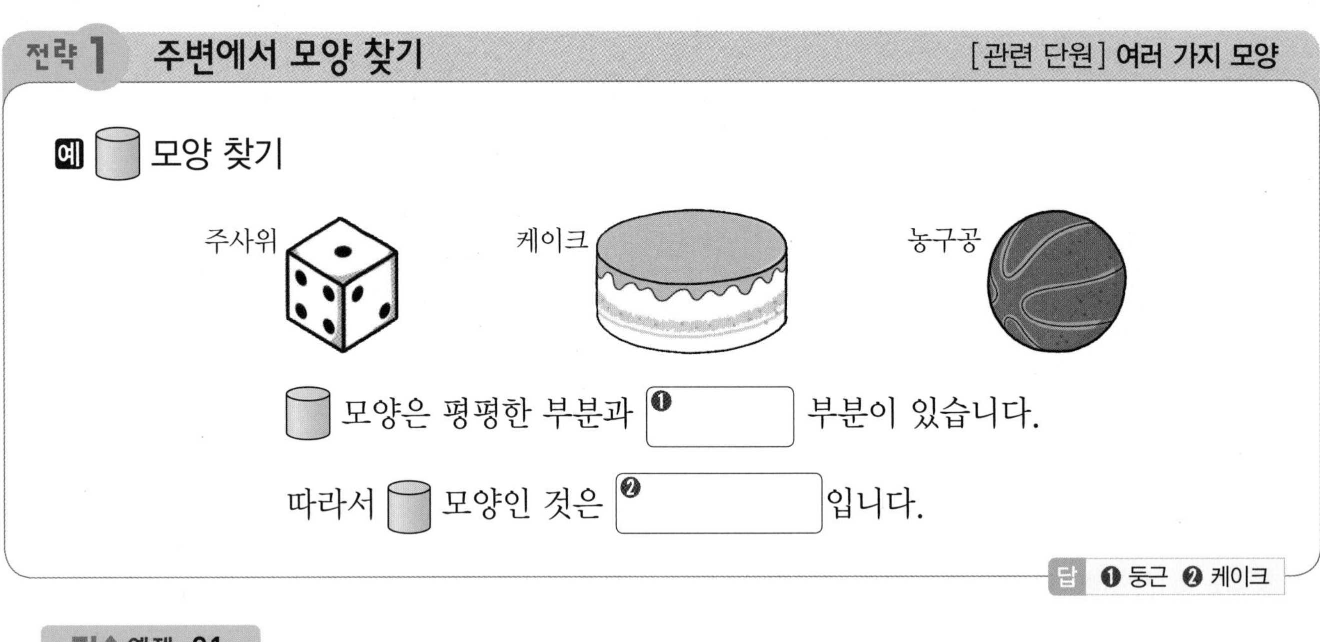

전략 1 주변에서 모양 찾기

[관련 단원] 여러 가지 모양

예 모양 찾기

모양은 평평한 부분과 ❶ 부분이 있습니다.

따라서 모양인 것은 ❷ 입니다.

답 ❶ 둥근 ❷ 케이크

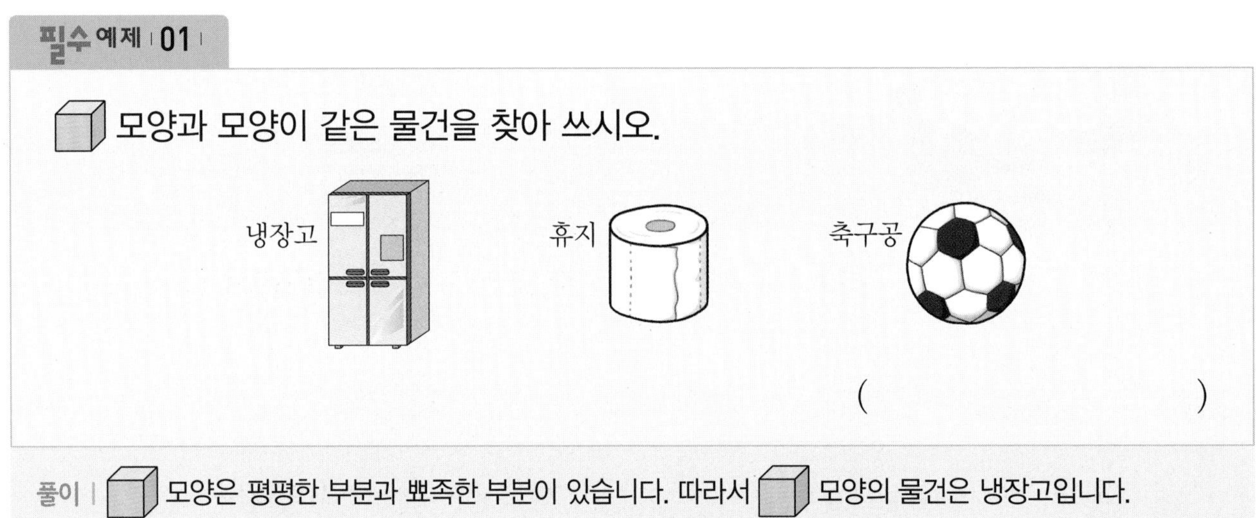

필수 예제 | 01 |

모양과 모양이 같은 물건을 찾아 쓰시오.

( )

풀이 | 모양은 평평한 부분과 뾰족한 부분이 있습니다. 따라서 모양의 물건은 냉장고입니다.

확인 1-1

모양과 같은 모양이 아닌 물건에 ○표 하시오.

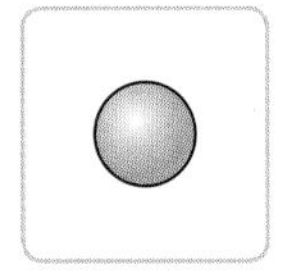   

확인 1-2

다음은 같은 모양끼리 모은 것입니다. 어떤 모양인지 찾아 ○표 하시오.

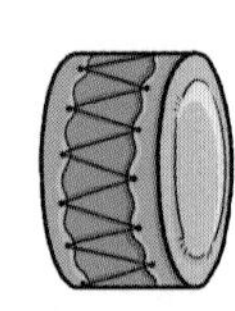 

(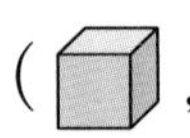 ,  , 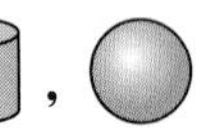)

▶정답 및 풀이 10쪽

전략 2 일부분을 보고 같은 모양의 물건 찾기

[관련 단원] 여러 가지 모양

예 일부분이 (그림)인 물건 찾기

과자 상자 페인트 통 구슬

일부분이 (그림)인 물건은 ❶ ☐ 부분이 없습니다.

따라서 이 모양의 물건은 ❷ ☐ 입니다.

답 ❶ 둥근 ❷ 과자 상자

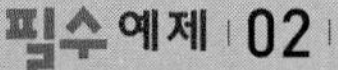

필수 예제 02

상자 안의 물건을 보았더니 (그림)이었습니다. 이것과 같은 모양의 물건을 찾아 쓰시오.

통조림 캔 야구공 필통

( )

풀이 | 상자 안의 물건은 둥근 부분이 있고 평평한 부분도 있습니다. 따라서 이것과 같은 모양의 물건은 통조림 캔입니다.

확인 2-1

상자 안의 물건을 보았더니 (그림)이었습니다. 이것과 같은 모양의 물건을 찾아 쓰시오.

사전 구슬 휴지통

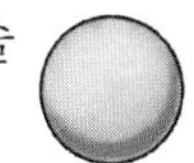

( )

확인 2-2

주희가 상자 안의 물건을 보고 다음과 같이 설명했습니다. 이 물건의 모양을 찾아 ○표 하시오.

둥근 부분만 보입니다. 상자를 흔들었더니 모든 방향으로 잘 굴러갑니다.

((그림), (그림), (그림))

전략 3 세 가지 물건의 길이 비교하기

[관련 단원] 비교하기

예 가장 긴 것과 가장 짧은 것 쓰기

자 (0 1 2 3 4 5 6 7 8 9 10)

지우개

연필

가장 긴 것	❶
가장 짧은 것	❷

답 ❶ 자 ❷ 지우개

필수 예제 03

가장 긴 머리핀과 가장 짧은 머리핀을 찾아 기호를 쓰시오.

㉠ ㉡ ㉢

가장 긴 머리핀	
가장 짧은 머리핀	

풀이 | 오른쪽 끝을 맞추었으므로 왼쪽 끝이 가장 많이 나간 머리핀이 가장 깁니다.

확인 3-1

가장 길이가 긴 물건을 찾아 기호를 쓰시오.

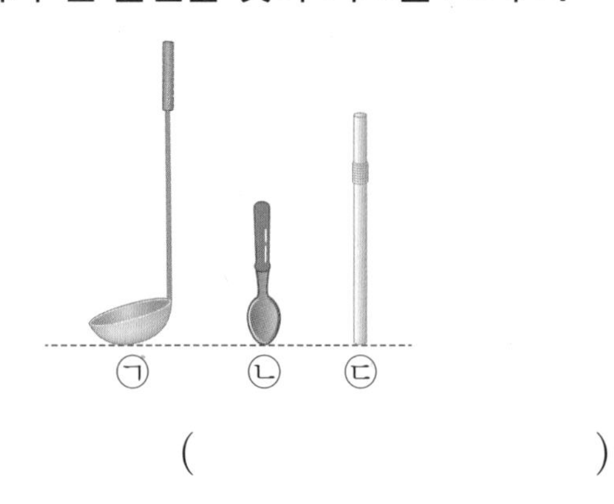

( )

확인 3-2

가장 키가 큰 동물을 찾아 기호를 쓰시오.

( )

전략 4 세 물건의 무게 비교하기

[관련 단원] 비교하기

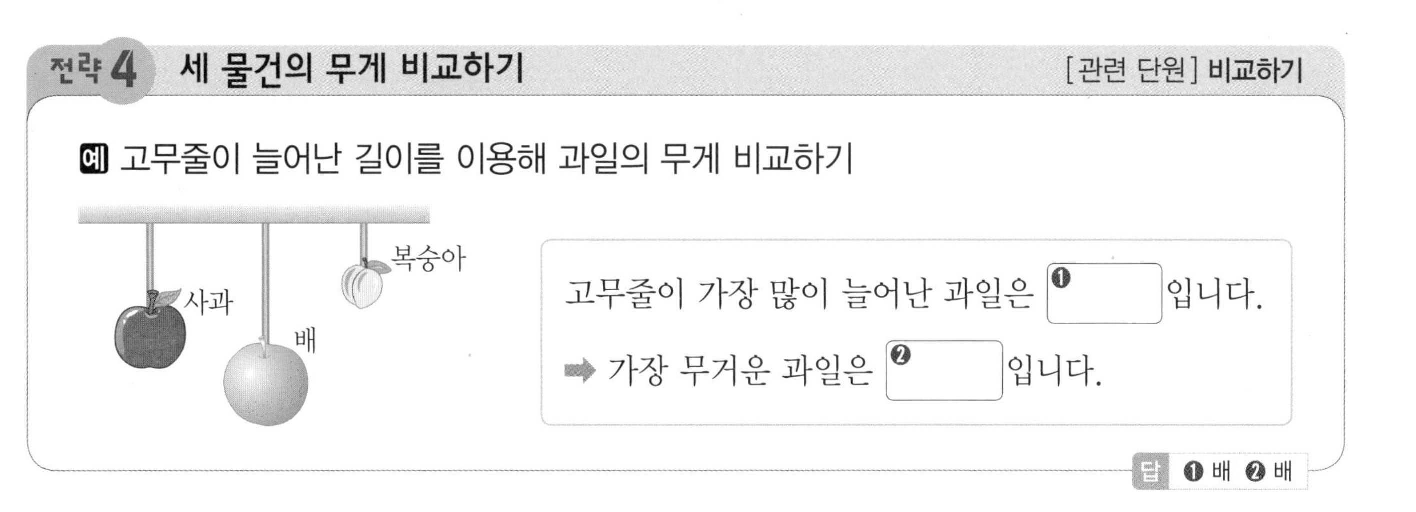

필수 예제 04

똑같은 고무줄에 과일을 매달았습니다. ☐ 안에 알맞은 말을 써넣으시오.

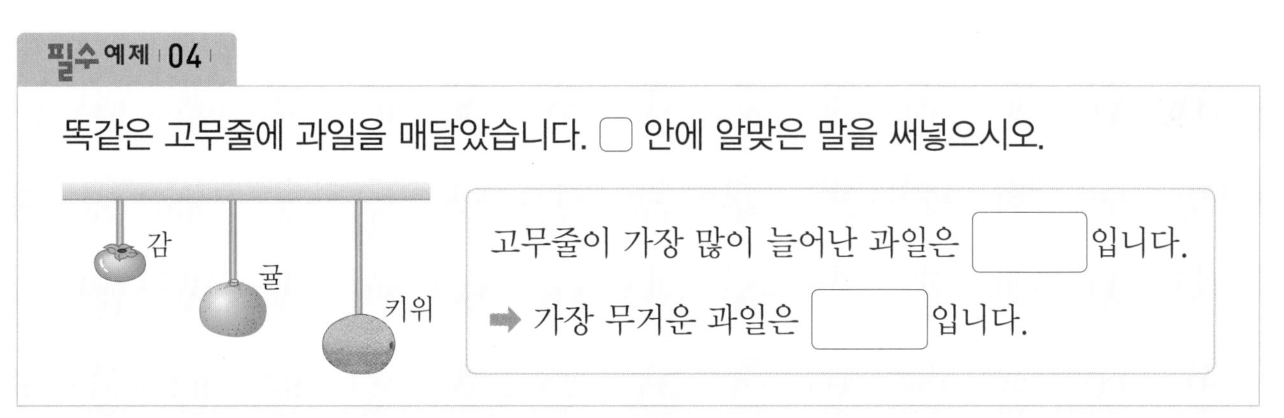

풀이 | 과일이 무거울수록 고무줄은 많이 늘어납니다. 고무줄이 가장 많이 늘어난 과일은 키위입니다.

확인 4-1

똑같은 고무줄에 공을 매달았습니다. 세 개의 공 중 가장 가벼운 공의 번호를 쓰시오.

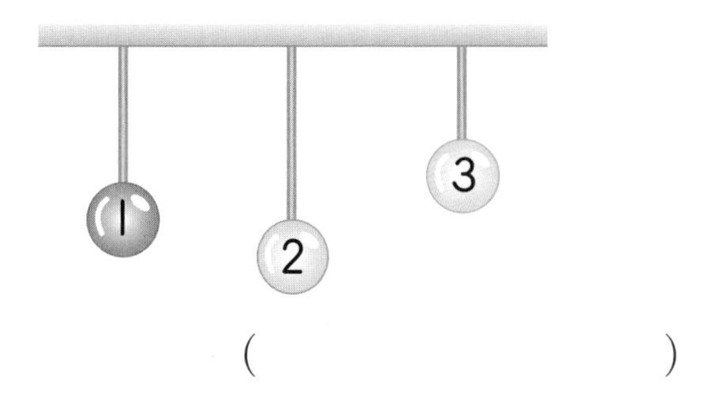

( )

확인 4-2

똑같은 고무줄에 공을 매달았습니다. 무거운 순서대로 공의 번호를 차례대로 쓰시오.

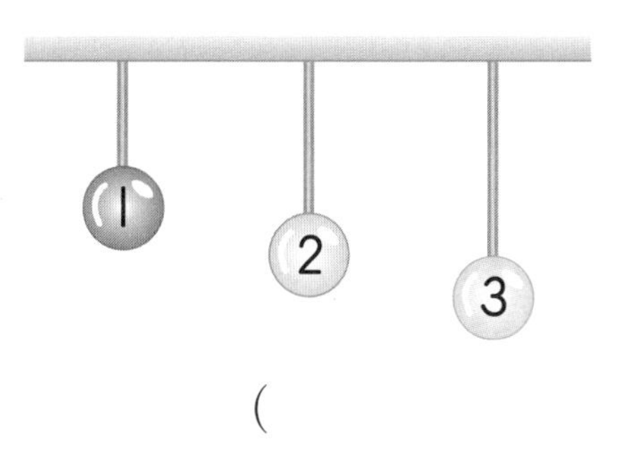

( )

2주 02일 필수 체크 전략 ❷

[관련 단원] **여러 가지 모양**

1 주어진 물건과 같은 모양이 아닌 것을 찾아 ○표 하시오.

   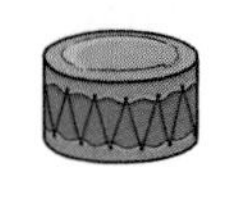

( ) ( ) ( )

Tip

• 주어진 물건은 평평한 부분이 ❶ [ ]고, 둥근 부분이 ❷ [ ]습니다.

답 ❶ 있 ❷ 있

[관련 단원] **여러 가지 모양**

2 같은 모양의 물건끼리 모았습니다. 한 개의 물건을 더 모으려고 할 때 알맞은 물건을 찾아 ○표 하시오.

( ) ( ) ( )

Tip

• 모아 놓은 물건은 뾰족한 부분이 ❶ [ ]습니다.
그리고 둥근 부분이 ❷ [ ]으므로 잘 굴러가지 않습니다.

답 ❶ 있 ❷ 없

[관련 단원] **여러 가지 모양**

3 다음 설명에 알맞은 모양을 찾아 ○표 하시오.

평평한 부분이 있어서 잘 세워둘 수 있습니다.
둥근 부분도 있어서 잘 굴러갑니다.

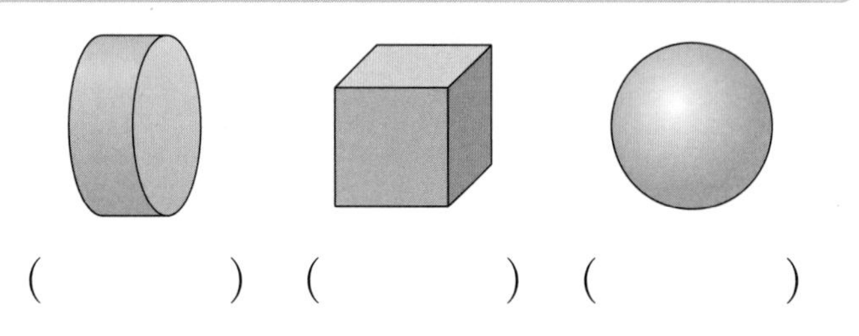

( ) ( ) ( )

Tip

• 설명하고 있는 모양은 평평한 부분이 ❶ [ ]기 때문에 잘 쌓을 수 ❷ [ ]습니다.

답 ❶ 있 ❷ 있

▶정답 및 풀이 11쪽

[관련 단원] **비교하기**

4 대회에서 세 사람이 상을 받으러 단상에 올라갔습니다. 가장 키가 큰 사람은 몇 등을 했습니까?

(　　　　　　　　　)

Tip

• 세 사람의 ❶ [　　] 끝이 맞춰져 있으므로 ❷ [　　] 끝이 더 많이 나간 사람의 키가 가장 큽니다.

답 ❶ 머리 ❷ 발

[관련 단원] **비교하기**

5 길이가 더 긴 산책로를 찾아 번호를 쓰시오.

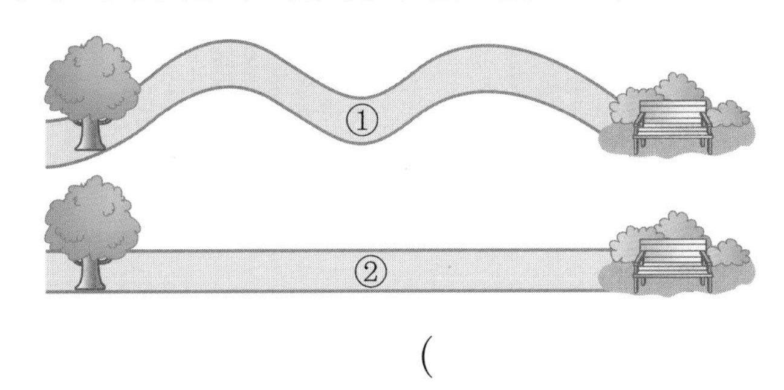

(　　　　　　　　　)

Tip

• 곧은 길이 더 ❶ [　　] 고,
구부러진 길이 더 ❷ [　　] 니다.

답 ❶ 짧 ❷ 길

[관련 단원] **비교하기**

6 공의 무게를 비교하려고 합니다. 가장 무거운 공의 색깔에 ○표 하시오.

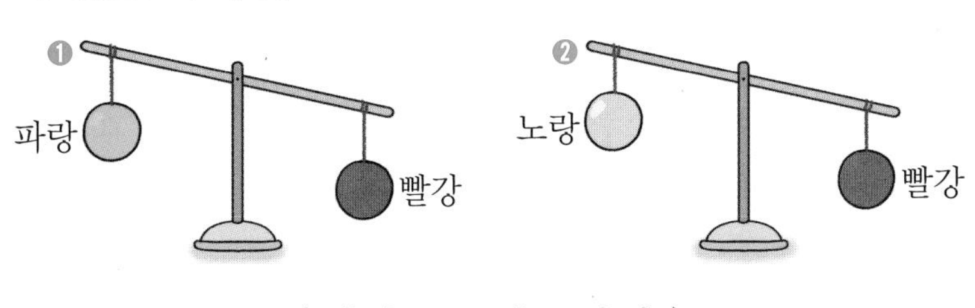

(빨강 , 노랑 , 파랑)

Tip

① 파란색 공은 빨간색 공보다 더 ❶ [　　] 습니다.

② 노란색 공은 빨간색 공보다 더 ❷ [　　] 습니다.

답 ❶ 가볍 ❷ 가볍

필수 체크 전략 ❶

전략 1 쌓아 보고 굴려 보기 [관련 단원] 여러 가지 모양

예 쌓을 수 있는 물건 모으기

   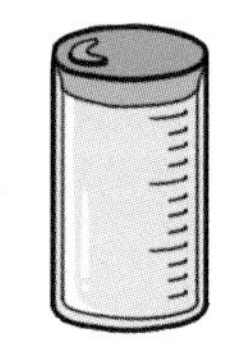

평평한 부분이 있으면 쌓을 수 ❶ [ ]습니다. ( ) 모양은 쌓을 수 ❷ [ ]습니다.

답 ❶ 있 ❷ 없

필수 예제 01

다음 물건 중 쌓을 수 없는 물건을 쓰시오.

종이 상자  페인트 통 

볼링공 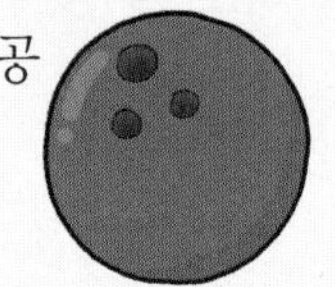

( )

풀이 | 평평한 부분이 있으면 쌓을 수 있습니다. 종이 상자와 페인트 통은 평평한 부분이 있으므로 쌓을 수 있습니다. 볼링공은 둥근 부분만 있습니다. 따라서 볼링공은 쌓을 수 없습니다.

확인 1-1

다음 중 잘 굴러가는 물건을 쓰시오.

책 

주사위  구슬 

( )

확인 1-2

다음 중 잘 굴러가는 물건을 쓰시오.

북 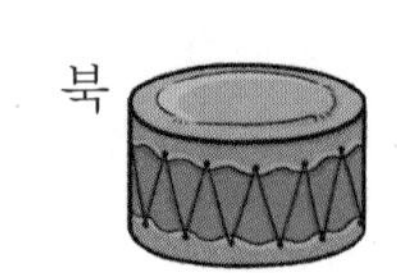 필통 지우개 

( )

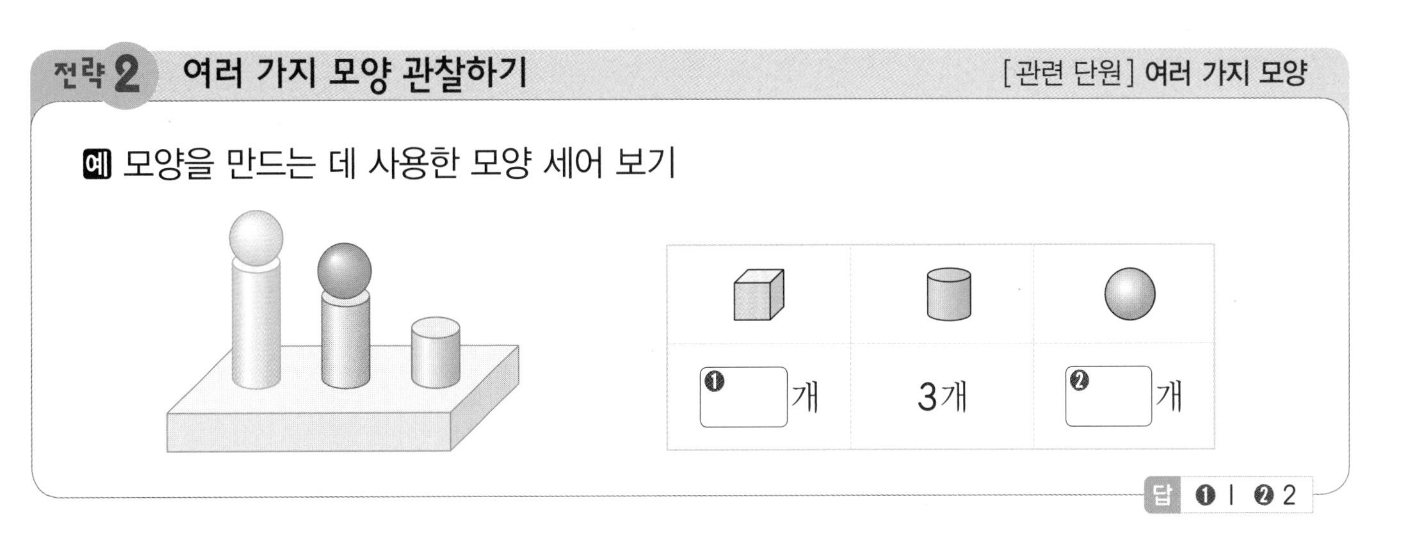

전략 2 여러 가지 모양 관찰하기

[관련 단원] 여러 가지 모양

예 모양을 만드는 데 사용한 모양 세어 보기

(상자 모양)	(둥근기둥 모양)	(공 모양)
❶ □개	3개	❷ □개

답 ❶ 1 ❷ 2

필수 예제 | 02

다음 모양을 만드는 데 사용한 모양은 각각 몇 개인지 □ 안에 알맞은 수를 써넣으시오.

(상자 모양)	(둥근기둥 모양)	(공 모양)
1개	□개	□개

풀이 | (상자)은 (상자) 모양이고 (둥근기둥), (둥근기둥), (둥근기둥)은 (둥근기둥) 모양이고 (공), (공)은 (공) 모양입니다.

확인 2-1

다음 모양을 만드는 데 사용한 모양은 각각 몇 개인지 □ 안에 써넣으시오.

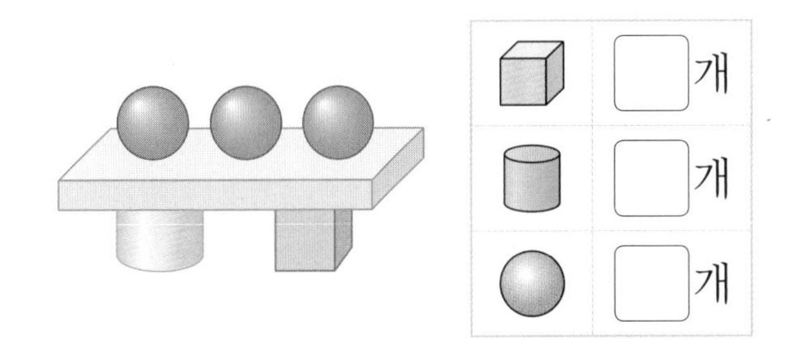

(상자 모양)	□개
(둥근기둥 모양)	□개
(공 모양)	□개

확인 2-2

다음 모양을 만드는 데 사용한 모양은 각각 몇 개인지 □ 안에 써넣으시오.

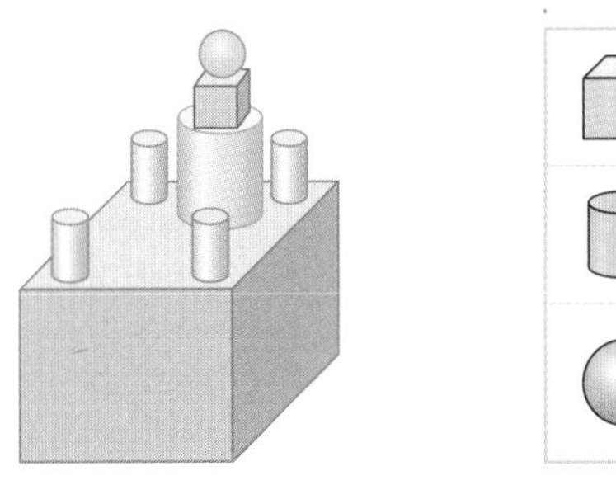

(상자 모양)	□개
(둥근기둥 모양)	□개
(공 모양)	□개

전략 3 세 가지 물건의 넓이 비교하기

[관련 단원] 비교하기

예 가장 넓은 물건 찾기

텔레비전 휴대 전화 모니터

물건을 포개었을 때 남는 부분이 있는 것이 더 ❶[ ]습니다.

따라서 가장 넓은 것은 ❷[ ]입니다.

답 ❶ 넓 ❷ 텔레비전

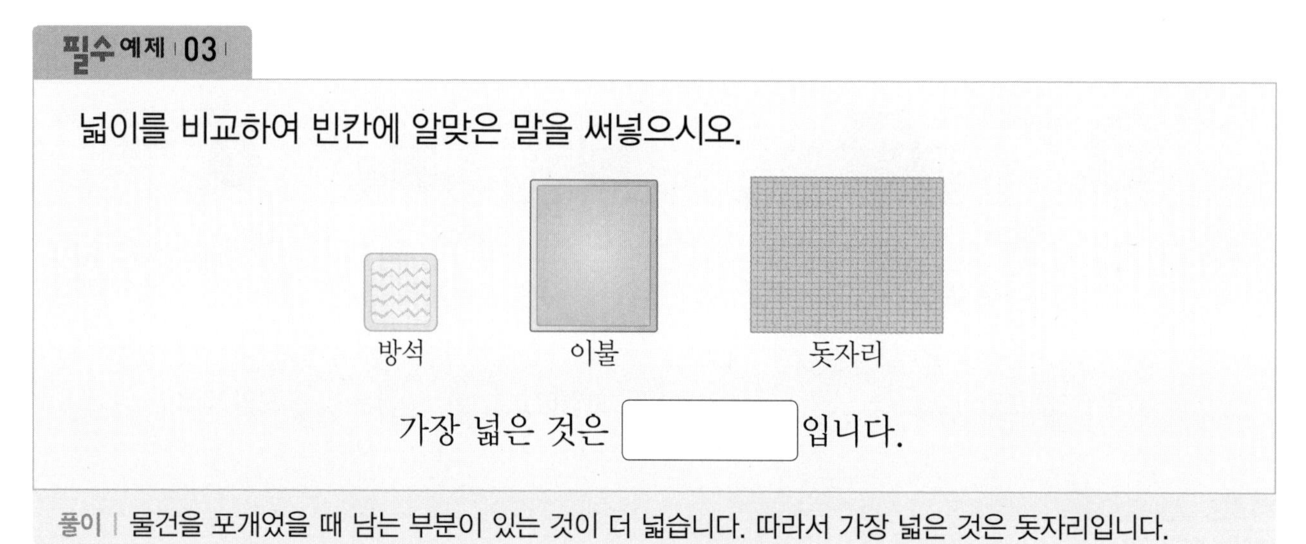

필수 예제 03

넓이를 비교하여 빈칸에 알맞은 말을 써넣으시오.

방석 이불 돗자리

가장 넓은 것은 [ ]입니다.

풀이 | 물건을 포개었을 때 남는 부분이 있는 것이 더 넓습니다. 따라서 가장 넓은 것은 돗자리입니다.

확인 3-1

가장 좁은 물건을 찾아 쓰시오.

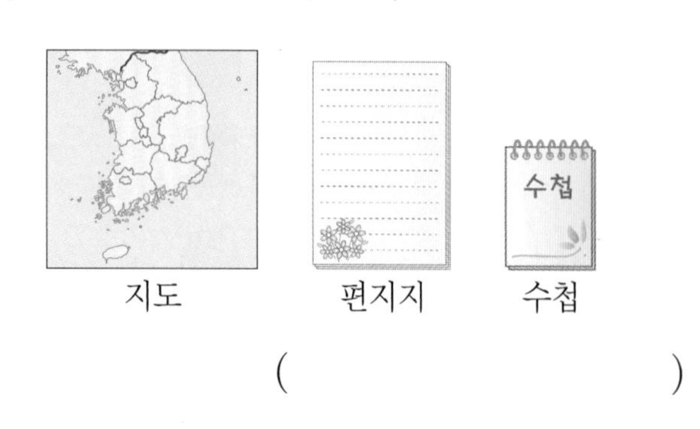

지도 편지지 수첩

(   )

확인 3-2

가장 좁은 물건을 찾아 쓰시오.

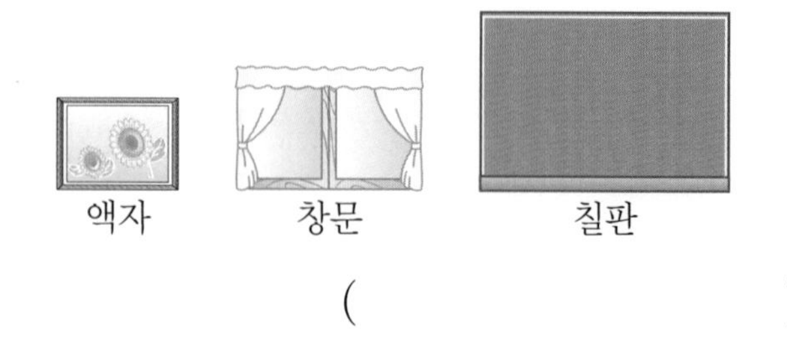

액자 창문 칠판

(   )

▶정답 및 풀이 12쪽

전략 4 세 개의 그릇에 담을 수 있는 양 비교하기

[관련 단원] 비교하기

예 담을 수 있는 양이 가장 많은 그릇 찾기

컵 그릇

그릇의 크기가 클수록 더 많이 담을 수 ❶ [ ] 습니다.

따라서 물뿌리개가 담을 수 있는 양이 가장 ❷ [ ] 습니다.

답 ❶ 있 ❷ 많

필수 예제 04

담을 수 있는 양을 비교하려고 합니다. 알맞은 말에 ○표 하시오.

양동이

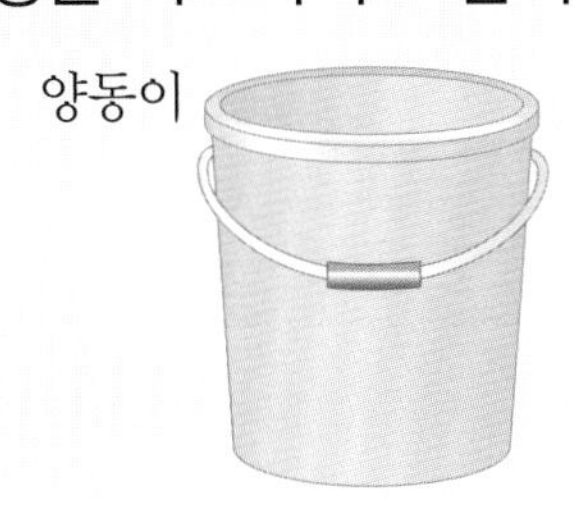

페트병

비커

그릇의 크기가 (클수록 , 작을수록) 더 많이 담을 수 있습니다.
따라서 양동이에 담을 수 있는 양이 가장 (많습니다 , 적습니다).

풀이 | 그릇의 크기가 클수록 더 많이 담을 수 있습니다. 양동이의 크기가 가장 큽니다.
따라서 양동이에 담을 수 있는 양이 가장 많습니다.

확인 4-1

물이 가장 많이 담긴 것을 찾아 기호를 쓰시오.

㉠ 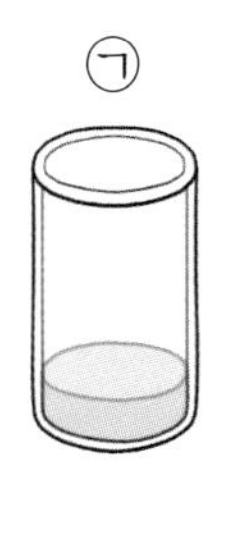

㉡ 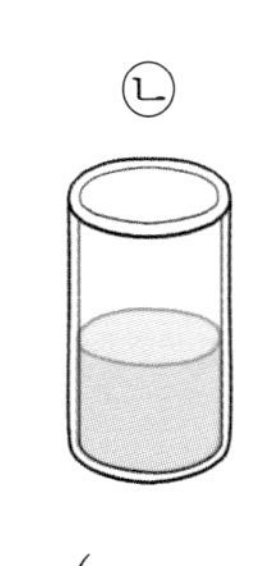

㉢ 

( )

확인 4-2

물이 가장 적게 담긴 것을 찾아 기호를 쓰시오.

㉠ 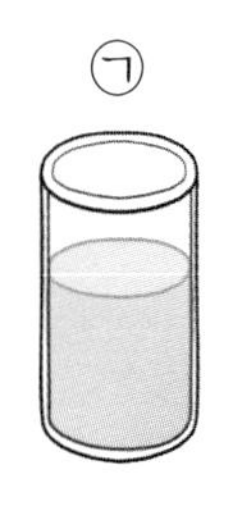

㉡ 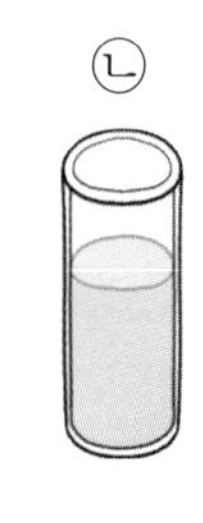

㉢ 

( )

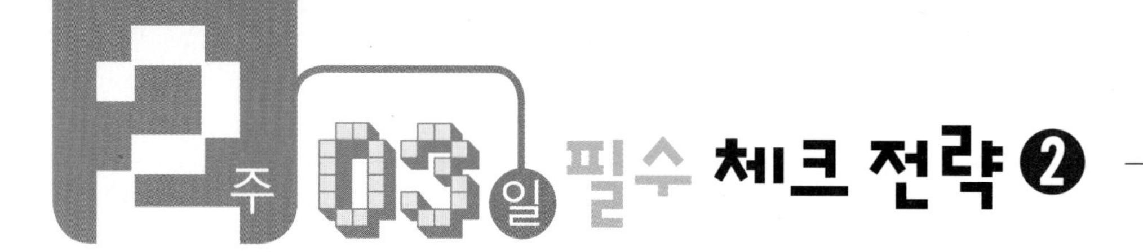

[관련 단원] **여러 가지 모양**

1 자동차를 만들 때, 바퀴 부분으로 가장 적당하지 <u>않은</u> 모양을 찾아 ○표 하시오.

(, ,)

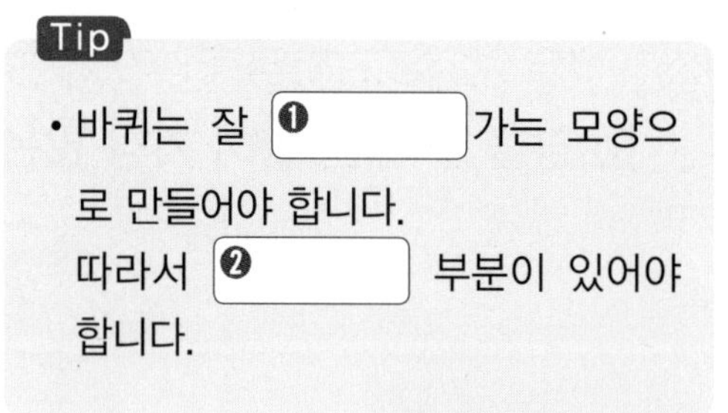

[관련 단원] **여러 가지 모양**

2 다음 모양을 만드는 데 필요하지 <u>않은</u> 모양은 무엇인지 찾아 ○표 하시오.

(, ,)

Tip

• 가장 위에 있는 모양은 ❶ ☐ 부분만 있습니다.

• 가장 아래에 있는 모양은 뾰족한 부분이 ❷ ☐ 습니다.

답 ❶ 둥근 ❷ 없

[관련 단원] **여러 가지 모양**

3 오른쪽의 모양을 모두 사용해서 만든 모양을 찾아 ○표 하시오.

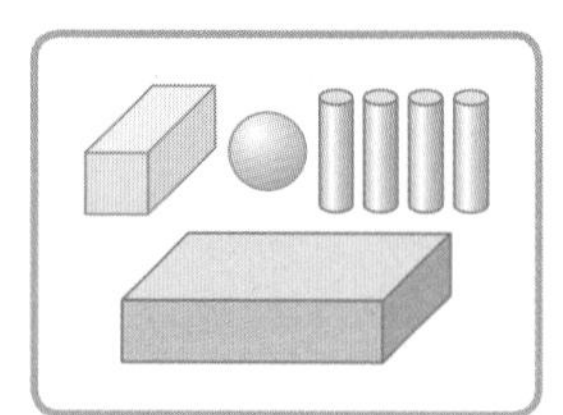

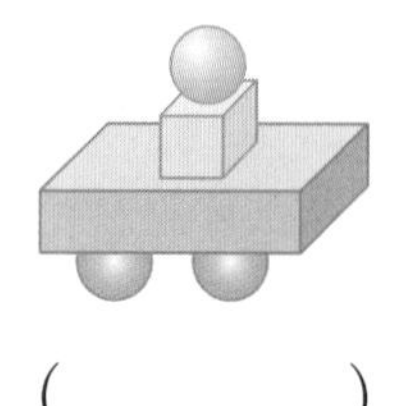

(   )

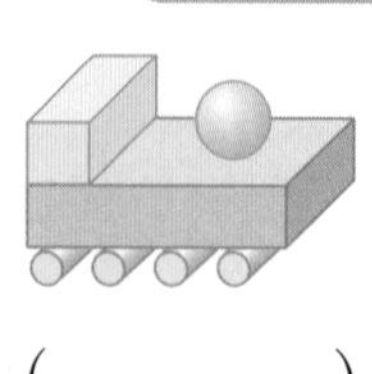

(   )

Tip

• 주어진 모양 중에 ☐ 모양은 ❶ ☐ 개이고, ☐ 모양은 ❷ ☐ 개입니다.

답 ❶ 2 ❷ 4

▶정답 및 풀이 13쪽

[관련 단원] **비교하기**

4 다음 그림의 작은 한 칸의 크기는 모두 같습니다. 산 모양, 토끼 모양 중 ❷어느 것이 더 넓은지 알아보시오.

❶
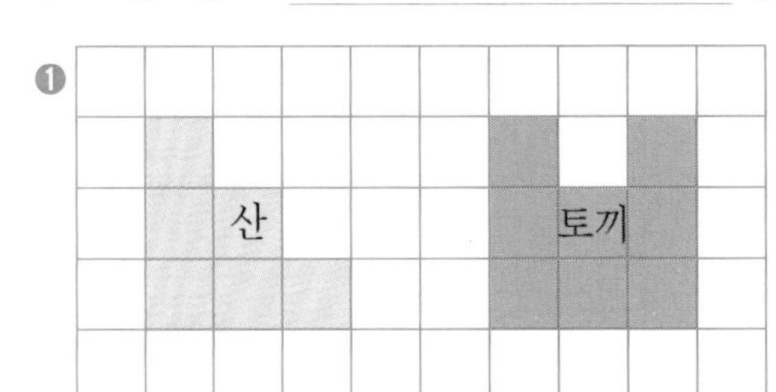

산 모양은 ☐칸이고, 토끼 모양은 ☐칸입니다.

따라서 더 넓은 것은 ☐ 모양입니다.

Tip

❶ 그림의 작은 한 칸의 크기는 모두 ❶☐습니다.

❷ 색칠한 칸의 수가 많을수록 더 ❷☐습니다.

답 ❶ 같 ❷ 넓

[관련 단원] **비교하기**

5 아래 설명을 읽고 알맞은 말에 ○표 하시오.

병에 가득 들어 있는 물을 그릇에 모두 옮겨 부었더니 물이 넘쳤습니다.

➡ 병이 그릇보다 담을 수 있는 양이 더 (많습니다 , 적습니다).

Tip

• 병에 있는 ❶☐을 그릇에 다 옮겨 담지 ❷☐했습니다.

답 ❶ 물 ❷ 못

[관련 단원] **비교하기**

6 보기 에서 알맞은 말을 찾아 ☐ 안에 써넣으시오.

보기

높습니다 무겁습니다 짧습니다

(1) 우리 학교 옥상 정원은 1층에 있는 교무실보다 높이가 더 ☐.

(2) 코끼리는 개미보다 무게가 더 ☐.

Tip

• 길이를 비교할 때는 더 길다 · 더 짧다라고 합니다.

• 높이를 비교할 때는 더 ❶☐ · 더 ❷☐라고 합니다.

답 ❶ 높다 ❷ 낮다

2주

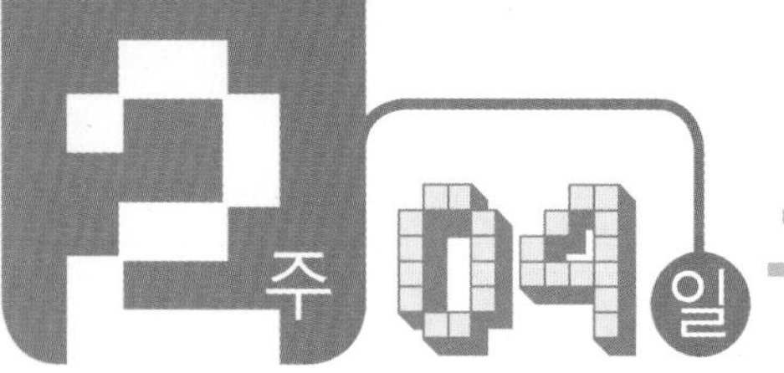

2주 04일 교과서 대표 전략 ❶

대표 예제 01

다음 모양과 같은 모양의 물건을 찾아 쓰시오.

볼링공 전자레인지 북

( )

개념가이드

모양은 평평한 부분이 ❶ 고 둥근 부분이 ❷ 습니다.

[답] ❶ 있 ❷ 없

대표 예제 02

다음 물건의 모양과 같은 모양에 ○표 하시오.

개념가이드

주어진 물건은 둥근 부분이 ❶ 으므로 굴러갈 수 ❷ 습니다.

[답] ❶ 있 ❷ 있

대표 예제 03

상자 안의 물건은 (그림) 이었습니다. 같은 모양의 물건을 찾아 ○표 하시오.

( ) ( ) ( )

개념가이드

모양은 ❶ 부분만 있으므로 쌓을 수 ❷ 습니다.

[답] ❶ 둥근 ❷ 없

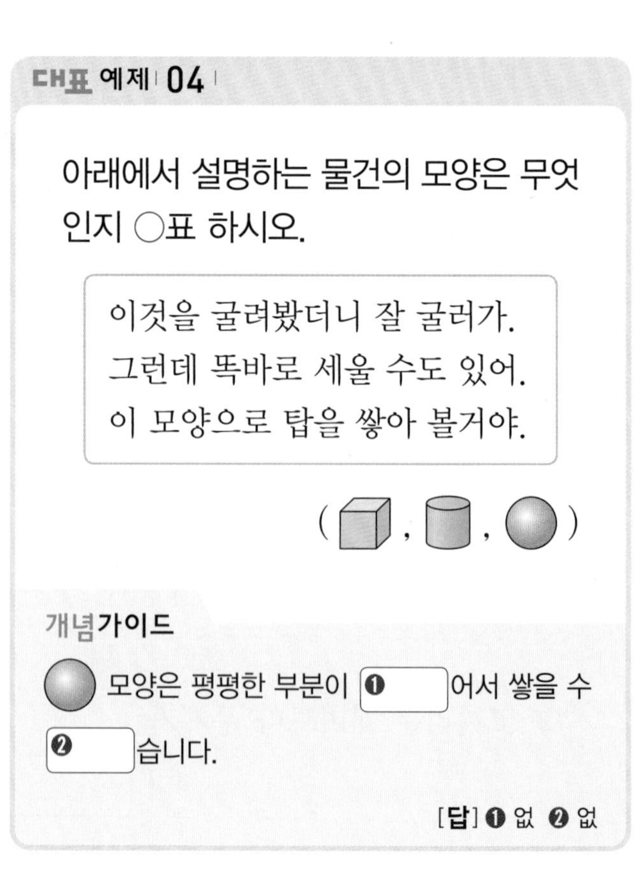

대표 예제 04

아래에서 설명하는 물건의 모양은 무엇인지 ○표 하시오.

이것을 굴려봤더니 잘 굴러가.
그런데 똑바로 세울 수도 있어.
이 모양으로 탑을 쌓아 볼거야.

(, ,)

개념가이드

모양은 평평한 부분이 ❶ 어서 쌓을 수 ❷ 습니다.

[답] ❶ 없 ❷ 없

▶정답 및 풀이 13쪽

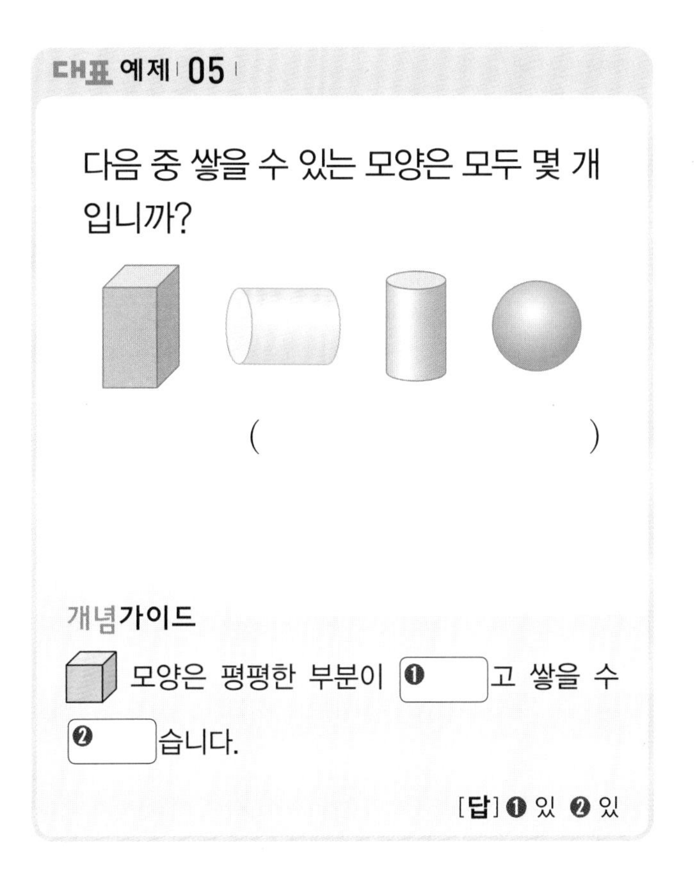

대표 예제 05

다음 중 쌓을 수 있는 모양은 모두 몇 개입니까?

(　　　　　　　　)

개념가이드

□ 모양은 평평한 부분이 ❶ ____ 고 쌓을 수 ❷ ____ 습니다.

[답] ❶ 있 ❷ 있

대표 예제 06

다음 중 잘 굴러가는 물건을 모두 찾아 ○표 하시오.

개념가이드

○ 모양은 둥근 부분이 ❶ ____ 고 굴릴 수 ❷ ____ 습니다.

[답] ❶ 있 ❷ 있

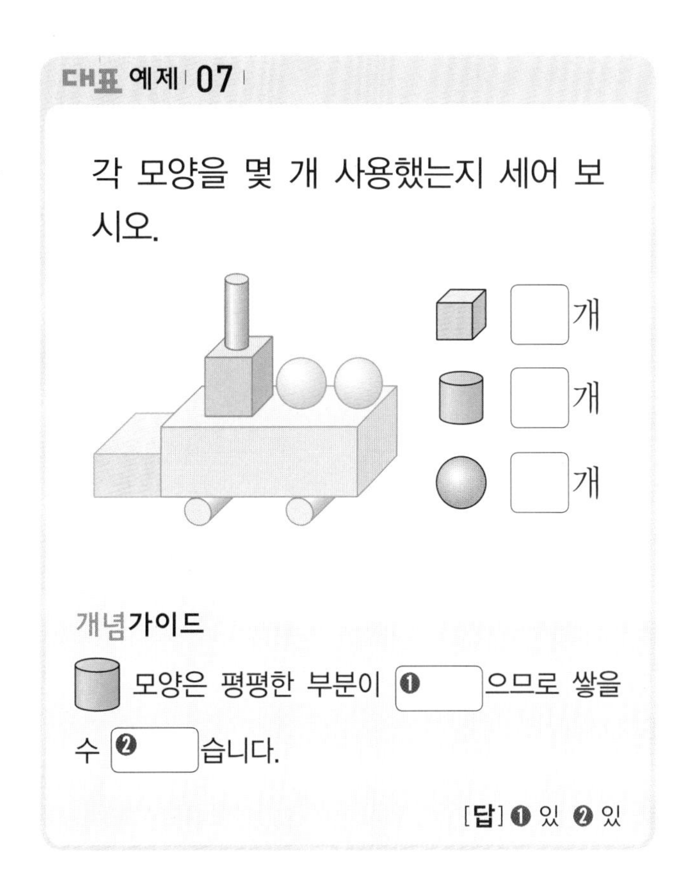

대표 예제 07

각 모양을 몇 개 사용했는지 세어 보시오.

□ 개

□ 개

□ 개

개념가이드

□ 모양은 평평한 부분이 ❶ ____ 으므로 쌓을 수 ❷ ____ 습니다.

[답] ❶ 있 ❷ 있

대표 예제 08

다음 모양을 만들 때 사용하지 않은 모양은 무엇인지 ○표 하시오.

(□ , □ , ○)

개념가이드

□ 모양은 뾰족한 부분이 ❶ ____ 고 쌓을 수 ❷ ____ 습니다.

[답] ❶ 있 ❷ 있

2주

대표 예제 | 09

더 긴 것에 ○표 하시오.

(　　　　) (　　　　)

개념가이드

바지의 ❶ ☐ 쪽 끝을 맞추었으므로 아래쪽 끝이 더 많이 나간 것이 더 ❷ ☐ 니다.

[답] ❶ 위 ❷ 깁

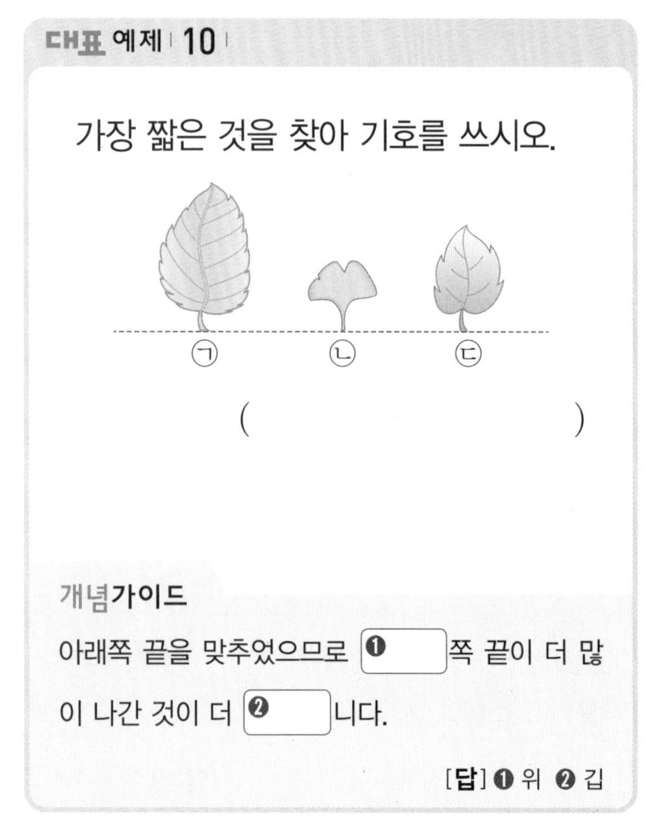

대표 예제 | 10

가장 짧은 것을 찾아 기호를 쓰시오.

(　　　　　　　)

개념가이드

아래쪽 끝을 맞추었으므로 ❶ ☐ 쪽 끝이 더 많이 나간 것이 더 ❷ ☐ 니다.

[답] ❶ 위 ❷ 깁

대표 예제 | 11

접은 종이 위에 물건을 올려놓았습니다. 어느 것이 더 무거운지 ○표 하시오.

(　　　　) (　　　　)

개념가이드

접은 종이 위에 ❶ ☐ 운 물건을 올려놓으면 접은 ❷ ☐ 는 무너집니다.

[답] ❶ 무거 ❷ 종이

대표 예제 | 12

시소에 혜빈이와 동희가 앉았습니다. 더 무거운 사람은 누구입니까?

(　　　　　　　)

개념가이드

시소에 앉으면 더 무거운 쪽이 ❶ ☐ 가고 더 가벼운 쪽이 ❷ ☐ 갑니다.

[답] ❶ 내려 ❷ 올라

▶정답 및 풀이 13쪽

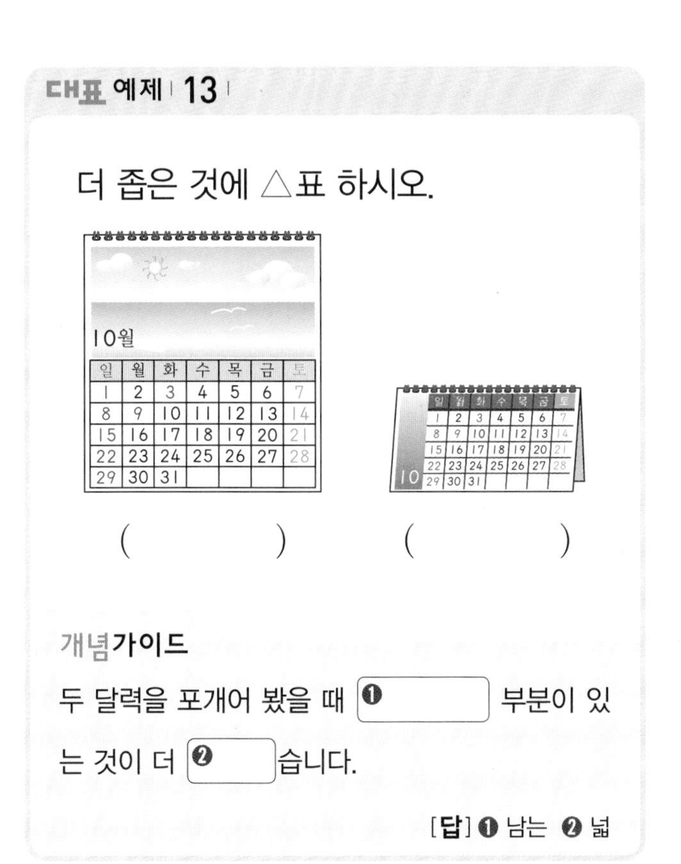
대표 예제 13
더 좁은 것에 △표 하시오.
10월
일 월 화 수 목 금 토
( ) ( )
개념가이드
두 달력을 포개어 봤을 때 ❶ 부분이 있는 것이 더 ❷ 습니다.
[답] ❶ 남는 ❷ 넓

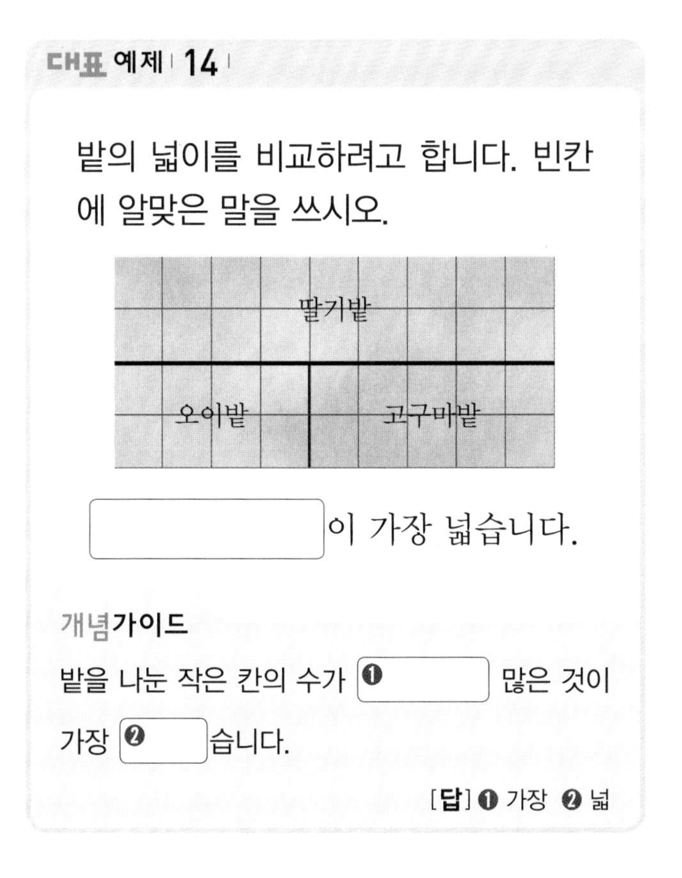
대표 예제 14
밭의 넓이를 비교하려고 합니다. 빈칸에 알맞은 말을 쓰시오.
딸기밭
오이밭
고구마밭
이 가장 넓습니다.
개념가이드
밭을 나눈 작은 칸의 수가 ❶ 많은 것이 가장 ❷ 습니다.
[답] ❶ 가장 ❷ 넓

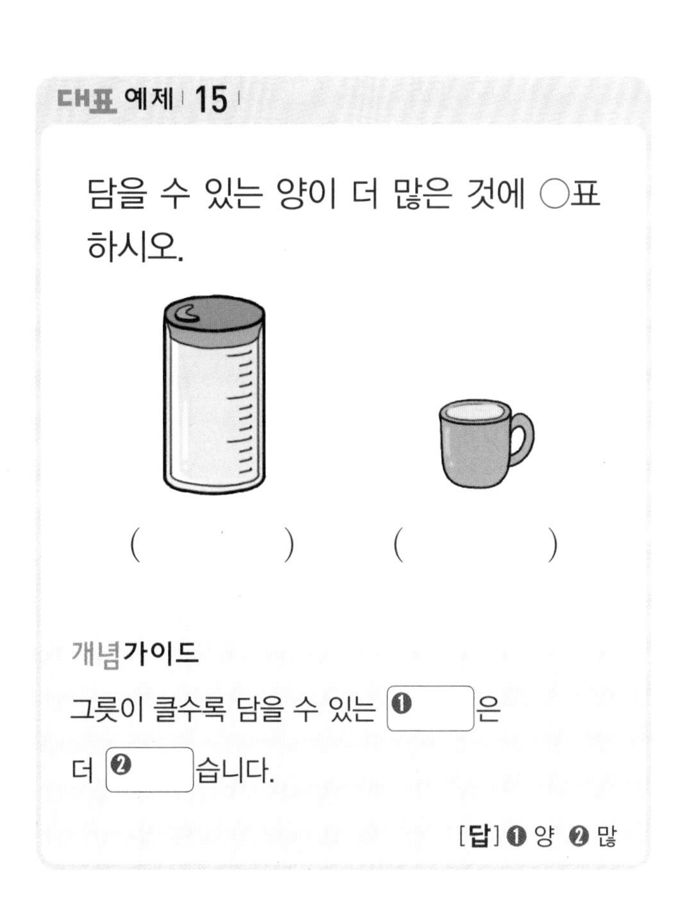
대표 예제 15
담을 수 있는 양이 더 많은 것에 ○표 하시오.
( ) ( )
개념가이드
그릇이 클수록 담을 수 있는 ❶ 은 더 ❷ 습니다.
[답] ❶ 양 ❷ 많

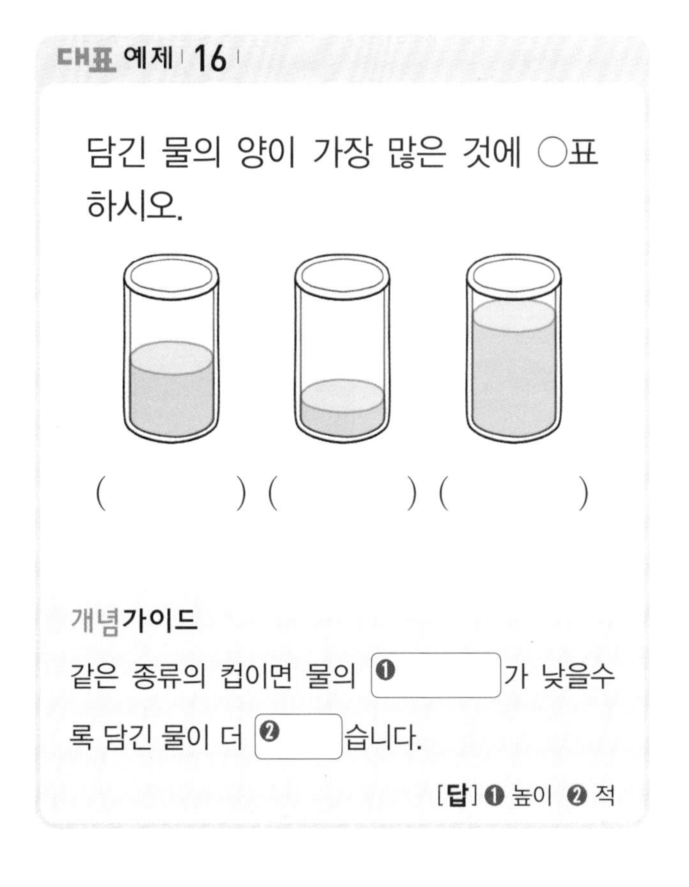
대표 예제 16
담긴 물의 양이 가장 많은 것에 ○표 하시오.
( ) ( ) ( )
개념가이드
같은 종류의 컵이면 물의 ❶ 가 낮을수록 담긴 물이 더 ❷ 습니다.
[답] ❶ 높이 ❷ 적

2주

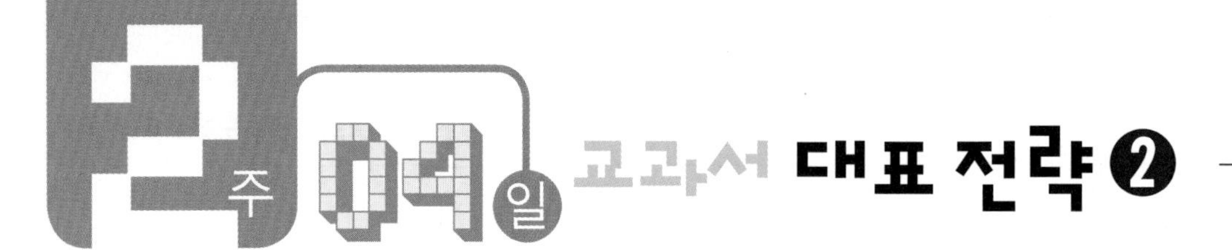

1 모양과 같은 모양이 아닌 것을 모두 찾아 ○표 하시오.

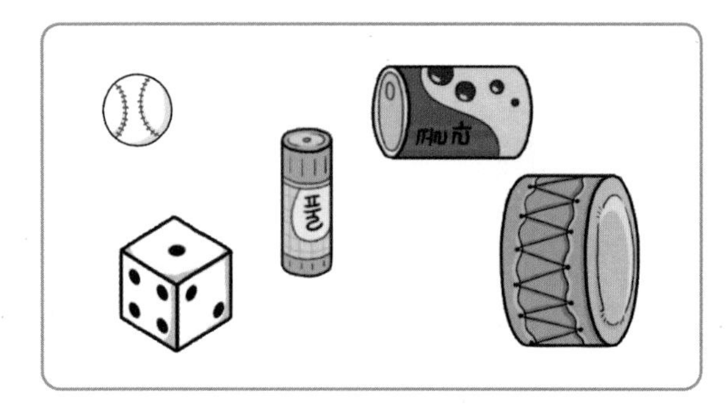

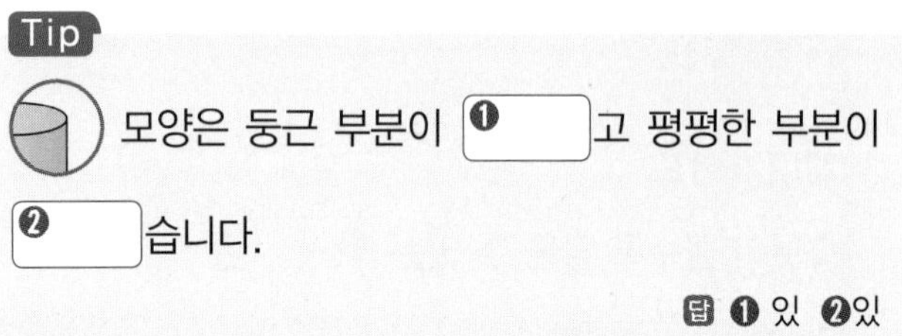

Tip

모양은 둥근 부분이 ❶ [ ]고 평평한 부분이 ❷ [ ]습니다.

답 ❶ 있 ❷ 있

2 아래에서 설명하는 모양의 물건에 ○표 하시오.

평평한 부분이 많습니다.
잘 굴러가지 않습니다.
뾰족한 부분이 있습니다.

( ) ( ) ( )

Tip

모양은 뾰족한 부분이 ❶ [ ]고 둥근 부분이 ❷ [ ]습니다.

답 ❶ 없 ❷ 있

3 쌓을 수 있는 물건을 모두 찾아 ○표 하시오.

Tip

모양은 평평한 부분이 ❶ [ ]으므로 쌓을 수 ❷ [ ]습니다.

답 ❶ 있 ❷ 있

4 주어진 모든 모양을 사용해서 만든 모양을 찾아 ○표 하시오.

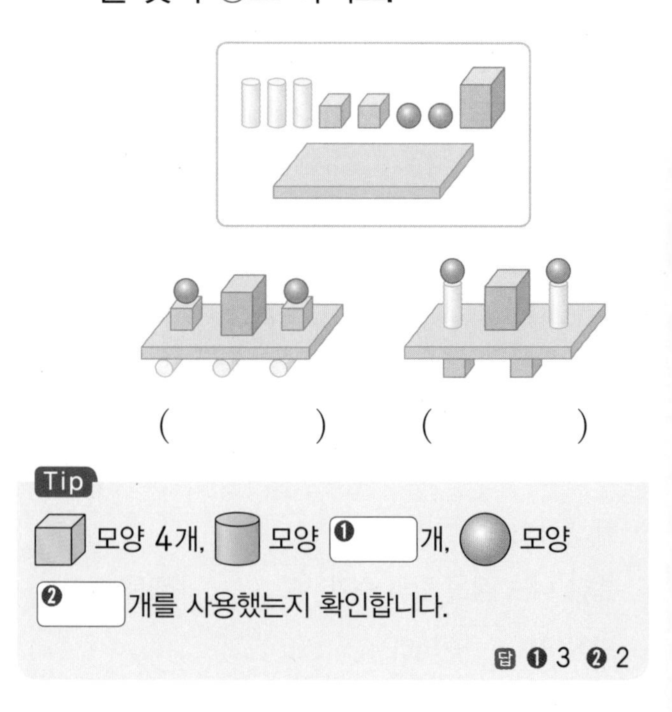

( ) ( )

Tip

모양 4개, 모양 ❶ [ ]개, 모양 ❷ [ ]개를 사용했는지 확인합니다.

답 ❶ 3 ❷ 2

▶정답 및 풀이 15쪽

5 알맞은 말에 ○표 하시오.

(1) 수박은 딸기보다 더
(무겁습니다 , 짧습니다).

(2) 욕조가 종이컵보다 담을 수 있는 양이 더 (높습니다 , 많습니다).

Tip
무게를 비교할 때에는 더 무겁다, 더 가볍다라고 합니다.
담을 수 있는 양을 비교할 때에는 더 ❶ [　　], 더 ❷ [　　]라고 합니다.

답 ❶ 많다 ❷ 적다

6 보기의 색종이보다 더 좁은 색종이를 모두 골라 ○표 하시오.

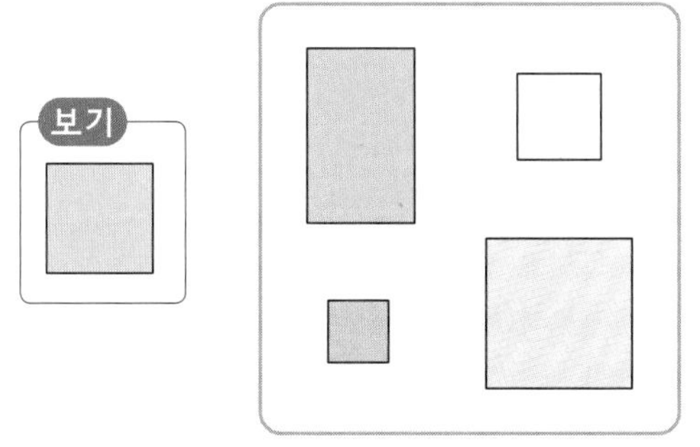

Tip
포개어 봤을 때 ❶ [　　] 부분이 있는 색종이가 더 ❷ [　　]습니다.

답 ❶ 남는 ❷ 넓

7 친구들이 철봉 매달리기를 하고 있습니다. 키가 가장 큰 학생은 누구인지 쓰시오.

(　　　　　　　　)

Tip
머리끝이 맞추어져 있으므로 ❶ [　　]끝이 더 많이 나갈수록 키가 더 ❷ [　　]니다.

답 ❶ 발 ❷ 큽

8 두 사람씩 시소에 앉았습니다. 세 사람의 무게를 비교했을 때 가장 무거운 사람은 누구입니까?

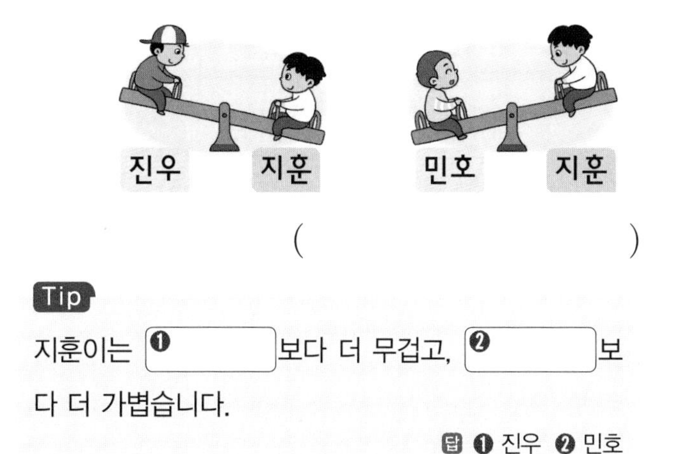

(　　　　　　　　)

Tip
지훈이는 ❶ [　　]보다 더 무겁고, ❷ [　　]보다 더 가볍습니다.

답 ❶ 진우 ❷ 민호

2 주

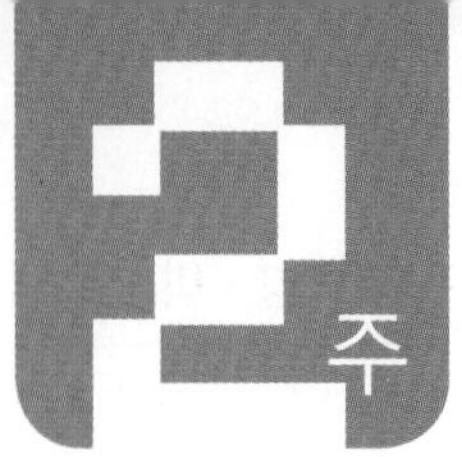

누구나 만점 전략

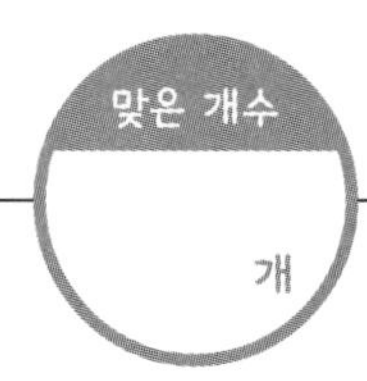

01 같은 모양끼리 분류한 것입니다. 잘못 분류한 물건에 ○표 하시오.

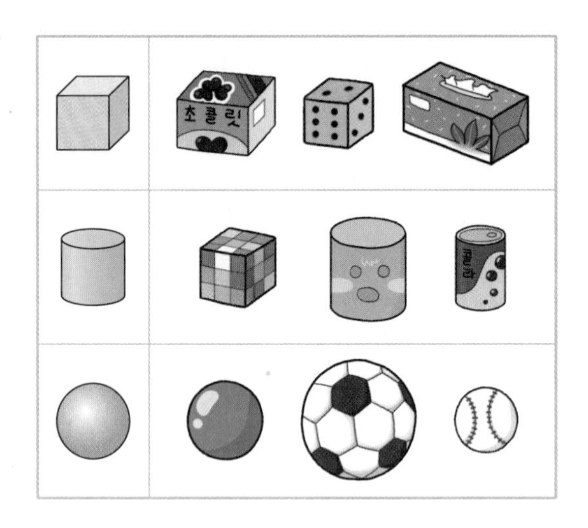

02 장난감 공장에서 만들 장난감의 모양을 찾아 ○표 하시오.

(, ,)

03 다음 물건을 쌓아서 정리하려고 합니다. 빼야 하는 물건은 무엇입니까?

( )

04 다음 중 굴리면 잘 굴러가는 물건은 모두 몇 개입니까?

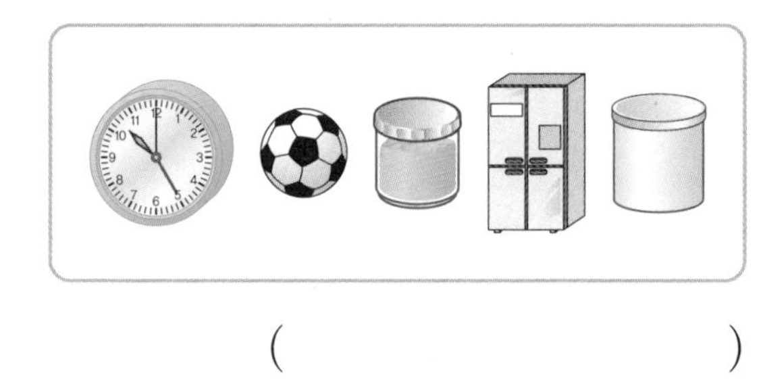

( )

05 다음 모양을 만들 때 필요하지 않은 모양에 ○표 하시오.

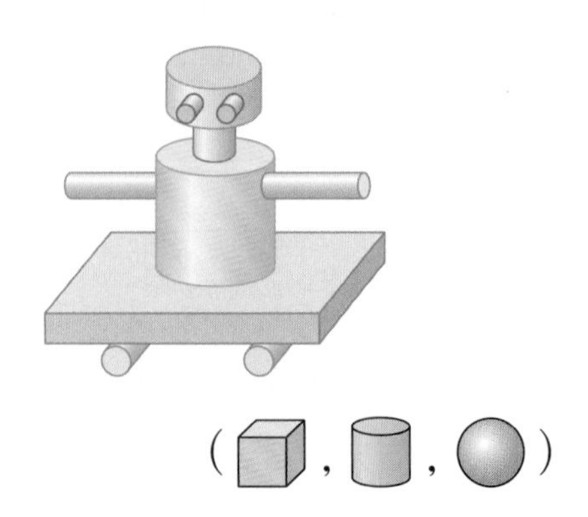

(, ,)

▶정답 및 풀이 16쪽

06 책상의 위가 더 넓은 것을 찾아 ○표 하시오.

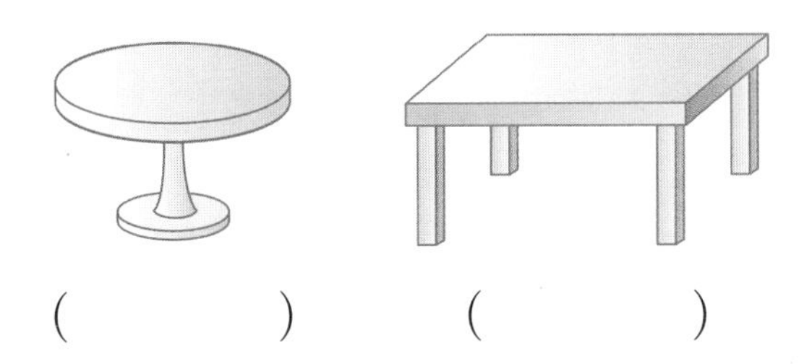

( ) ( )

07 가장 높은 건물의 기호를 쓰시오.

( )

08 그림을 보고 알맞은 말에 ○표 하시오.

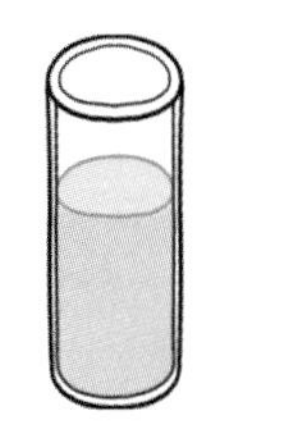

담긴 물의 양은 왼쪽 그릇이 오른쪽 그릇보다 더 (많습니다 , 적습니다).

09 가장 짧은 줄을 찾아 ○표 하시오.

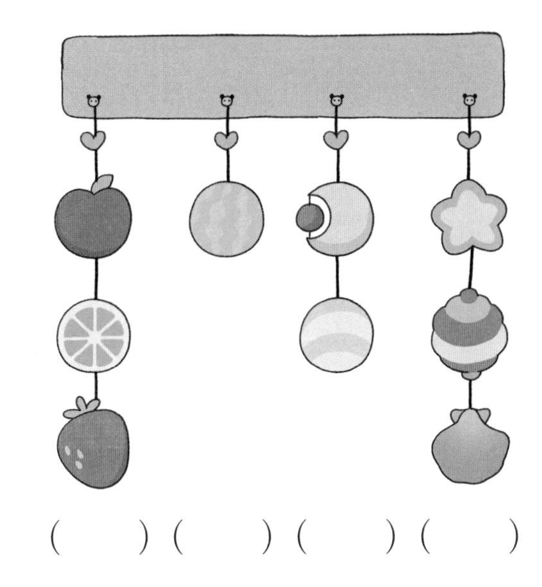

( ) ( ) ( ) ( )

10 공의 무게를 비교하려고 합니다. 가장 무거운 공의 색깔을 쓰시오.

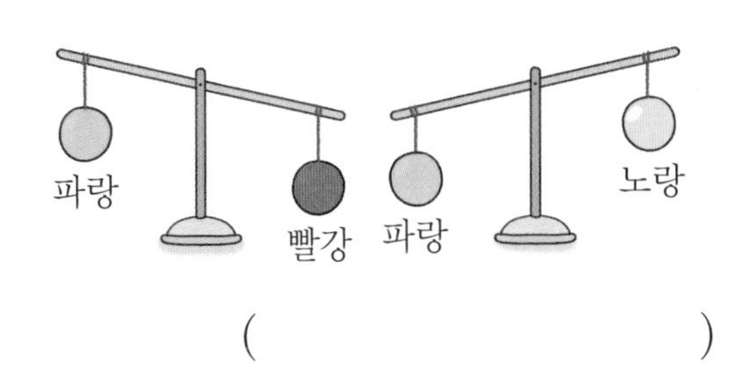

( )

2주 창의·융합·코딩 전략 ❶

추론

1 위 대화를 읽고 블록을 더 높이 쌓은 사람은 누구일지 쓰시오.

( )

▶정답 및 풀이 17쪽

창의 융합

2 위 대화를 읽고 준우의 찰흙을 찾아 기호를 쓰시오.

( )

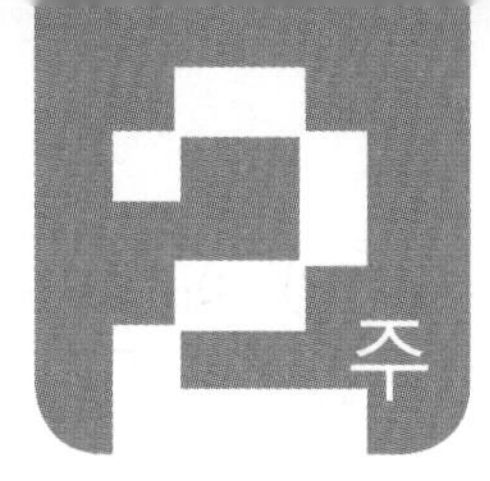

2주 창의·융합·코딩 전략 ❷

창의 융합

1 진열장 위에 여러 가지 물건들이 있습니다. ▭ 모양을 모두 찾아 ○표 하시오.

Tip

▭ 모양은 둥근 부분이 ❶ [   ]고, 뾰족한 부분은 ❷ [   ]습니다.

[답] ❶ 있 ❷ 없

창의 융합

2 책상 위에 있는 물건 중에 굴리면 잘 굴러가는 모양의 물건은 모두 몇 개인지 구하시오.

(   )

Tip

둥근 부분이 ❶ [   ]으면 잘 굴러갑니다. ▭ 모양은 둥근 부분이 ❷ [   ]습니다.

[답] ❶ 있 ❷ 없

▶정답 및 풀이 17쪽

문제 해결

3

가족사진을 자르거나 접지 않고 액자에 넣으려고 합니다. 어느 액자에 넣을 수 있는지 ○표 하시오.

( ) ( )

Tip

사진을 자르거나 접지 않고 액자에 넣으려면 ❶ [ ] 는 ❷ [ ] 보다 넓어야 합니다.

[**답**] ❶ 액자 ❷ 사진

문제 해결

4

세진이의 서랍에는 여러 가지 모양의 물건이 섞여 있습니다. 같은 모양끼리 모이도록 서랍을 나눠 보시오.

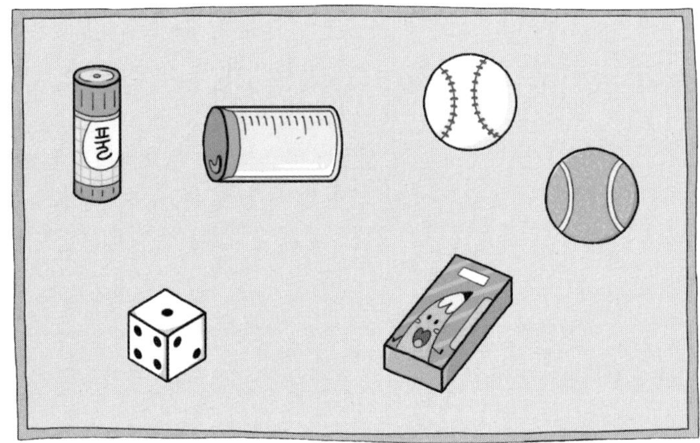

Tip

둥근 부분만 있는 물건은 ❶ [ ] 개이고, 뾰족한 부분이 있는 물건은 ❷ [ ] 개입니다.

[**답**] ❶ 2 ❷ 2

추론

5 똑같은 주머니에 무게가 다른 세 가지 물건을 담았습니다. 이 주머니들을 포장하려고 똑같은 상자에 올려놓았더니 상자들이 찌그러졌습니다. 가장 가벼운 물건을 담은 주머니부터 차례대로 기호를 쓰시오.

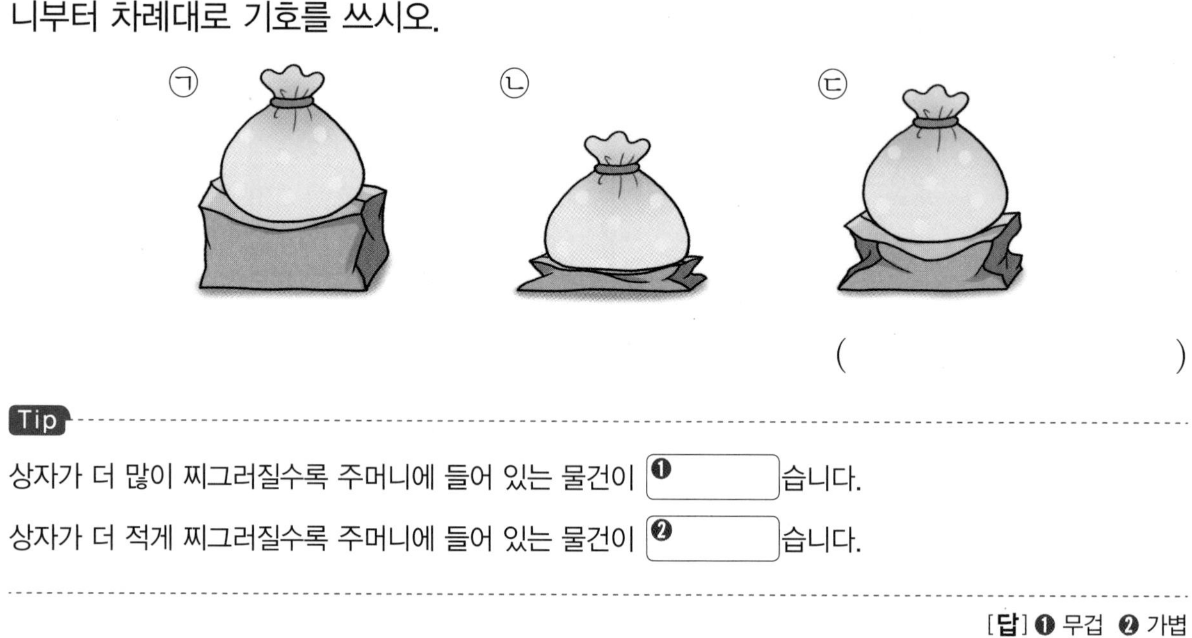

( )

Tip

상자가 더 많이 찌그러질수록 주머니에 들어 있는 물건이 ❶ ☐ 습니다.

상자가 더 적게 찌그러질수록 주머니에 들어 있는 물건이 ❷ ☐ 습니다.

[답] ❶ 무겁 ❷ 가볍

추론

6 태형이, 호석이는 모양과 크기가 같은 컵에 우유를 컵에 가득 따랐습니다. 우유를 마시고 다음과 같이 남겼을 때 우유를 더 많이 마신 사람은 누구입니까?

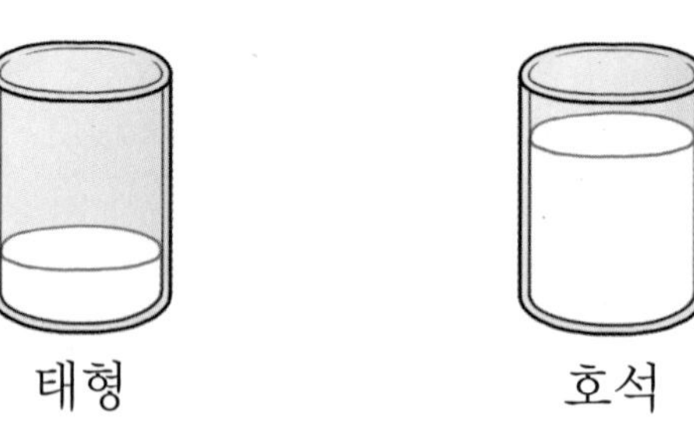

( )

Tip

우유를 더 많이 남긴 사람은 ❶ ☐ 이고 우유를 더 ❷ ☐ 마신 사람입니다.

[답] ❶ 호석 ❷ 적게

▶정답 및 풀이 17쪽

추론

7 어린이 축제에서 낙하산을 이용해 선물 상자를 내려주었습니다. 상자 안의 선물이 다음과 같이 일부분만 보였습니다. 축제에서 받을 수 있는 선물과 같은 모양이 아닌 것에 ○표 하시오.

Tip

선물은 모든 부분이 ❶ [ ] 모양이거나 평평한 부분과 ❷ [ ] 한 부분이 있는 모양입니다.

[답] ❶ 둥근 ❷ 뾰족

코딩

8 보기 의 굵은 선보다 길이가 더 긴 선을 오른쪽에 그어 보시오.

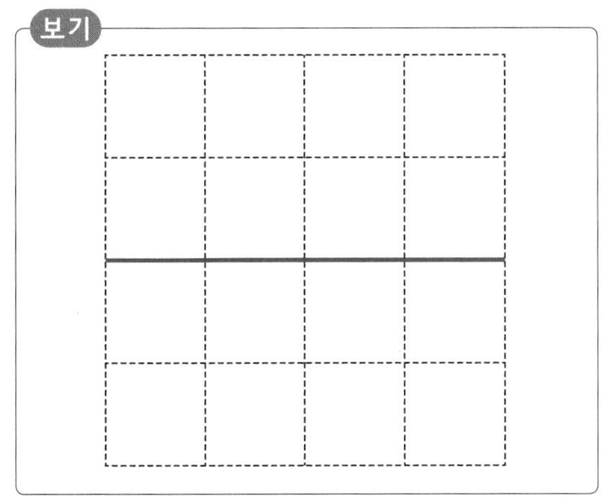

Tip

보기의 굵은 선의 길이는 ❶ [ ] 칸이므로 ❷ [ ] 칸보다 더 길게 그립니다.

[답] ❶ 4 ❷ 4

2주

3
주

50까지의 수

1학년 딸기농장
딸기가 맛있게 잘 익었어.
어서 딸기를 따자.

잠시 후
넌 딸기 몇 개 땄어?

9보다 1만큼 더 큰 수만큼 땄어.

9보다 1만큼 더 큰 수?

그래서 몇 개라는 거야?

9보다 1만큼 더 큰 수를 10이라고 하는 거야.

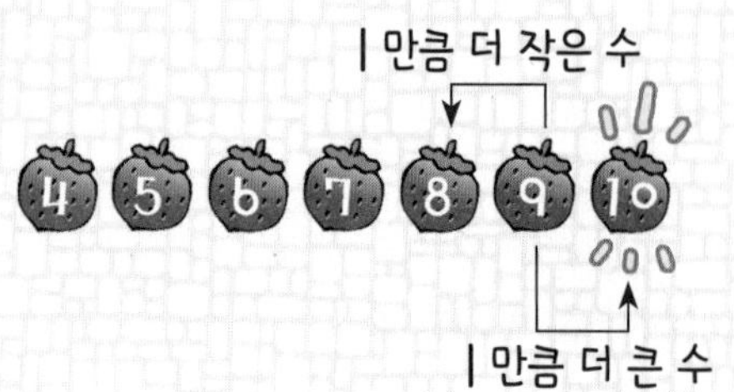
1만큼 더 작은 수
4
5
6
7
8
9
10
1만큼 더 큰 수

난 너보다 3개 더 땄어.
10개보다 3개 더 많은 13개를 땄네.
어때? 맛있겠지?
안 익은 딸기를 따면 어떡해.

학습할 내용

❶ 십, 십몇 알아보기
❷ 십몇을 모으기와 가르기
❸ 몇십, 몇십몇 알아보기
❹ 수의 순서 알아보기
❺ 수의 크기 비교하기

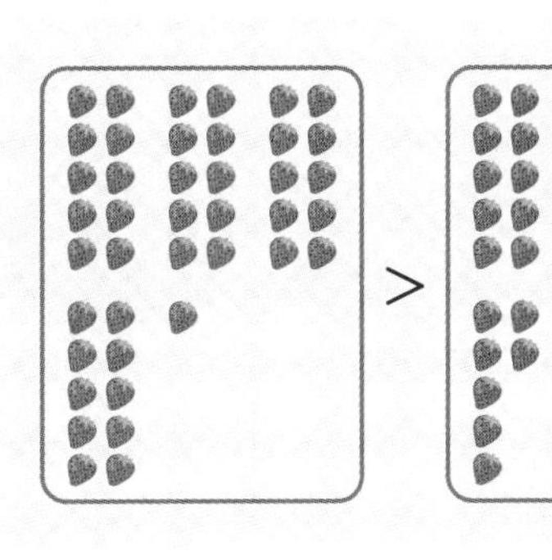

개념 돌파 전략 ❶

개념 1 십, 십몇

[관련 단원] 50까지의 수

○ 십

9보다 1만큼 더 큰 수 ➡ 10 (십, 열)

○ 십몇

10개씩 묶음 1개와 낱개 1개 ➡ 11(십일, 열하나)
10개씩 묶음 1개와 낱개 2개 ➡ 12(십이, 열둘)

10은 9보다 ❶ ☐ 만큼 더 큰 수입니다.
14는 10개씩 묶음 1개와 낱개 ❷ ☐ 개입니다.

답 ❶ 1 ❷ 4

개념 2 모으기와 가르기

[관련 단원] 50까지의 수

○ 12를 모으고 가르기

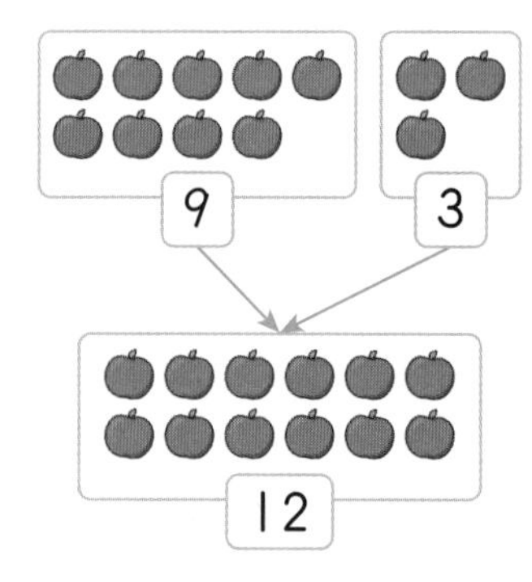

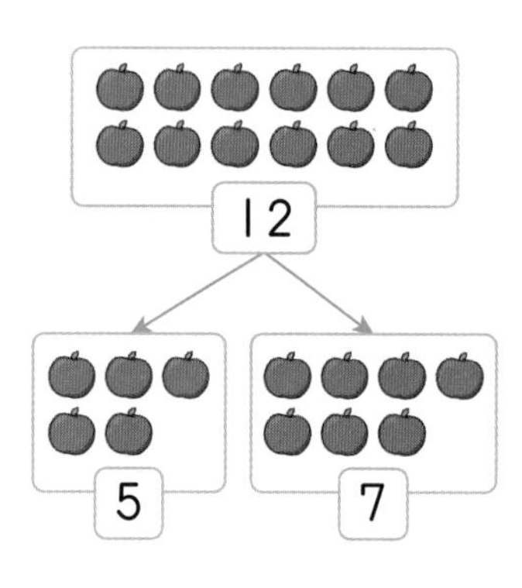

9와 3을 모으기 하면 12입니다.

12는 5와 7로 가르기 할 수 있습니다.

7과 4를 모으기 하면 ❶ ☐ 입니다.
15는 6과 ❷ ☐ 로 가르기 할 수 있습니다.

답 ❶ 11 ❷ 9

개념 3 몇십, 몇십몇

[관련 단원] 50까지의 수

○ 몇십

10개씩 묶음 2개는 20입니다.
10개씩 묶음 3개는 30입니다.

10	20	30	40	50
십	이십	삼십	사십	오십
열	스물	서른	마흔	쉰

○ 몇십몇

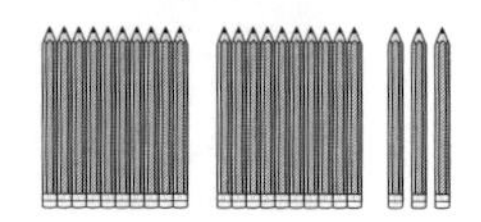

10자루씩 묶음 2개, 낱개 3자루
➡ 23(이십삼, 스물셋)

10개씩 묶음 4개인 수는 ❶ ☐ 입니다.
10개씩 묶음 3개와 낱개 1인 수는 ❷ ☐ 입니다.

답 ❶ 40 ❷ 31

개념 기초 확인

▶정답 및 풀이 18쪽

1-1 버섯을 10개씩 ⬭로 묶으시오.

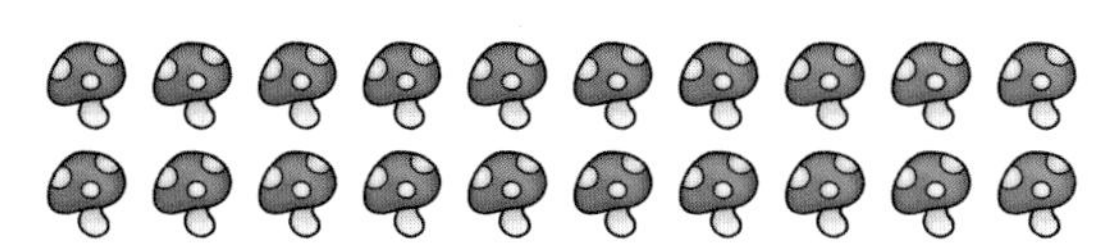

• **풀이** • 10은 ❶ [ ] 의 바로 다음 수입니다. 따라서 버섯 10개는 9개에 ❷ [ ] 개를 더 넣은 것입니다.

답 ❶ 9 ❷ 1

1-2 사과의 수를 두 가지 방법으로 읽으시오.

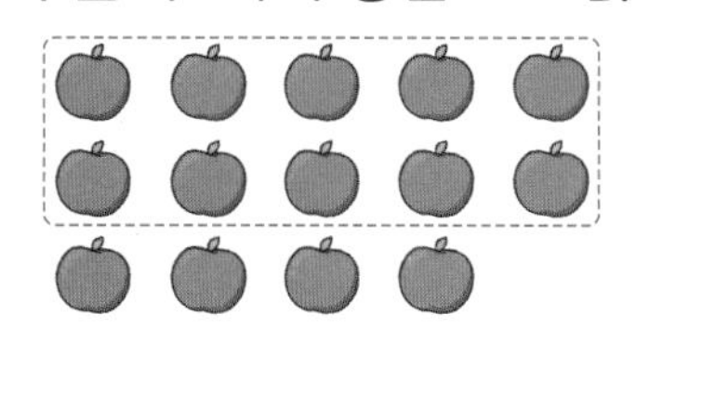

(,)

2-1 빈칸에 ○를 그리고, 7과 6을 모으기 하시오.

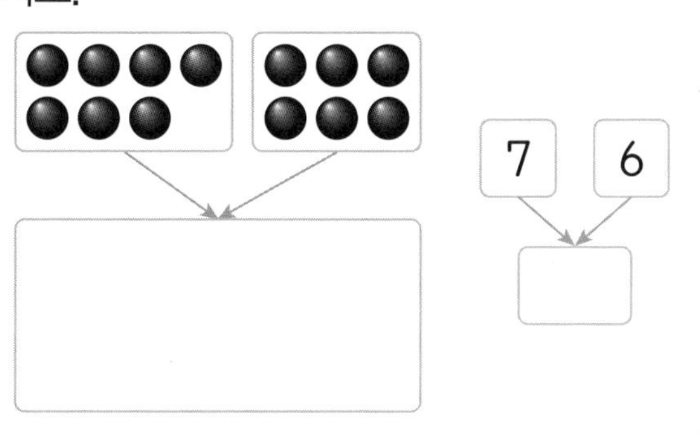

• **풀이** • 바둑돌 7개에 ❶ [ ] 개가 더 있으면 ❷ [ ] 개입니다.

답 ❶ 6 ❷ 13

2-2 빈칸에 ○를 그리고, 12를 가르기 하시오.

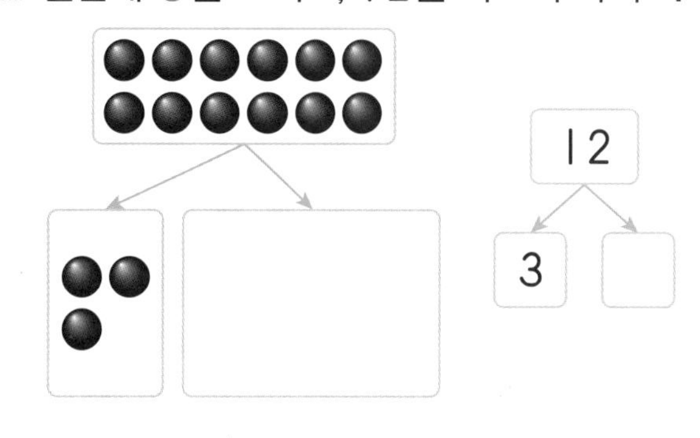

3-1 수를 읽으시오.

(1) 20 ➡ ____________

(2) 41 ➡ ____________

• **풀이** • 20을 읽으면 이십 또는 ❶ [ ] 입니다.
41을 읽으면 사십일 또는 ❷ [ ] 입니다.

답 ❶ 스물 ❷ 마흔하나

3-2 수로 나타내시오.

(1) 오십 ➡ ____________

(2) 서른여덟 ➡ ____________

3주

개념 돌파 전략 ❶

개념 4 수의 순서

[관련 단원] 50까지의 수

∘ 1부터 50까지의 수

1	2	3	4	5	6	7	8	9	10
11	12	①13	14	15	16	17	18	19	20
②21	22	23	24	25	26	27	28	29	30
31	32	33	③34	35	36	37	38	39	40
④41	42	43	44	45	46	47	48	49	50

① 14보다 1만큼 더 작은 수는 13입니다.
② 22보다 1만큼 더 큰 수는 23입니다.
③ 34와 37 사이에 있는 수는 35, 36입니다.
④ 41과 43 사이에 있는 수는 42입니다.

26과 28 사이에 있는 수는 ❶ [   ]입니다.

40은 39보다 ❷ [   ]만큼 더 큰 수입니다.

답 ❶ 27 ❷ 1

개념 5 수의 크기 비교

[관련 단원] 50까지의 수

∘ 10개씩 묶음의 수가 다른 두 수의 크기 비교하기

21 (10, 10, 낱개 1)	13 (10, 낱개 3)

21은 13보다 큽니다.

➡ 10개씩 묶음의 수가 더 많은 수가 큽니다.

∘ 10개씩 묶음의 수가 같은 두 수의 크기 비교하기

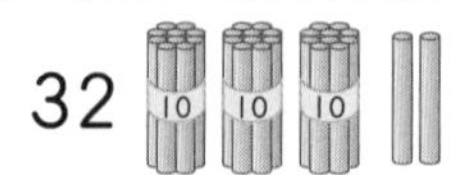

36 (10, 10, 10, 낱개 6)	32 (10, 10, 10, 낱개 2)

36은 32보다 큽니다.

➡ 10개씩 묶음의 수가 같으면 낱개가 더 많은 수가 큽니다.

34는 10개씩 묶음이 3개입니다. 43은 10개씩 묶음이 ❶ [   ]개입니다.

따라서 두 수 중에서 더 작은 수는 ❷ [   ]입니다.

답 ❶ 4 ❷ 34

▶정답 및 풀이 18쪽

4-1 수 배열표를 보고 ☐ 안에 알맞은 수를 써넣으시오.

29	30	31	32	33	34	35
36	37	38	39	40	41	42

29보다 1만큼 더 큰 수는 ☐입니다.

• 풀이 • 29 바로 뒤의 수는 29보다 ❶☐만큼 더 ❷☐ 수입니다.

답 ❶ 1 ❷ 큰

4-2 수 배열표를 보고 ☐ 안에 알맞은 수를 써넣으시오.

37	38	39	40	41	42	43
44	45	46	47	48	49	50

47와 50 사이에 있는 수는 ☐, ☐입니다.

5-1 빈칸에 알맞은 수를 써넣으시오.

19	20	21		23	24
25		27	28	29	30

• 풀이 • 21과 23 사이에 있는 수는 ❶☐입니다. 27 바로 앞의 수는 ❷☐보다 1만큼 더 작은 수입니다.

답 ❶ 22 ❷ 27

5-2 빈칸에 알맞은 수를 써넣으시오.

32	33	34		36	37
38			41	42	43

6-1 ☐ 안에 알맞은 수를 써넣으시오.

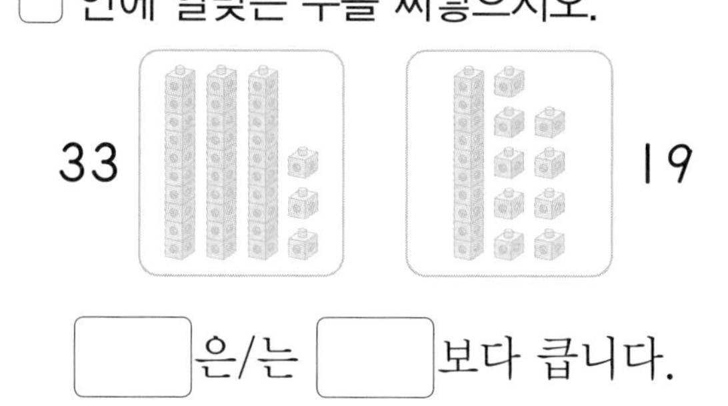

☐은/는 ☐보다 큽니다.

• 풀이 • 두 수의 10개씩 묶음의 수를 비교하면 3이 ❶☐보다 큽니다. 따라서 두 수 중에 더 큰 수는 ❷☐입니다.

답 ❶ 1 ❷ 33

6-2 ☐ 안에 알맞은 수를 써넣으시오.

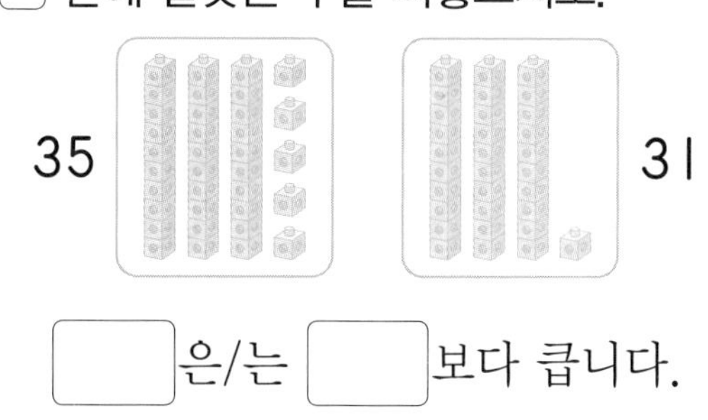

☐은/는 ☐보다 큽니다.

예제 1 9보다 1만큼 더 큰 수

8 9 10 11 12 13

9 바로 뒤의 수는 ❶ ☐ 입니다.
10보다 1만큼 더 큰 수는 ❷ ☐ 입니다.

[답] ❶ 10 ❷ 11

예제 2 8과 4를 모으기

8 4 → 12

바둑돌 8개를 세고 바둑돌 ❶ ☐ 개를 이어 세면 바둑돌은 9개, 10개, 11개, ❷ ☐ 개입니다.

[답] ❶ 4 ❷ 12

예제 3 몇십몇

수	10개씩 묶음	낱개
15	1개	5개
37	3개	7개

10개씩 묶음이 1개, 낱개가 5개인 수는 ❶ ☐ 입니다. 10개씩 묶음이 3개, 낱개가 7개인 수는 ❷ ☐ 입니다.

[답] ❶ 15 ❷ 37

1 빈 곳에 알맞은 수를 써넣으시오.

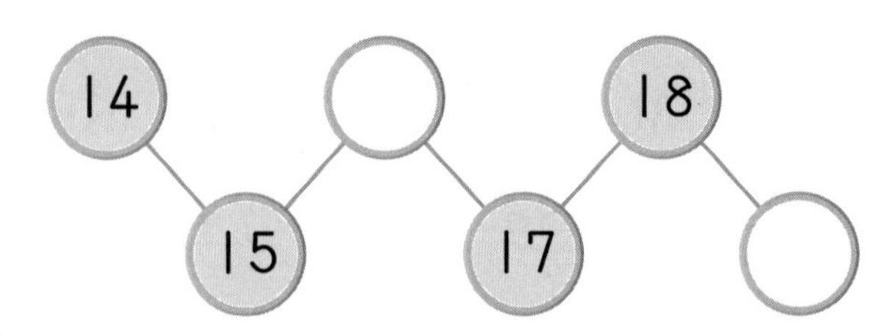

2 빈칸에 ○를 그리고 12를 가르기 하시오.

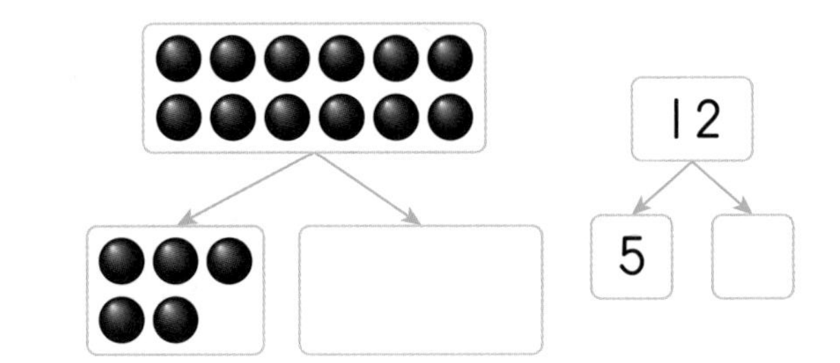

3 빈 곳에 알맞은 수를 써넣으시오.

수	10개씩 묶음	낱개
20	☐개	☐개
45	☐개	☐개

▶정답 및 풀이 19쪽

예제 4 수의 순서(1)

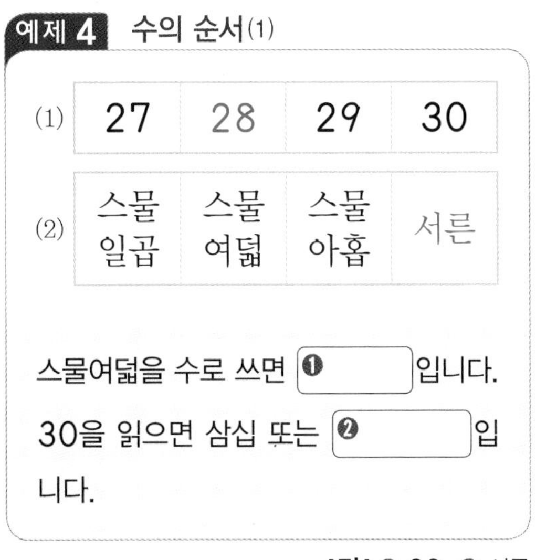

(1)

27	28	29	30

(2)

스물일곱	스물여덟	스물아홉	서른

스물여덟을 수로 쓰면 ❶ [ ] 입니다.
30을 읽으면 삼십 또는 ❷ [ ] 입니다.

[답] ❶ 28 ❷ 서른

4 빈칸에 알맞은 수나 말을 써넣으시오.

(1)

47	48	49	

(2)

마흔일곱		마흔아홉	

예제 5 수의 순서(2)

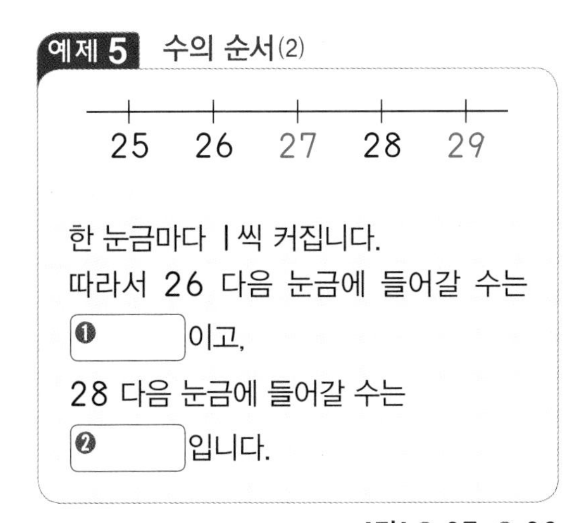

한 눈금마다 1씩 커집니다.
따라서 26 다음 눈금에 들어갈 수는 ❶ [ ] 이고,
28 다음 눈금에 들어갈 수는 ❷ [ ] 입니다.

[답] ❶ 27 ❷ 29

5 ☐ 안에 알맞은 수를 써넣으시오.

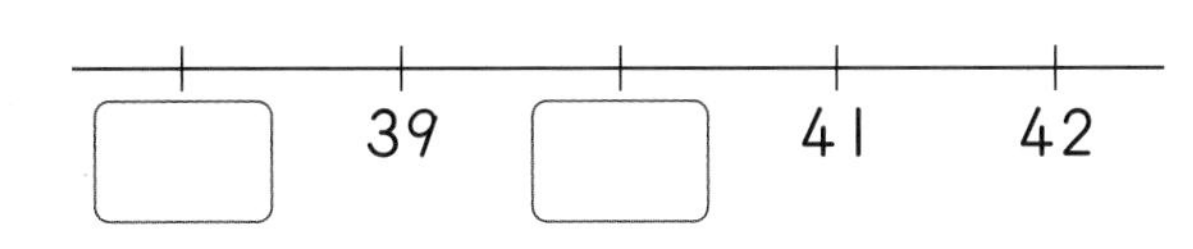

예제 6 19와 27의 크기 비교

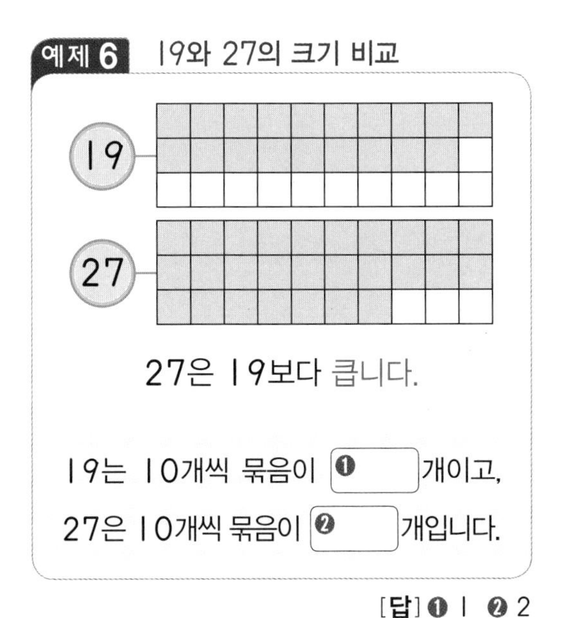

27은 19보다 큽니다.

19는 10개씩 묶음이 ❶ [ ] 개이고,
27은 10개씩 묶음이 ❷ [ ] 개입니다.

[답] ❶ 1 ❷ 2

6 수만큼 색칠하고 알맞은 말에 ○표 하시오.

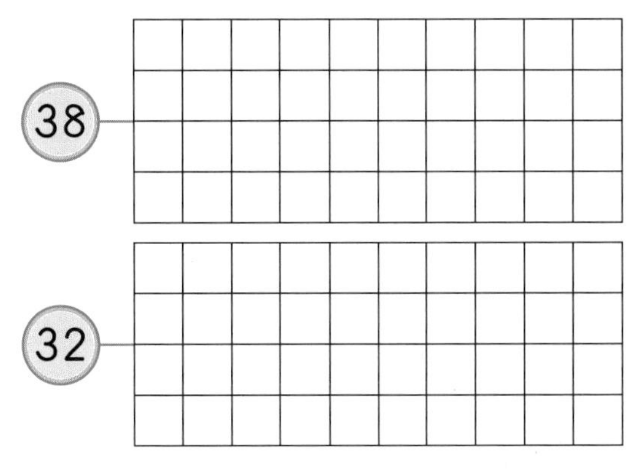

32는 38보다 (큽니다 , 작습니다).

전략 1 십몇을 세어 쓰고 읽기

[관련 단원] 50까지의 수

예 사탕을 10개씩 묶어 세어 수를 쓰고 읽기

쓰기 ❶

읽기 ❷

답 ❶ 13 ❷ 십삼(또는 열셋)

필수 예제 01

모자를 10개씩 묶어 세어 수를 쓰고, 두 가지 방법으로 읽어 보시오.

쓰기 ____________

읽기 ____________, ____________

풀이 | 모자를 10개씩 묶으면, 10개씩 묶음은 1개이고 낱개는 5개입니다.
따라서 모자의 수는 15이고 십오 또는 열다섯이라고 읽습니다.

확인 1-1

그림의 수를 세어 쓰고 두 가지 방법으로 읽으시오.

쓰기 ____________

읽기 ____________, ____________

확인 1-2

그림의 수를 세어 쓰고 두 가지 방법으로 읽으시오.

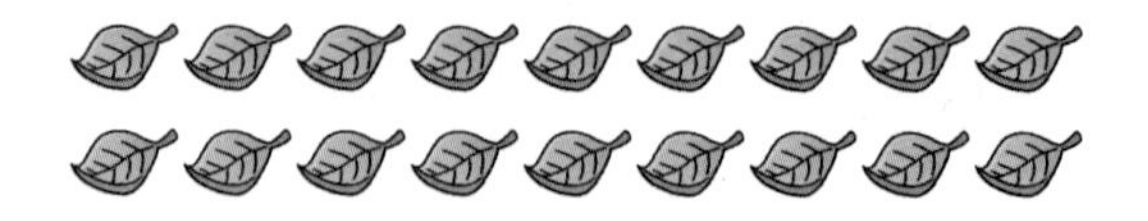

쓰기 ____________

읽기 ____________, ____________

전략 2 거꾸로 세어 가르기

[관련 단원] 50까지의 수

예 거꾸로 세어 14를 가르기

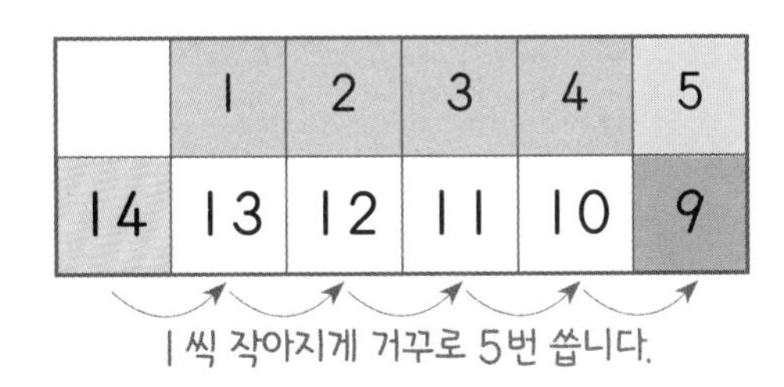

	1	2	3	4	5
14	13	12	11	10	9

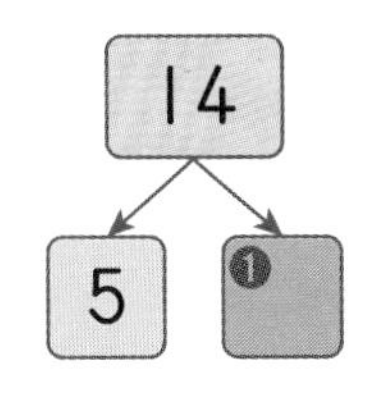

14부터 1씩 작아지게 거꾸로 쓰면 14 → 13 → 12 → 11 → 10 → 9입니다.

따라서 14는 5와 ❷ (으)로 가르기 할 수 있습니다.

답 ❶ 9 ❷ 9

필수 예제 | 02 |

거꾸로 세어 빈칸에 알맞은 수를 써보고 11을 가르기 하시오.

	1	2	3	4	5	6	7	8
11	10	9	8	7	6			

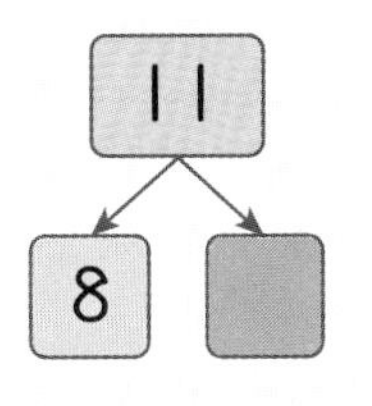

풀이 | 11부터 1씩 작아지게 거꾸로 8번 쓰면 11 → 10 → 9 → 8 → 7 → 6 → 5 → 4 → 3입니다.
따라서 11은 8과 3으로 가르기 할 수 있습니다.

확인 2-1

거꾸로 세어 빈칸에 알맞은 수를 써넣고 12를 가르기 하시오.

	1	2	3
12			

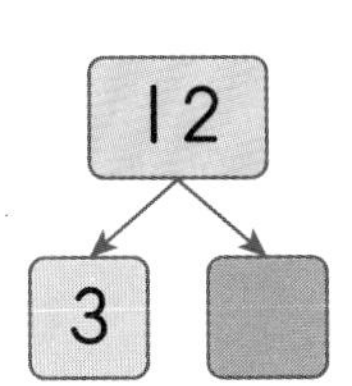

확인 2-2

18을 가르기 하려고 합니다. 빈칸에 알맞은 수를 써넣으시오.

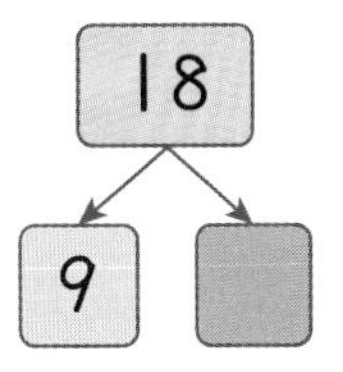

전략 3 10개씩 묶음과 낱개의 수를 쓰기

[관련 단원] 50까지의 수

예 물고기의 수를 세기

10마리씩 묶음	낱개
❶	❷

➡ 물고기는 모두 21마리입니다.

답 ❶ 2 ❷ 1

필수 예제 03

10개씩 묶음과 낱개의 수를 쓰고 ☐ 안에 알맞은 수를 써넣으시오.

10마리씩 묶음	낱개

➡ 벌은 모두 ☐ 마리입니다.

풀이 | 벌은 10마리씩 3번 묶을 수 있습니다. 낱개는 2마리입니다.
따라서 벌은 모두 32마리입니다.

확인 3-1

10개씩 묶음과 낱개의 수를 쓰시오.

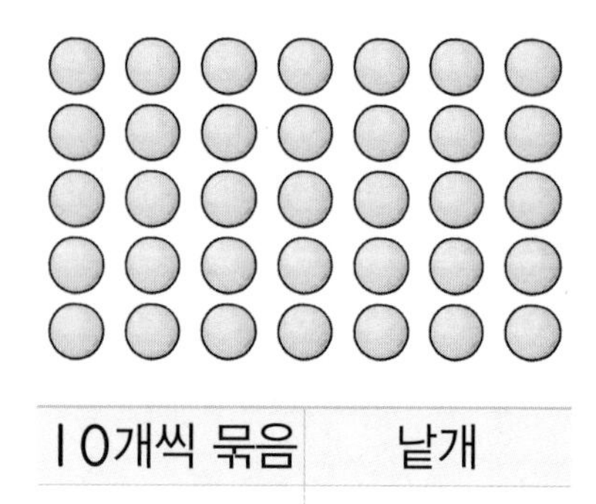

10개씩 묶음	낱개

확인 3-2

10개씩 묶음과 낱개의 수를 쓰시오.

10개씩 묶음	낱개

▶정답 및 풀이 20쪽

전략 4 50까지의 수를 세어 쓰고 읽기

[관련 단원] 50까지의 수

예 모형이 나타내는 수를 쓰고 읽기

쓰기 ❶

읽기 ❷ 또는 스물하나

답 ❶ 21 ❷ 이십일

필수 예제 | 04 |

그림의 수를 세어 알맞은 수를 쓰고 두 가지 방법으로 읽으시오.

쓰기 ____________

읽기 ____________, ____________

풀이 | 연필은 10자루씩 묶음이 3개이고 낱개가 3자루이므로 33자루입니다.
33은 삼십삼 또는 서른셋이라고 읽습니다.

확인 4-1

그림의 수를 세어 알맞은 수를 쓰고 두 가지 방법으로 읽으시오.

쓰기 ____________

읽기 ____________, ____________

확인 4-2

그림의 수를 세어 알맞은 수를 쓰고 두 가지 방법으로 읽으시오.

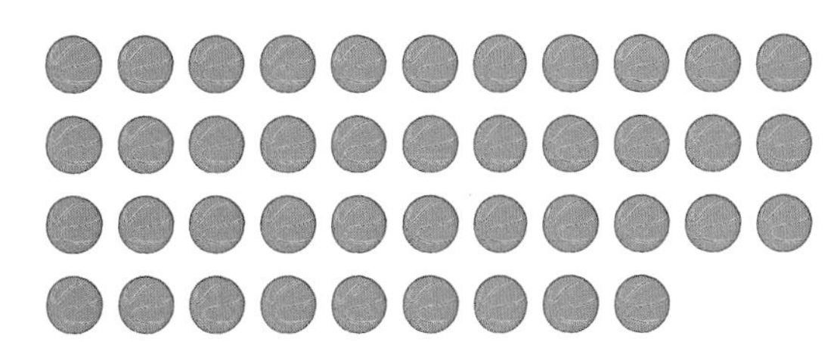

쓰기 ____________

읽기 ____________, ____________

필수 체크 전략 ❷

[관련 단원] 50까지의 수

1 배에 쓰여진 수만큼 ❷○를 색칠하시오.

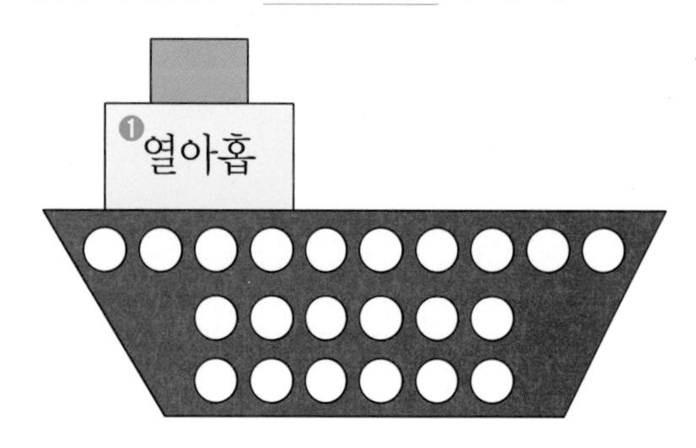

Tip

❶ 열아홉을 수로 쓰면 ❶ [ ] 입니다.

❷ ○를 10개 세어 색칠하고 ❷ [ ] 개 더 색칠합니다.

답 ❶ 19 ❷ 9

[관련 단원] 50까지의 수

2 빈 곳에 알맞은 수를 써넣으시오.

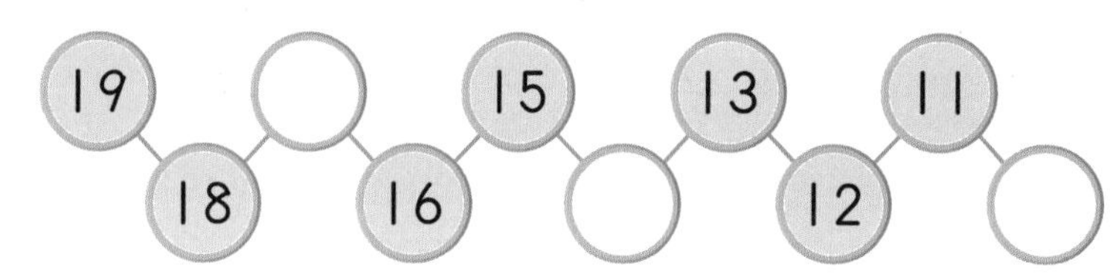

Tip

• 19부터 ❶ [ ] 씩 작아지므로 18 다음에 쓸 수는 ❷ [ ] 입니다.

답 ❶ 1 ❷ 17

[관련 단원] 50까지의 수

3 □ 안에 알맞은 수를 써넣으시오.

(1) 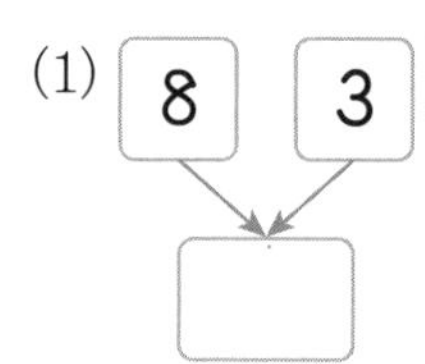

(2) 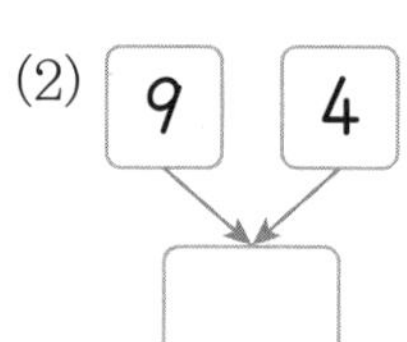

(3) 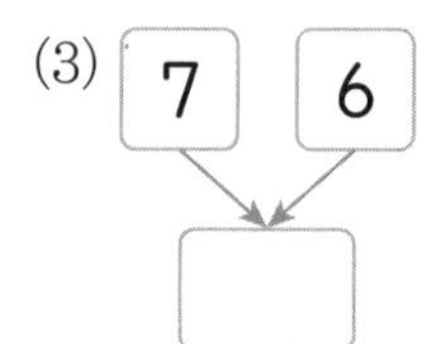

(4) 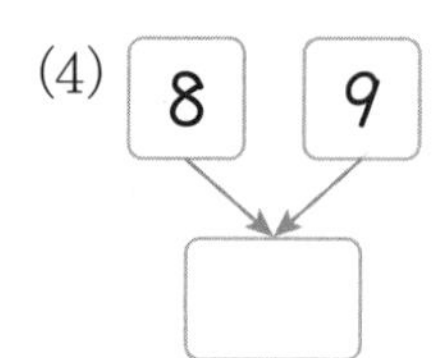

Tip

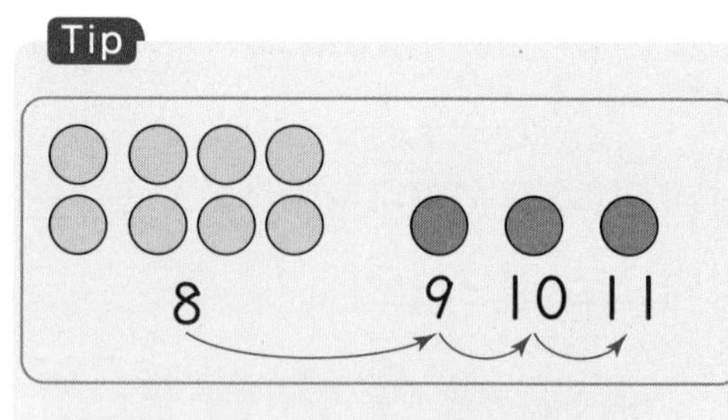

• 8과 3을 모은 수를 알아보려면 ❶ [ ] 다음의 수 3개를 이어 셉니다.

8−9−10−❷ [ ]

답 ❶ 8 ❷ 11

▶정답 및 풀이 20쪽

[관련 단원] 50까지의 수

4 ▢ 안에 알맞은 수를 써넣으시오.

(1) 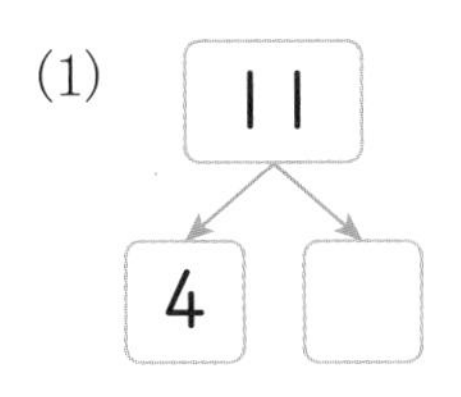

(2) 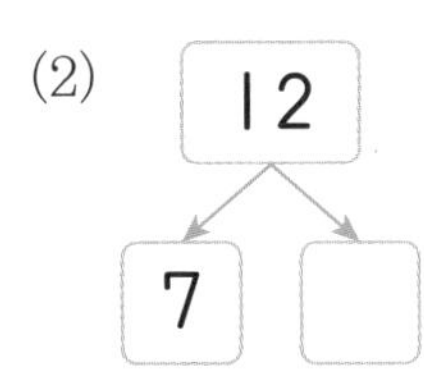

(3) 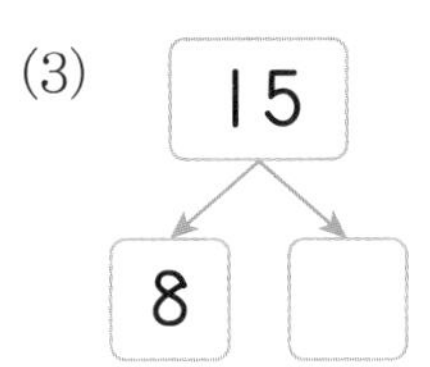

(4) 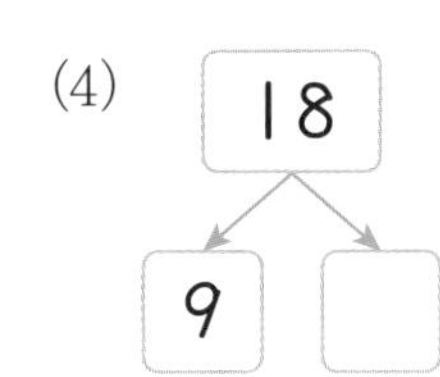

Tip
- 11부터 4번 거꾸로 세면 10, 9, 8, ❶▢입니다.
- 11은 4와 ❷▢로 가르기 할 수 있습니다.

답 ❶ 7 ❷ 7

[관련 단원] 50까지의 수

5 10개씩 묶음과 낱개의 수를 빈칸에 써넣으시오.

수	10개씩 묶음	낱개
28		
43		

Tip
- 28은 10개씩 묶으면 2번 묶고 ❶▢개가 남습니다.
- 43은 10개씩 묶으면 4번 묶고 ❷▢개가 남습니다.

답 ❶ 8 ❷ 3

[관련 단원] 50까지의 수

6 ❶ 10개씩 묶음 3개와 낱개 7개를 수로 나타내고 ❷ 두 가지 방법으로 읽으시오.

쓰기 ________________

읽기 ________________, ________________

10개씩 묶음 ■개와
낱개 ▲개는
■▲로 나타낼 수 있어요.

Tip

❶

10개씩 묶음 3개	낱개 7개
30	7

➡ ❶▢

❷

3	7
삼십	칠
❷▢	일곱

답 ❶ 37 ❷ 서른

3주

전략 1 두 수 사이에 있는 수 [관련 단원] 50까지의 수

예 22와 25 사이의 수 구하기

22	?	?	25

(1) 22 바로 뒤의 수는 22보다 1만큼 더 큰 수인 ❶ [ ] 입니다.

(2) 25 바로 앞의 수는 25보다 1만큼 더 작은 수인 ❷ [ ] 입니다.

➡ 22와 25 사이의 수는 ❶ [ ], ❷ [ ] 입니다.

22와 25 사이의 수에 22와 25는 포함되지 않아!

답 ❶ 23 ❷ 24

필수 예제 01

39와 42 사이의 수를 구하려고 합니다. □ 안에 알맞은 수를 써넣으시오.

39	?	?	42

(1) 39 바로 뒤의 수는 39보다 1만큼 더 큰 수인 [ ] 입니다.

(2) 42 바로 앞의 수는 42보다 1만큼 더 작은 수인 [ ] 입니다.

➡ 39와 42 사이의 수는 [ ], [ ] 입니다.

풀이 | 39와 42 사이의 수는 39 바로 뒤의 수와 42 바로 앞의 수입니다.
따라서 39와 42 사이의 수는 40, 41입니다.

확인 1-1

빈칸에 알맞은 수를 써넣으시오.

19			22

확인 1-2

빈칸에 알맞은 수를 써넣으시오.

서른둘			서른다섯

전략 2 수 배열표 완성하기

[관련 단원] 50까지의 수

예 수 배열표 살펴보기

23	24	25	26	27
28	29	30	31	32

(1) 오른쪽으로 한 칸 이동할 때마다 수는 ❶ ☐씩 커집니다.

(2) 아래로 한 칸 이동할 때마다 수는 ❷ ☐씩 커집니다.

답 ❶ 1 ❷ 5

필수 예제 02

수 배열표의 빈칸에 알맞은 수를 써넣으시오.

32	33	34		36
37		39	40	41
		44		46

풀이 | 32부터 46까지의 수를 순서대로 씁니다. 아래로 한 칸 이동할 때마다 5씩 커집니다.

확인 2-1

수 배열표의 빈칸에 알맞은 수를 써넣으시오.

18			21
22	23	24	25
26		28	
30	31	32	33
		36	37
38			41

확인 2-2

수 배열표가 지워졌습니다. 41이 들어갈 위치를 번호로 쓰시오.

26					31
32	①	34	②		
	③		④	⑤	
44				48	

(　　　　　　　　)

전략 3 그림을 이용하여 수 크기 비교하기

[관련 단원] 50까지의 수

예 그림을 보고 25와 37의 크기 비교하기

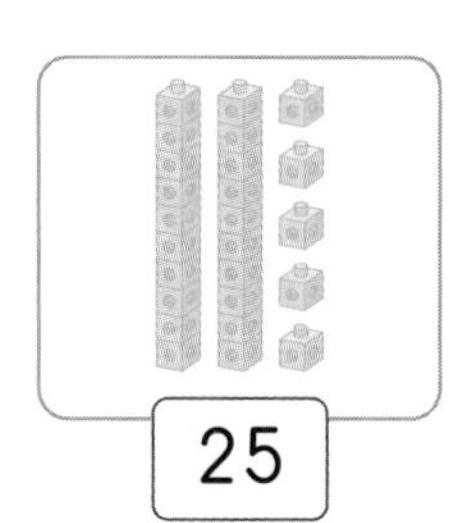

25

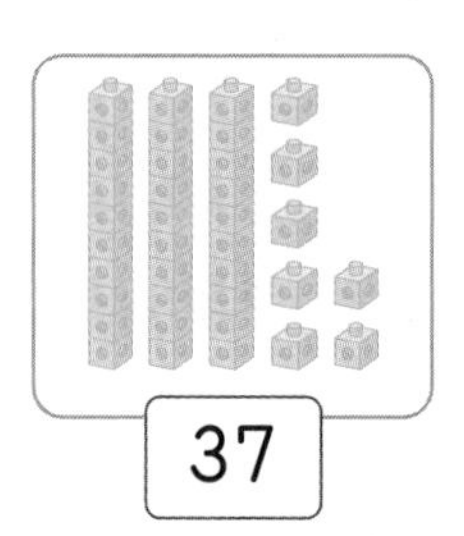

37

❶ □ 은/는 37보다 작습니다.

❷ □ 은/는 25보다 큽니다.

답 ❶ 25 ❷ 37

필수 예제 03

그림을 보고 알맞은 말에 ○표 하시오.

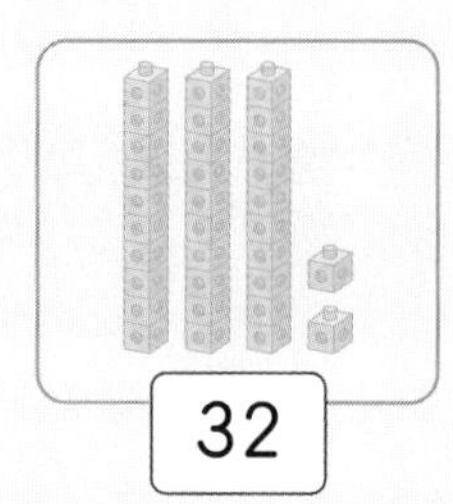

32

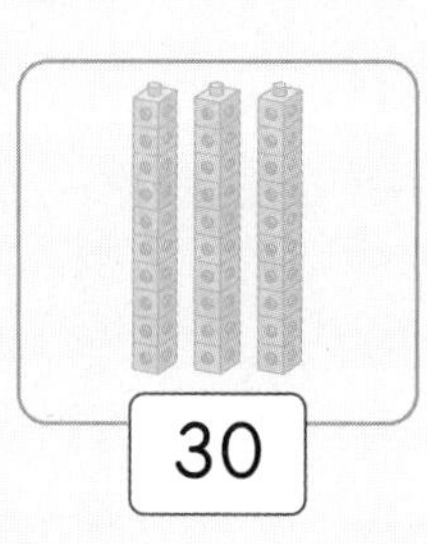

30

32는 30보다 (큽니다 , 작습니다).

30은 32보다 (큽니다 , 작습니다).

풀이 | 32와 30의 10개씩 묶음의 수는 같습니다. 따라서 낱개의 수가 더 큰 32가 30보다 큽니다.

확인 3-1

그림을 보고 더 큰 수를 쓰시오.

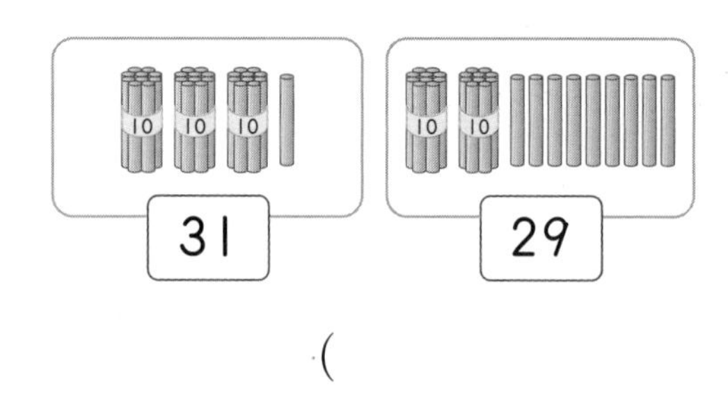

( )

확인 3-2

수만큼 색칠하고 더 큰 수를 쓰시오.

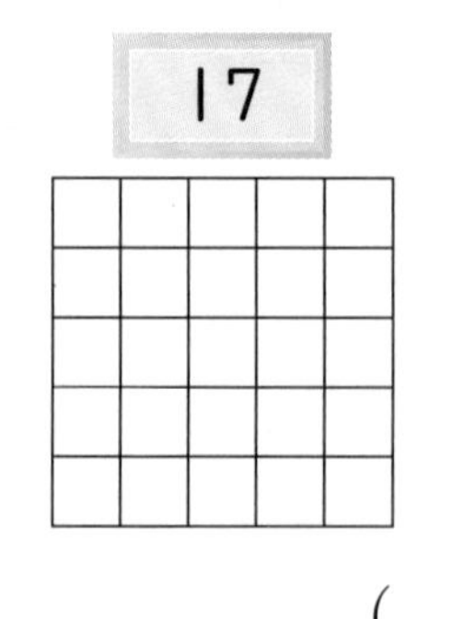

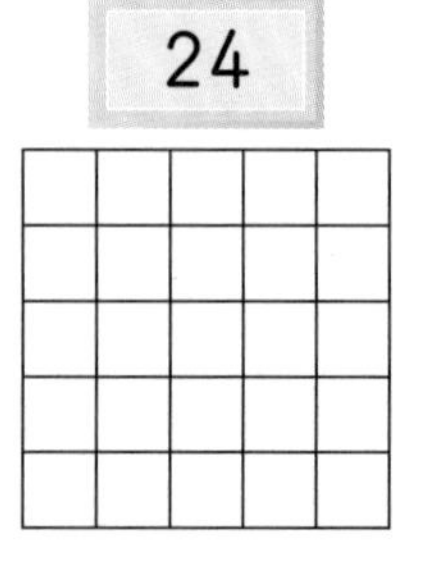

( )

▶정답 및 풀이 21쪽

전략 4 그림 없이 수의 크기 비교하기

[관련 단원] 50까지의 수

예 20과 42의 크기 비교하기

20	42

20은 10개씩 묶음이 2개이고 42는 10개씩 묶음이 4개입니다.
10개씩 묶음의 수를 비교하면 2가 4보다 작습니다.
➡ ❶ [ ] 이/가 ❷ [ ] 보다 작습니다.

답 ❶ 20 ❷ 42

필수 예제 04

두 수의 크기를 비교하려고 합니다. 알맞은 말에 ○표 하시오.

39	35

39와 35의 10개씩 묶음은 (3 , 4)개로 같습니다.
낱개의 수를 비교하면 9가 5보다 큽니다.
➡ 39가 35보다 (큽니다 , 작습니다).

풀이 | 39는 10개씩 묶음이 3개, 낱개가 9개입니다. 35는 10개씩 묶음이 3개, 낱개가 5개입니다.
10개씩 묶음의 수가 같으므로 낱개의 수가 더 큰 39가 35보다 큽니다.

확인 4-1

두 수의 크기를 비교하려고 합니다. 알맞은 말에 ○표 하시오.

13	31

(10개씩 묶음 , 낱개)의 수를 비교하면
13이 31보다 (큽니다 , 작습니다).

확인 4-2

두 수의 크기를 비교하려고 합니다. 알맞은 말에 ○표 하시오.

44	41

44가 41보다 (큽니다 , 작습니다).

[관련 단원] 50까지의 수

1 ☐ 안에 알맞은 수를 써넣으시오.

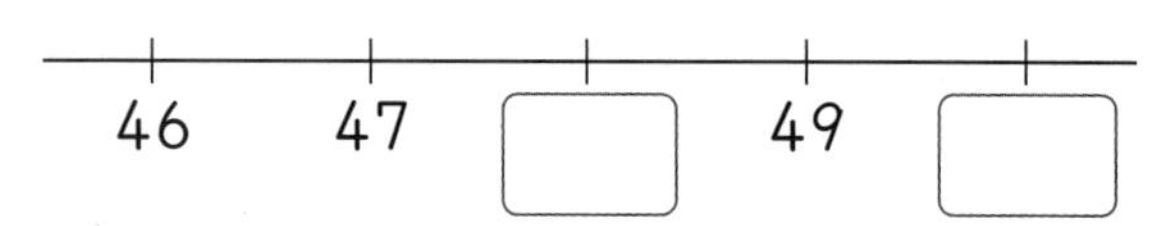

Tip

• 47과 49 사이에 있는 수는 ❶ ☐입니다.

• 49보다 1만큼 더 큰 수는 10개씩 묶음이 ❷ ☐개인 수입니다.

답 ❶ 48 ❷ 5

[관련 단원] 50까지의 수

2 보기 에 있는 수를 작은 수부터 쓰려고 합니다. 빈 곳에 알맞은 수를 써넣으시오.

보기: 31 27 30 29 28

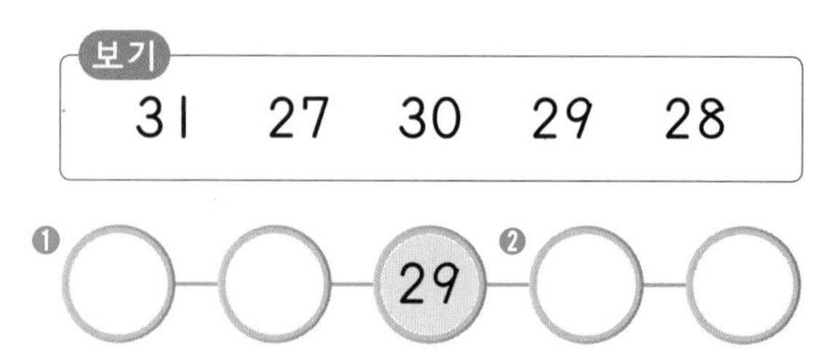

Tip

❶ 10개씩 묶음의 수가 ❶ ☐인 수는 29 앞에 씁니다.

❷ 10개씩 묶음의 수가 ❷ ☐인 수는 29 뒤에 씁니다.

답 ❶ 2 ❷ 3

[관련 단원] 50까지의 수

3 보기 에 있는 수 중에서 35와 40 사이에 있는 수를 2개 고르시오.

보기: 48 37 20 19 39 34

(,)

Tip

• 35와 40 사이에는 ❶ ☐보다 크고, ❷ ☐보다 작은 수가 있습니다.

답 ❶ 35 ❷ 40

▶정답 및 풀이 22쪽

[관련 단원] 50까지의 수

4 ❷더 큰 수에 ○표 하시오.

10개씩 묶음이 4개, 낱개는 3개인 수	❶30보다 1만큼 더 큰 수
(　　　)	(　　　)

Tip

❶ 30보다 1만큼 더 큰 수는 ❶[　　]이고, 10개씩 묶음은 ❷[　　]개입니다.

❷ 10개씩 묶음의 수를 비교하여 더 큰 수에 ○표 합니다.

답 ❶ 31 ❷ 3

[관련 단원] 50까지의 수

5 가장 작은 수에 △표 하시오.

(1) 24　41　38

(2) 33　39　31

Tip

• 24는 10개씩 묶음이 ❶[　　]개입니다.

• 41은 10개씩 묶음이 ❷[　　]개입니다.

답 ❶ 2 ❷ 4

[관련 단원] 50까지의 수

6 작은 수부터 순서대로 쓰시오.

21　32　27

(　　　　　　　　　　)

Tip

• 세 수의 ❶[　　]개씩 묶음의 수를 비교합니다.

• 10개씩 묶음의 수가 같으면 ❷[　　]의 수를 비교합니다.

답 ❶ 10 ❷ 낱개

가장 큰 수부터 찾아 보세요.

3주

3주 04일 교과서 대표 전략 ①

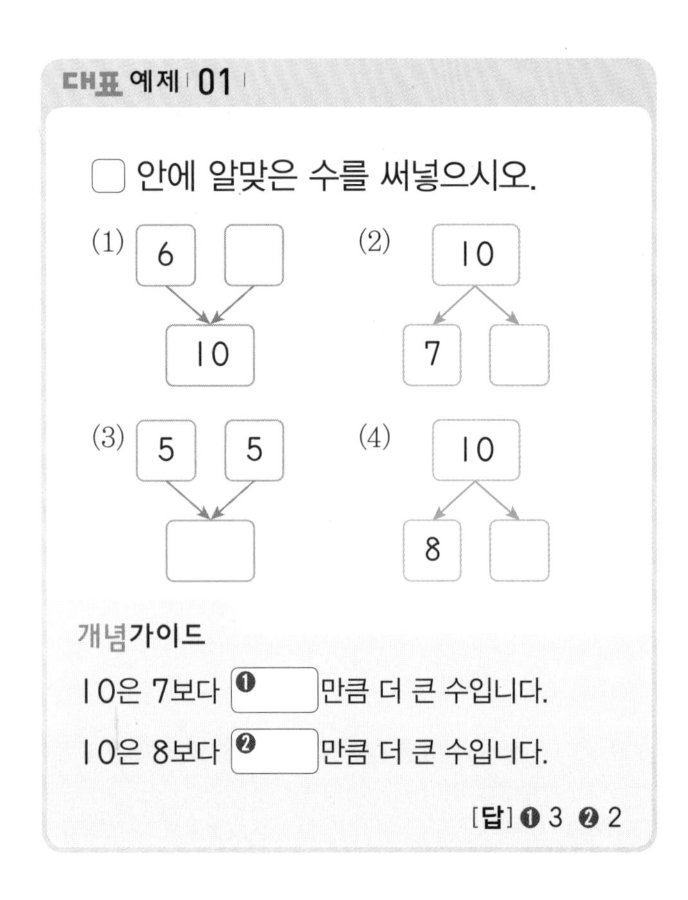

대표 예제 01

□ 안에 알맞은 수를 써넣으시오.

(1) 6, □ → 10

(2) 10 → 7, □

(3) 5, 5 → □

(4) 10 → 8, □

개념가이드

10은 7보다 ❶□만큼 더 큰 수입니다.

10은 8보다 ❷□만큼 더 큰 수입니다.

[답] ❶ 3 ❷ 2

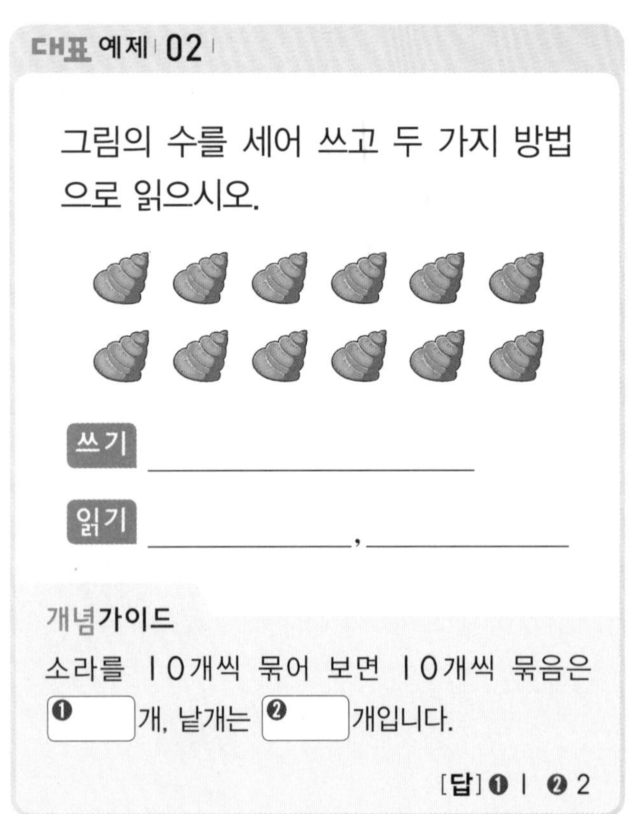

대표 예제 02

그림의 수를 세어 쓰고 두 가지 방법으로 읽으시오.

쓰기 ______________

읽기 __________, __________

개념가이드

소라를 10개씩 묶어 보면 10개씩 묶음은 ❶□개, 낱개는 ❷□개입니다.

[답] ❶ 1 ❷ 2

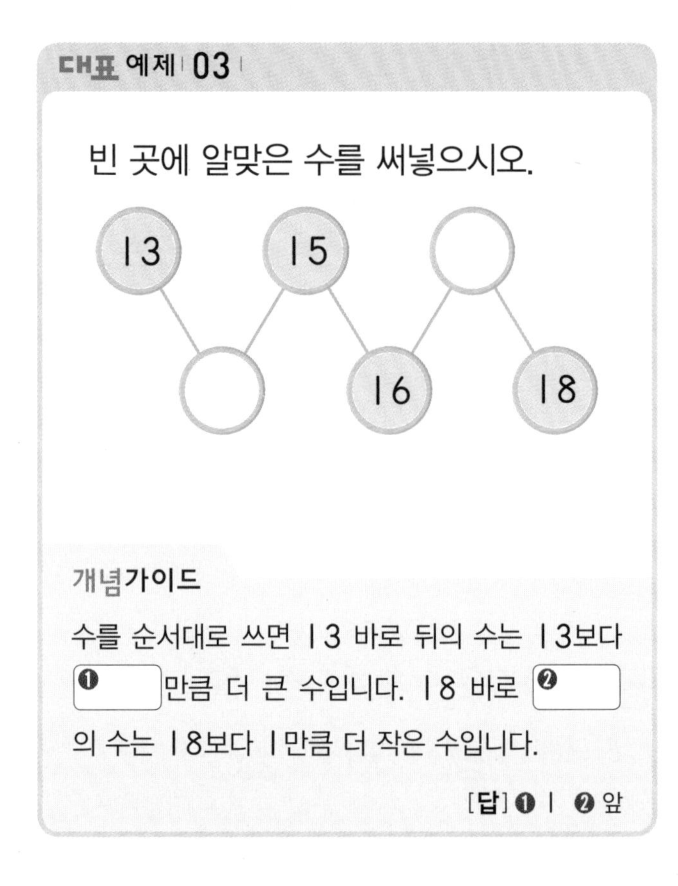

대표 예제 03

빈 곳에 알맞은 수를 써넣으시오.

13, □, 15, 16, □, 18

개념가이드

수를 순서대로 쓰면 13 바로 뒤의 수는 13보다 ❶□만큼 더 큰 수입니다. 18 바로 ❷□의 수는 18보다 1만큼 더 작은 수입니다.

[답] ❶ 1 ❷ 앞

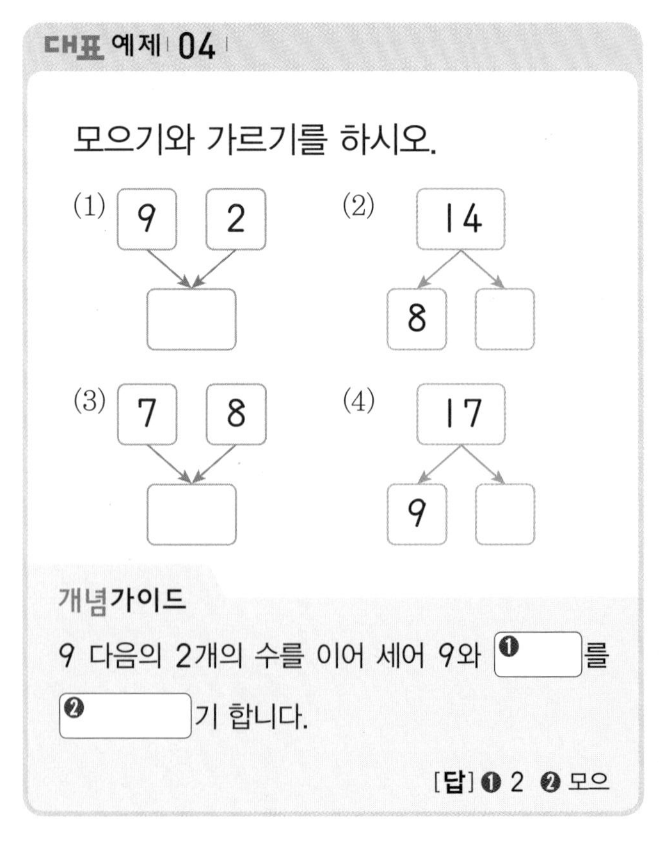

대표 예제 04

모으기와 가르기를 하시오.

(1) 9, 2 → □

(2) 14 → 8, □

(3) 7, 8 → □

(4) 17 → 9, □

개념가이드

9 다음의 2개의 수를 이어 세어 9와 ❶□를 ❷□기 합니다.

[답] ❶ 2 ❷ 모으

▶정답 및 풀이 23쪽

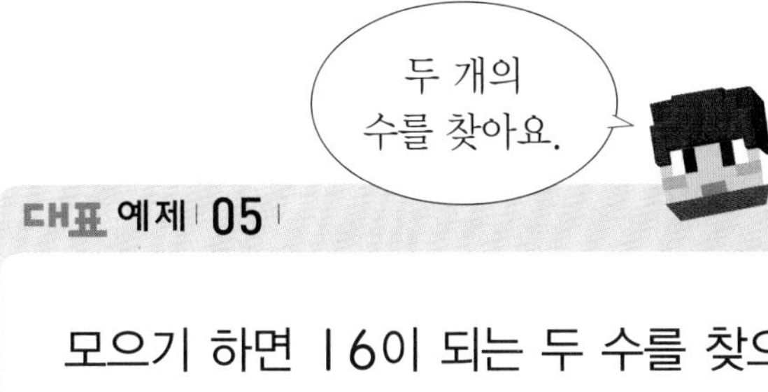

대표 예제 05

모으기 하면 16이 되는 두 수를 찾으시오.

10, 9, 7, 4, 1

(　　　　　,　　　　　)

개념가이드

16은 10과 ❶ [　], 9와 ❷ [　]로 가르기 할 수 있습니다.

[답] ❶ 6 ❷ 7

대표 예제 06

그림의 수를 세어 쓰고 두 가지 방법으로 읽으시오.

쓰기 ____________

읽기 ____________, ____________

개념가이드

블록은 ❶ [　]개씩 묶여 있는 것이 ❷ [　]개입니다.

[답] ❶ 10 ❷ 5

대표 예제 07

달걀의 수를 세어 쓰고 두 가지 방법으로 읽으시오.

쓰기 ____________

읽기 ____________, ____________

개념가이드

달걀은 10개씩 묶음이 ❶ [　]개이고 낱개로 ❷ [　]개가 더 있습니다.

[답] ❶ 4 ❷ 5

대표 예제 08

빈칸에 알맞은 수를 써넣으시오.

10개씩 묶음 1개와 낱개 1개	
10개씩 묶음 3개와 낱개 7개	

개념가이드

10개씩 묶음이 1개이면 ❶ [　]입니다.

10개씩 묶음 1개에 낱개 1개가 더 있으면 ❷ [　]입니다.

[답] ❶ 10 ❷ 11

대표 예제 09

수 배열표를 보고 ▢ 안에 알맞은 수를 써넣으시오.

23	24	25	26	27	28	29	30	31
32	33	34	35	36	37	38	39	40

29와 32 사이의 수는 ▢, ▢입니다.

개념가이드

32는 31보다 ❶▢만큼 더 ❷▢ 수입니다.

[답] ❶ 1 ❷ 큰

대표 예제 10

빈 곳에 알맞은 수를 써넣으시오.

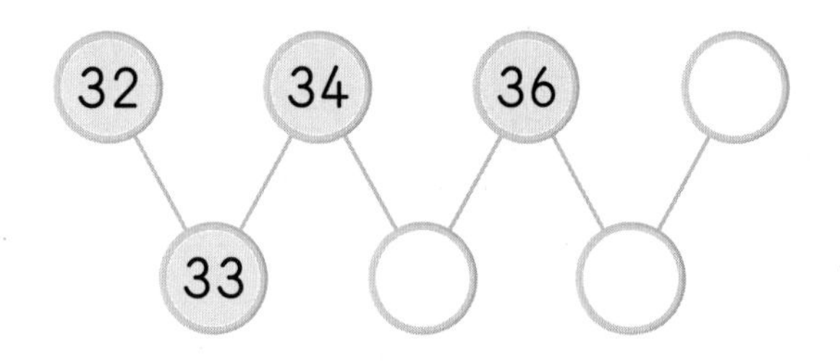

개념가이드

어떤 수 다음 칸에는 어떤 수보다 ❶▢만큼 더 ❷▢ 수를 씁니다.

[답] ❶ 1 ❷ 큰

대표 예제 11

25가 들어갈 자리에 ○표 하고, 40이 들어갈 자리에 ×표 하시오.

22	23	24				28
29			32	33	34	
	37	38				42

개념가이드

위의 표에서 수는 오른쪽으로 한 칸 이동할 때마다 ❶▢씩 커지고, 아래로 한 칸 이동할 때마다 ❷▢씩 커집니다.

[답] ❶ 1 ❷ 7

대표 예제 12

수만큼 색칠하고 더 큰 수에 ○표 하시오.

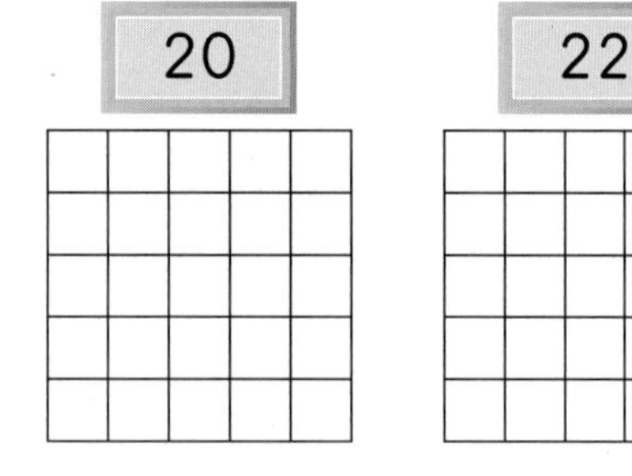

개념가이드

20은 10개씩 묶음이 ❶▢개입니다.

22는 20보다 ❷▢칸 더 색칠합니다.

[답] ❶ 2 ❷ 2

▶정답 및 풀이 23쪽

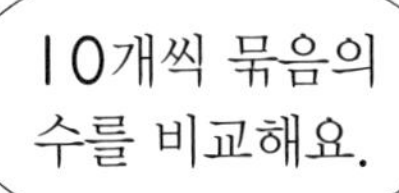

대표 예제 13

그림을 보고 ☐ 안에 알맞은 수를 써넣으시오.

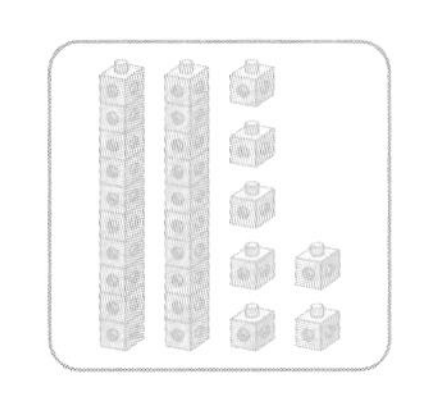

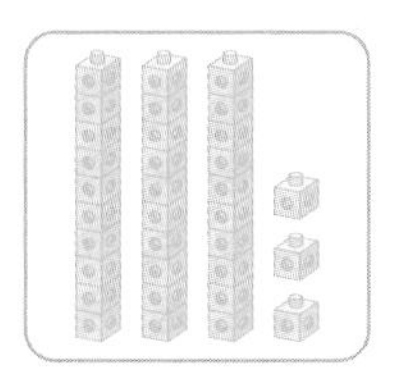

☐은 ☐보다 작습니다.

개념가이드

두 수의 ❶☐개씩 묶음의 수를 비교합니다.

33이 ❷☐보다 큽니다.

[답] ❶ 10 ❷ 27

대표 예제 14

더 큰 수에 ○표 하시오.

(1) 26 28

(2) 43 34

개념가이드

26과 28의 ❶☐개씩 묶음의 수는 ❷☐로 같으므로 낱개의 수를 비교합니다.

[답] ❶ 10 ❷ 2

대표 예제 15

윤지와 동규가 게임을 했습니다. 윤지는 32점, 동규는 23점일 때, 점수가 더 높은 사람은 누구입니까?

( )

개념가이드

32는 10개씩 묶음이 ❶☐이고,

23은 10개씩 묶음이 ❷☐입니다.

[답] ❶ 3 ❷ 2

대표 예제 16

가장 작은 수에 △표 하시오.

(1) 24 30 45

(2) 41 37 39

개념가이드

24, 30, 45의 ❶☐개씩 묶음의 수인 2, 3, ❷☐를 비교합니다.

[답] ❶ 10 ❷ 4

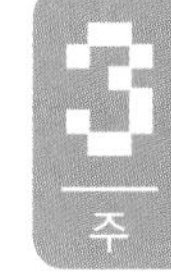

교과서 대표 전략 ❷

1 수만큼 ◯로 묶고, 두 가지 방법으로 읽으시오.

15

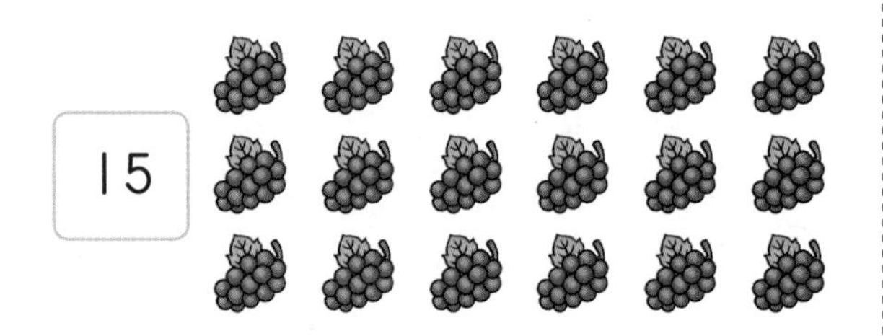

읽기 ____________, ____________

Tip

15는 10개씩 묶음이 ❶[ ]개, 낱개가 ❷[ ]개인 수입니다.

답 ❶ 1 ❷ 5

2 그림의 수를 세어 두 가지 방법으로 읽으시오.

읽기 ____________, ____________

Tip

벌은 10마리씩 묶음이 ❶[ ]개, 낱개가 ❷[ ]개입니다.

답 ❶ 3 ❷ 2

3 빈칸에 알맞은 수를 써넣으시오.

수	10개씩 묶음	낱개
14		
	4	1
40		

Tip

40은 10개씩 묶음이 ❶[ ]개이고 사십 또는 ❷[ ]이라고 읽습니다.

답 ❶ 4 ❷ 마흔

4 색칠된 칸의 수가 더 크도록 가르기 하시오.

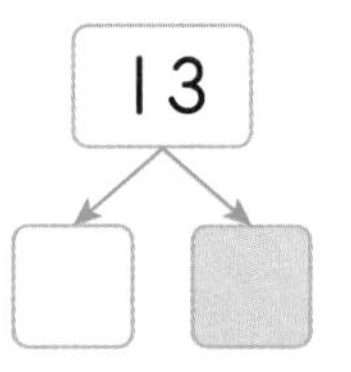

Tip

13을 가르기 하여 나온 두 수를 다시 ❶[ ]기 하면 ❷[ ]이 됩니다.

답 ❶ 모으 ❷ 13

5 주어진 수들을 작은 수부터 순서대로 쓰시오.

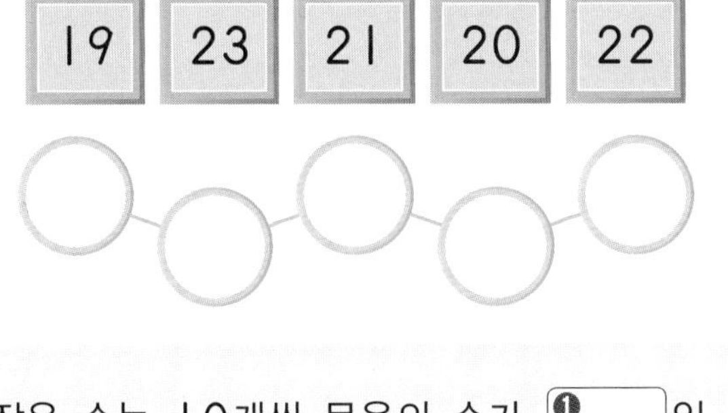

Tip
가장 작은 수는 10개씩 묶음의 수가 ❶ ☐ 인 ❷ ☐ 입니다.

답 ❶ 1 ❷ 19

6 더 큰 수를 수로 쓰시오.

10개씩 묶음이 2개, 낱개가 7개인 수	스물

( )

Tip
스물을 수로 쓰면 ❶ ☐ 이고, 10개씩 묶음이 ❷ ☐ 개입니다.

답 ❶ 20 ❷ 2

7 38보다 큰 수를 모두 찾아 ○표 하시오.

34	35	36	37
38	39	40	41

Tip
수를 작은 수부터 순서대로 썼을 때, 38보다 1만큼 더 큰 수는 ❶ ☐ 이고 38보다 ❷ ☐ 에 있습니다.

답 ❶ 39 ❷ 뒤

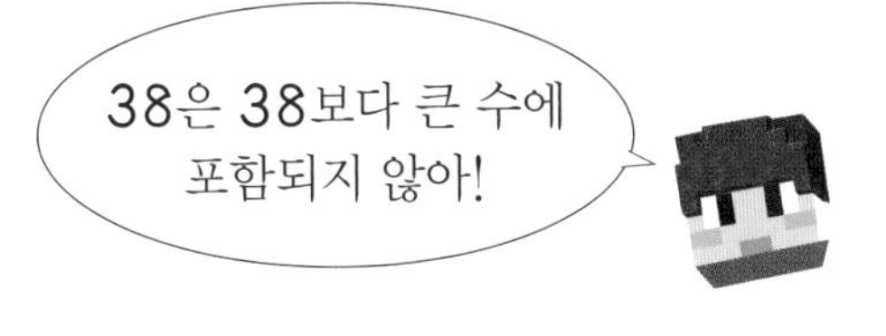

8 작은 수부터 순서대로 쓰시오.

30 34 48

Tip
가장 큰 수는 10개씩 묶음의 수가 ❶ ☐ 인 ❷ ☐ 입니다.

답 ❶ 4 ❷ 48

누구나 만점 전략

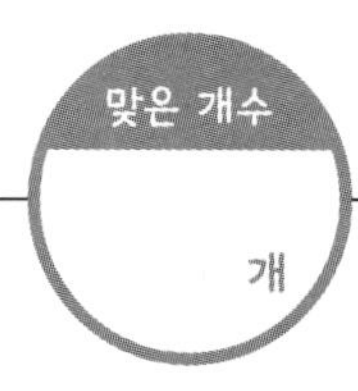

01 동우네 집에 빵이 2개가 있었는데 8개를 더 사 왔습니다. 동우네 집에 있는 빵의 수만큼 색칠하고 알맞은 말에 ○표 하시오.

색칠한 빵은 (십 , 열)개입니다.

02 그림을 보고 □ 안에 알맞은 수를 써넣으시오.

해파리를 10마리씩 묶으면

10마리씩 묶음이 □개이고

□마리가 남습니다.

해파리는 □마리 있습니다.

03 12를 똑같은 수로 가르기 하시오.

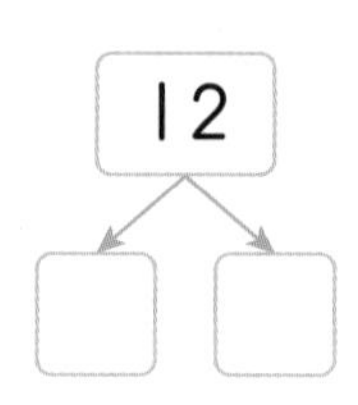

04 수만큼 색칠하시오.

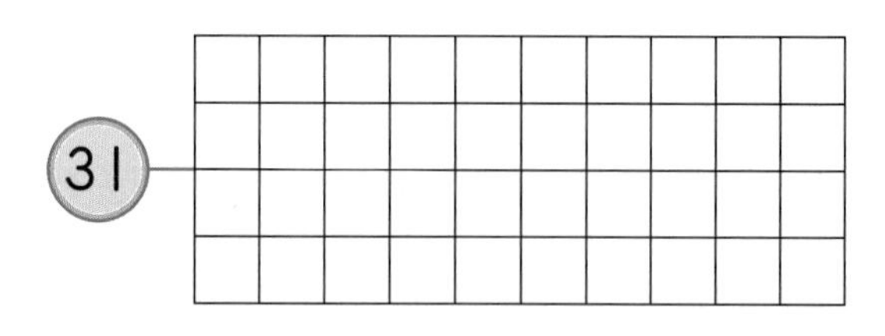

05 그림의 수를 세어 □ 안에 알맞은 수를 써넣으시오.

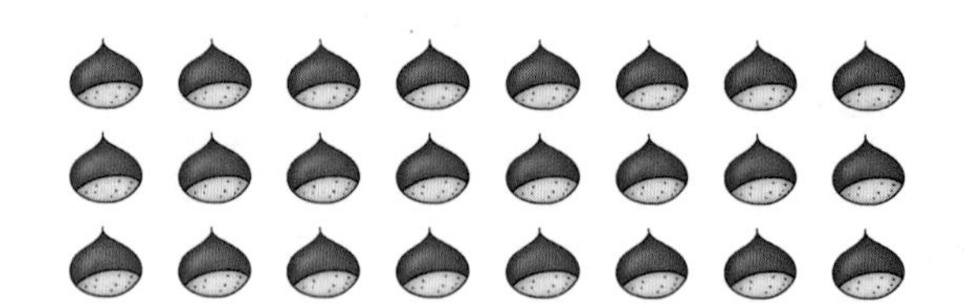

밤은 □개입니다.

06 서른일곱과 마흔넷 사이에 있는 수를 2개 고르시오.

28 39 50 42 33

(,)

07 빈 곳에 알맞은 수를 써넣으시오.

33 – 34 – ( ) – ( ) – 37 – ( )

08 구슬과 블록의 수를 비교하려고 합니다. ▢ 안에 수를 써넣고, 알맞은 말에 ○표 하시오.

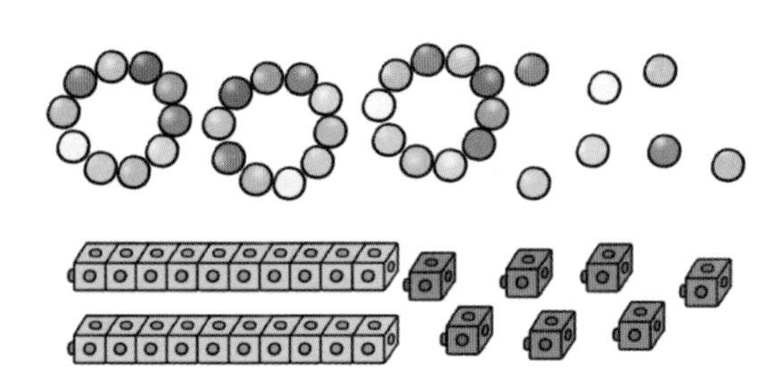

▢은 ▢보다 큽니다.

➡ 구슬은 블록보다
(많습니다 , 적습니다).

09 더 큰 수에 ○표 하시오.

32 41

10 과수원에서 기홍이가 딴 사과의 개수에 대한 이야기입니다. 대화를 읽고 기홍이가 딴 사과의 개수를 쓰시오.

( )

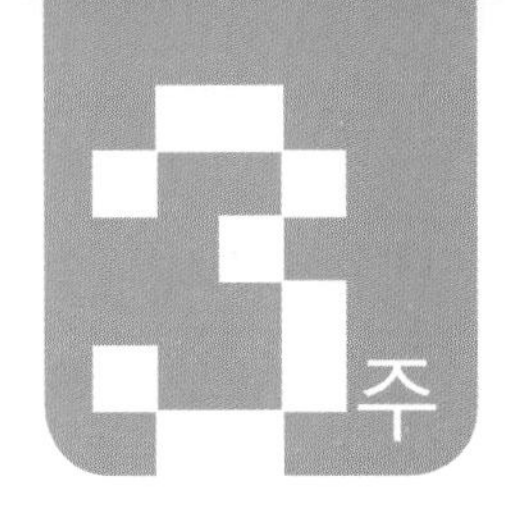

창의·융합·코딩 전략 ❶

창의 융합

1 위 대화를 읽고 준우가 가지고 있는 쿠폰으로 받을 수 있는 사탕은 몇 개인지 쓰시오.

( )

▶정답 및 풀이 26쪽

문제 해결

2 위 대화를 읽고 만두를 똑같이 나누어 먹으려면 서연이의 그릇에서 준우의 그릇으로 만두를 몇 개 옮겨야 하는지 쓰시오.

( )

창의·융합·코딩 전략 ❷

문제 해결

1 나타내는 수가 다른 것을 찾아 기호를 쓰시오.

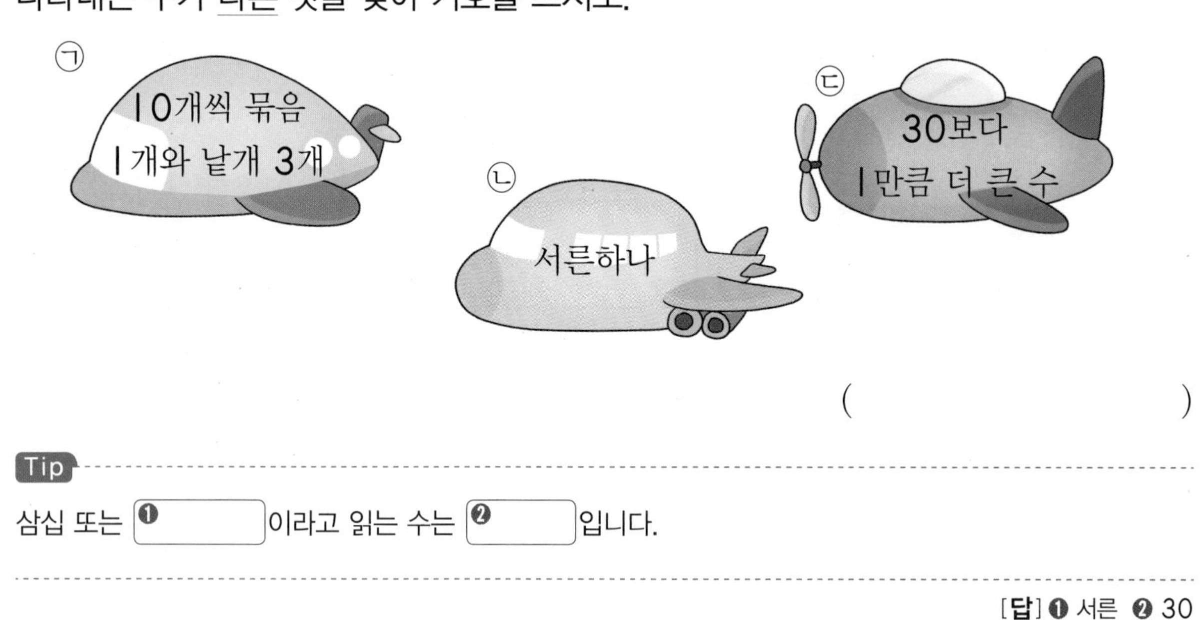

(　　　　　　　　)

Tip

삼십 또는 ❶ ☐ 이라고 읽는 수는 ❷ ☐ 입니다.

[답] ❶ 서른 ❷ 30

문제 해결

2 은원이가 쓴 일기입니다. 알맞게 읽은 것에 ○표 하시오.

우리 가족은 15(열다섯 , 십오)일 만에 다시 주말농장에 왔다.
형이 고구마 17(열일곱 , 십칠) 개를 들었다.
형은 10(열 , 십)살이라 힘이 센가 보다.

Tip

10을 날짜로 읽을 때는 ❶ ☐ 이라고 읽고, 개수로 읽을 때는 ❷ ☐ 이라고 읽습니다.

[답] ❶ 십 ❷ 열

▶정답 및 풀이 26쪽

3 어느 건물의 엘리베이터 버튼입니다. 빈 곳에 알맞은 수를 써넣으시오.

Tip

그림의 엘리베이터 버튼은 수가 아래 줄부터 순서대로 쓰여있습니다. 가로줄은 오른쪽으로 한 칸 움직일 때마다 ❶ ☐ 만큼 더 ❷ ☐ 집니다.

[답] ❶ 1 ❷ 커

4 엄마의 생신을 기념하여 다음과 같이 초를 꽂았습니다. 삼촌은 엄마보다 3살 더 많을 때 삼촌의 나이를 구하시오. (단, 긴 초는 10살, 짧은 초는 1살을 나타냅니다.)

( )

Tip

케이크에 긴 초가 4개, 짧은 초가 ❶ ☐ 개이므로 엄마는 ❷ ☐ 살입니다.

[답] ❶ 7 ❷ 47

5 민주의 동화책이 그림과 같이 찢어졌습니다. 찢어진 부분은 모두 몇 쪽입니까?

(　　　　　　　　　　)

Tip

29부터 36까지의 수를 순서대로 쓰면 29 − ❶☐ − ❷☐ − 32 − 33 − 34 − 35 − 36 입니다.

[답] ❶ 30 ❷ 31

코딩

6 그림에 1부터 50까지 수의 일부가 쓰여 있습니다. 다음 규칙에 따라 색칠해 보시오.

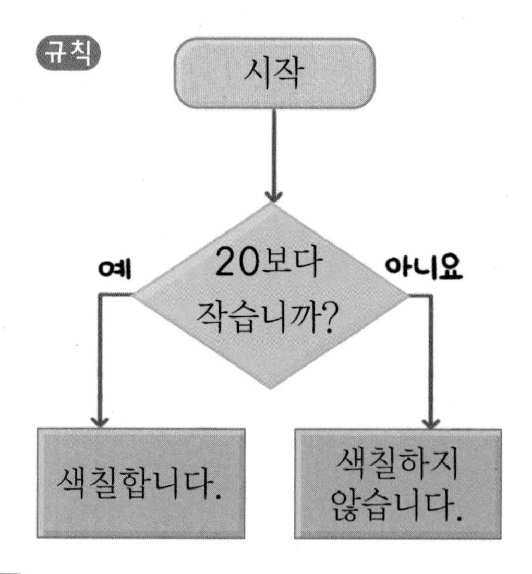

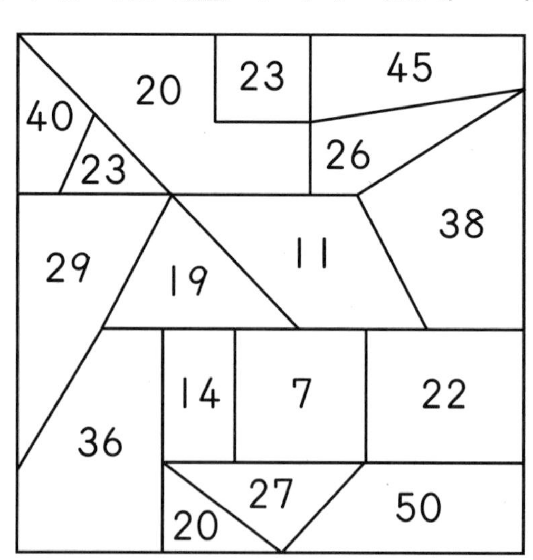

Tip

20보다 작은 수는 1부터 ❶☐까지의 수입니다. 따라서 10개씩 묶음이 없거나 ❷☐개입니다.

[답] ❶ 19 ❷ 1

▶정답 및 풀이 26쪽

코딩

7 공을 넣으면 조건에 맞는 공만 나오는 상자가 있습니다. 빈 곳에 알맞은 수를 써넣으시오.

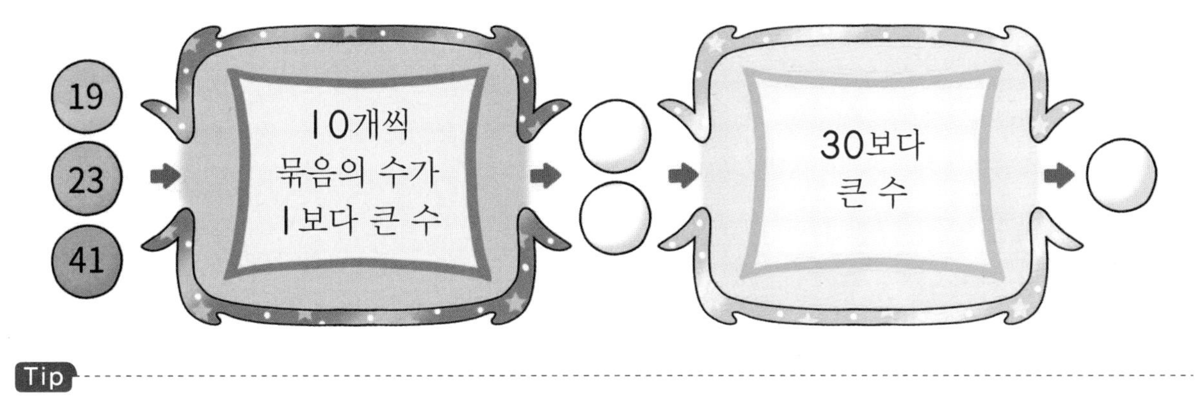

Tip

23의 10개씩 묶음의 수는 ❶ ☐, 41의 10개씩 묶음의 수는 ❷ ☐입니다.

[답] ❶ 2 ❷ 4

추론

8 개미가 더 큰 수를 따라서 꿀단지를 찾아가려고 합니다. 미로를 통과하는 길을 나타내시오. (단, 오른쪽과 아래쪽으로만 갈 수 있고, 마지막에는 50이 쓰여 있는 칸으로 나옵니다.)

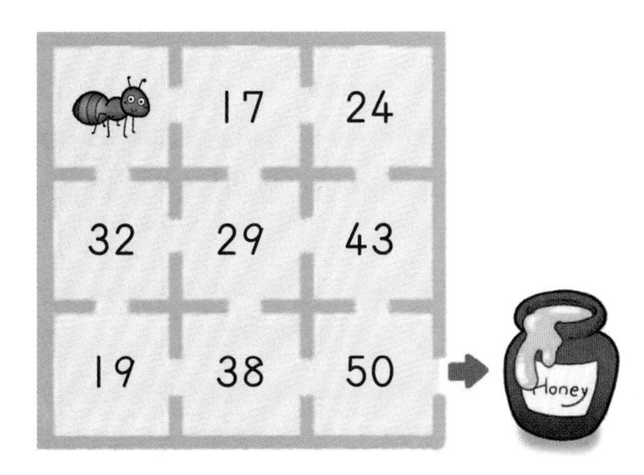

Tip

처음 개미가 있는 칸에서 17과 32 중에 더 ❶ ☐ 수인 ❷ ☐가 쓰여 있는 칸으로 이동합니다.

[답] ❶ 큰 ❷ 32

권말정리 마무리 전략

두 개의 길이를 비교할 때에는 '더 길다', '더 짧다' 고 말해.

포도 맛

바닐라 맛

포도 맛이 바닐라 맛보다 더 길어.

알지?
뭘?

당연히 내가 길이가 더 긴 포도 맛 막대 과자를 먹어야 한다는 것을?

으~ 욕심대왕 이야.

칭찬 고마워.
욕심대왕이 칭찬이니?

막대 과자를 10개나 먹고 2개 더 먹었어!
10개씩 묶음 1개, 낱개 2개니까 12개를 먹었구나.

내가 막대 과자로 신기록에 도전해볼게.
어떤 신기록인데?

한 입에 50개의 막대 과자 넣기 성공!!
엉뚱한 짓 좀 하지 마!

신유형·신경향·서술형 전략

[관련 단원] **비교하기**

1 주아네 집에 있는 가전 제품들입니다. 선의 시작과 끝이 맞추어져 있을 때 가전 제품의 선을 보고 물음에 답하시오.

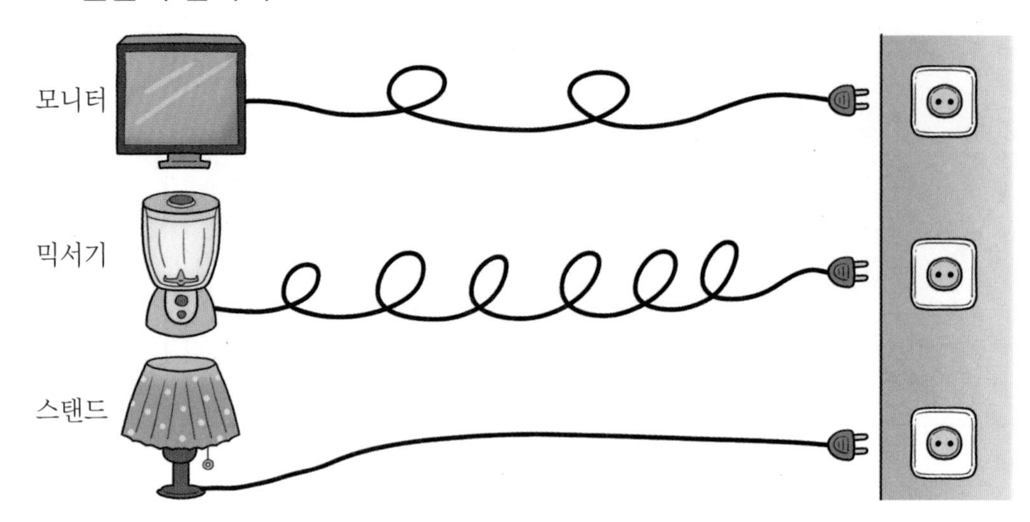

❶ 알맞은 말에 ○표 하시오.

가전 제품의 선은 양쪽 끝이 맞추어져 있으므로
많이 구부러져 있을수록 선의 길이는 더 (깁니다 , 짧습니다).

❷ 선의 길이가 가장 짧은 것은 무엇입니까?

( )

❸ 위의 가전 제품 중에서 가장 멀리 떨어진 곳에서 사용할 수 있는 것은 무엇입니까?

( )

Tip

곧은 선의 길이가 가장 ❶ [ ] 습니다. 많이 구부러질수록 선의 길이는 더 ❷ [ ] 니다.

[**답**] ❶ 짧 ❷ 길

▶정답 및 풀이 27쪽

[관련 단원] **덧셈과 뺄셈**

2

다음과 같이 각 모양이 나타내는 수를 정했습니다. 두 가지 모양이 겹쳐진 부분은 두 가지 모양에 쓰인 수의 합을 나타냅니다. 겹쳐진 부분이 나타내는 수를 구하는 덧셈식을 만들고 계산해 보시오.

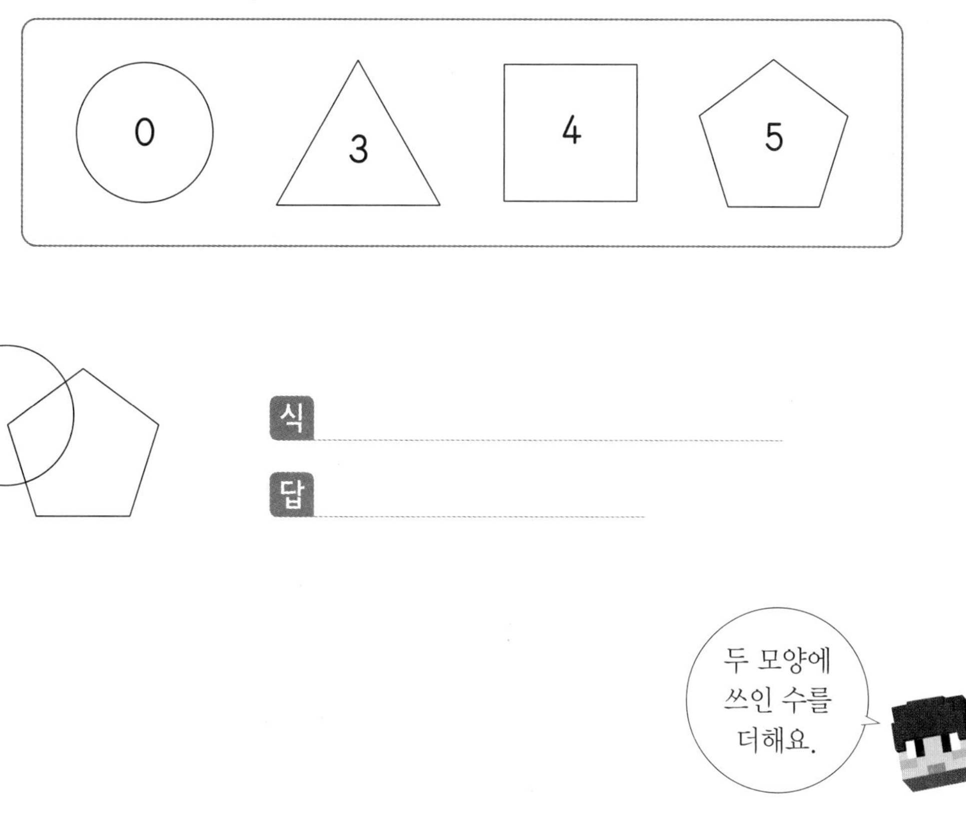

Tip
겹쳐진 부분이 나타내는 수를 구하려면 ❶ [ ] 가지 모양에 쓰인 수를 ❷ [ ] 합니다.

[**답**] ❶ 두 ❷ 더

[관련 단원] 9까지의 수

3 상자의 규칙을 찾아 공 위에 알맞은 수를 써넣으시오.

❶ 상자의 규칙을 알아보려고 합니다. ▢ 안에 알맞은 수를 써넣고, 알맞은 말에 ○표 하시오.

1번 공을 넣었더니 ▢번 공이 나왔습니다.

2번 공을 넣었더니 ▢번 공이 나왔습니다.

3번 공을 넣었더니 ▢번 공이 나왔습니다.

⬇

상자에 넣은 공에 쓰인 수보다 1만큼 더 (큰 , 작은) 수가 쓰인 공이 나옵니다.

❷ 상자 밖으로 나온 공 위에 쓰인 수를 알아보려고 합니다. ▢ 안에 알맞은 수를 써넣으시오.

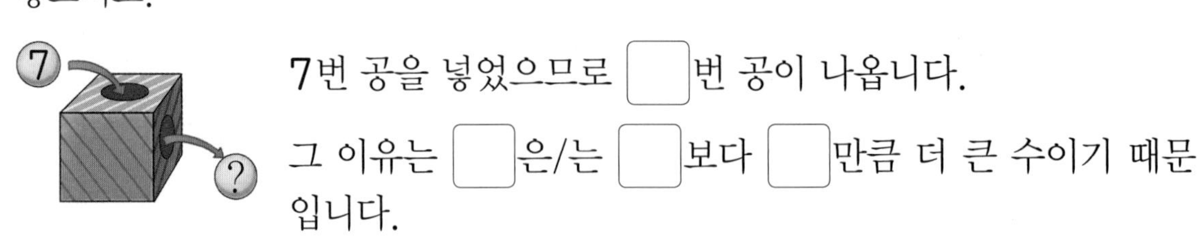

7번 공을 넣었으므로 ▢번 공이 나옵니다.

그 이유는 ▢은/는 ▢보다 ▢만큼 더 큰 수이기 때문입니다.

Tip

상자에 숫자가 쓰인 공을 넣으면 바로 ❶ ▢의 수가 쓰인 ❷ ▢이 나옵니다.

[답] ❶ 뒤 ❷ 공

▶정답 및 풀이 27쪽

[관련 단원] 50까지의 수

4

아래층의 두 수를 모으기 하여 위층에 수를 쓰는 규칙에 따라 빈칸에 수를 썼습니다. ●와 ▲에 들어갈 수를 구하시오.

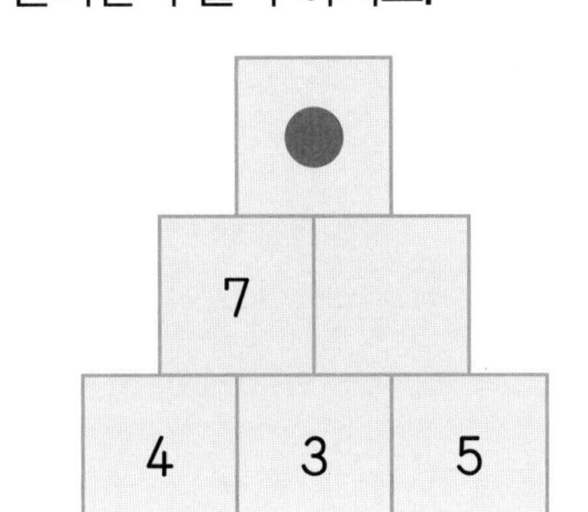

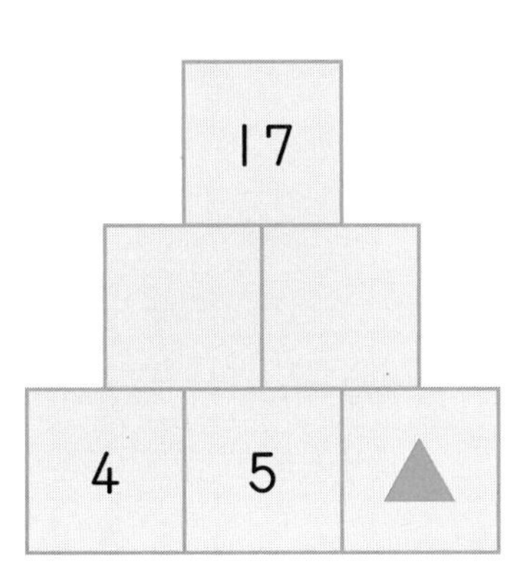

❶ 3과 5의 위층에 들어갈 수는 □입니다.

4와 5의 위층에 들어갈 수는 □입니다.

❷ ●에 들어갈 수는 7과 □을/를 모으기 한 수이므로 □입니다.

❸ 5와 ▲의 위층에 들어갈 수는 □입니다.

❹ ▲에 들어갈 수는 5와 모으기 해서 □이/가 되는 수이므로 □입니다.

Tip

7과 8을 모으기 하면 ❶ □이고, 15는 7과 ❷ □로 가르기 할 수 있습니다.

[답] ❶ 15 ❷ 8

[관련 단원] 50까지의 수

5

알라딘은 동굴의 문이 내는 문제에 답해야 탈출할 수 있습니다. 물음에 답하시오.

❶ 24보다 1만큼 더 작은 수를 쓰시오.

( )

❷ 29보다 1만큼 더 큰 수를 쓰시오.

( )

❸ ❶에 쓴 수와 ❷에 쓴 수 사이에 있는 수를 쓰시오.

____

❹ 동굴의 문이 내는 문제에 답하시오.

( )

Tip

14와 17 사이에 있는 수는 ❶ [   ], ❷ [   ]입니다.

[답] ❶ 15 ❷ 16

▶정답 및 풀이 27쪽

[관련 단원] **여러 가지 모양**

6 조건에 맞게 ?에 들어갈 그림을 보기에서 찾아 기호를 쓰시오.

조건
① 모양이 다른 칸과 다릅니다.
② 개수가 다른 칸과 다릅니다.
③ 색깔이 다른 칸과 같습니다.

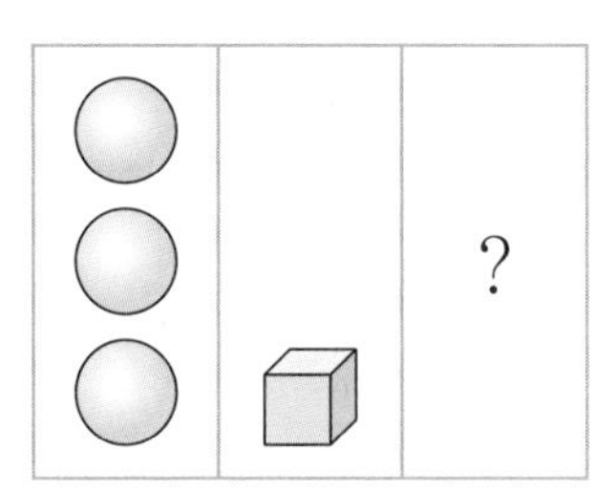

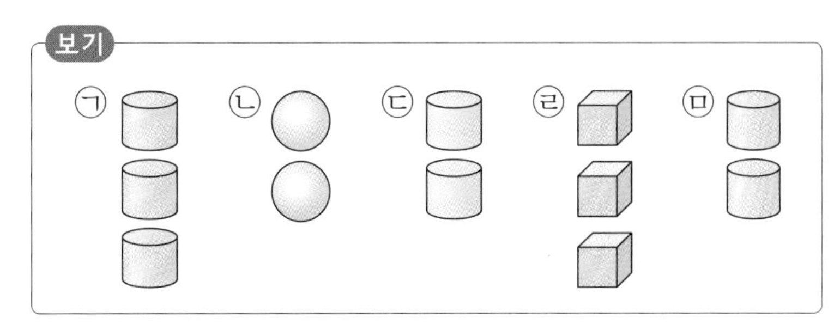

❶ ?에 들어갈 모양에 ○표 하시오.

❷ ?에 들어갈 모양의 개수에 ○표 하시오.

(1개 , 2개 , 3개)

❸ ?에 들어갈 그림을 찾아 기호로 쓰시오.

(   )

Tip
?에 들어갈 모양은 쌓을 수 ❶ ______ 고 굴리면 잘 ❷ ______ .

[답] ❶ 있 ❷ 굴러갑니다

학력진단 전략 1회

01 참새를 세어 수를 쓰고 읽으시오.

쓰기

읽기

02 그림의 수를 일곱이라고 읽었습니다. 알맞은 그림을 골라 ○표 하시오.

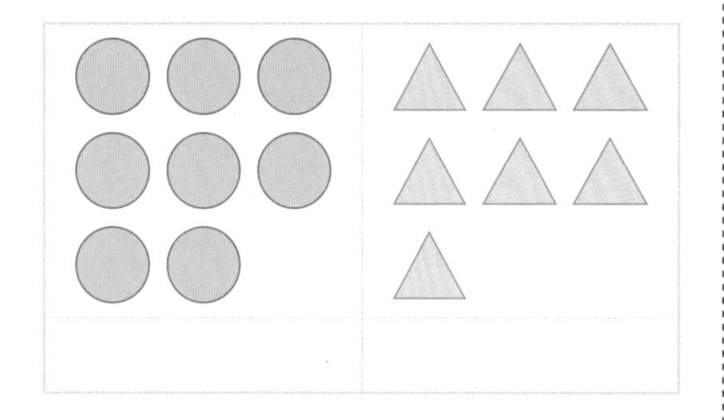

03 순서를 나타내는 말과 숫자를 이으시오.

첫째	•	•	4
넷째	•	•	6
여섯째	•	•	1

04 그림의 수보다 1만큼 더 큰 수를 쓰시오.

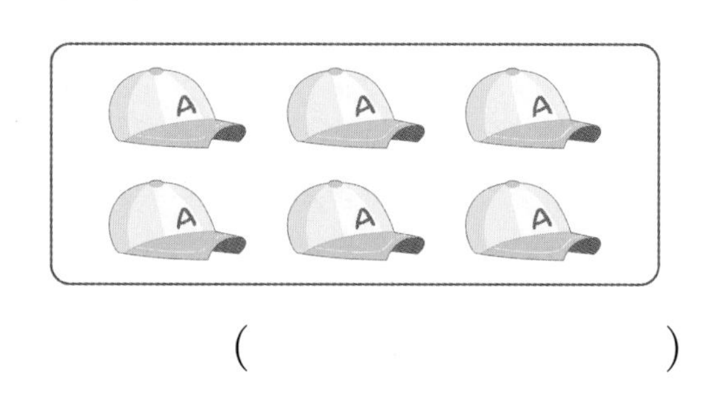

( )

05 더 큰 수에 ○표 하시오.

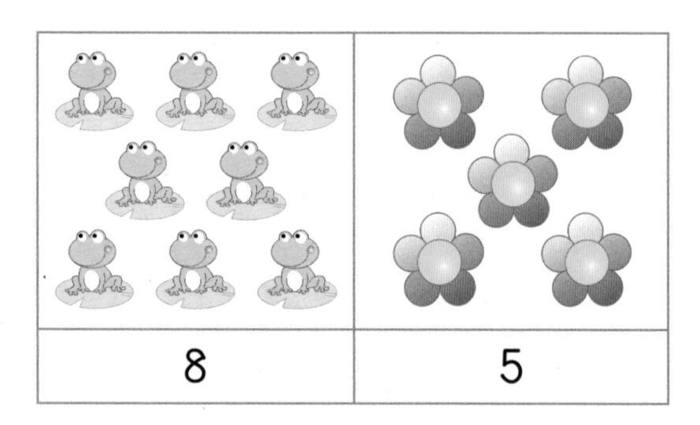

8	5

▶정답 및 풀이 28쪽

06 선물 상자를 4만큼 묶으시오.

07 왼쪽에서 일곱째에 색칠하시오.

○○○○○○○○○○○

08 ☐ 안에 알맞은 수를 써넣으시오.

(1) 5보다 1만큼 더 작은 수는 ☐입니다.

(2) 7보다 1만큼 더 큰 수는 ☐입니다.

09 더 큰 수에 ○표 하시오.

6	5

10 그림의 수를 ☐ 안에 써넣고 모으기 하시오.

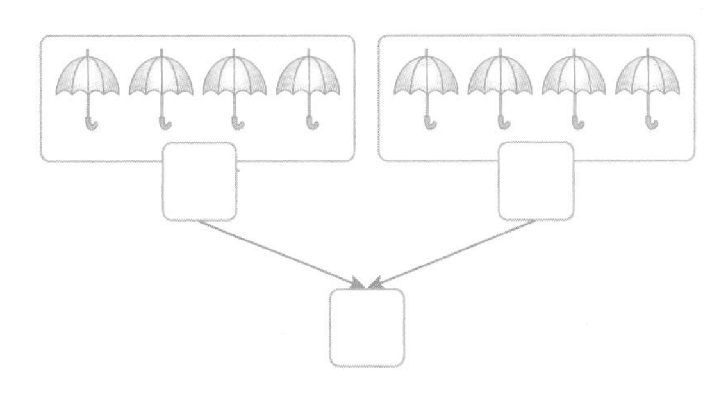

11 가르기 하시오.

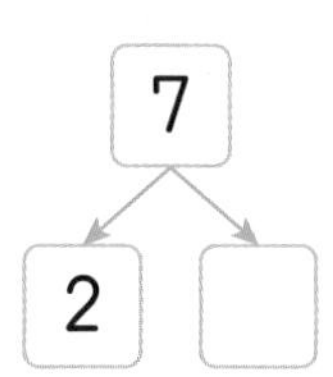

12 그림을 보고 연필은 모두 몇 자루인지 덧셈식을 쓰고 답을 구하시오.

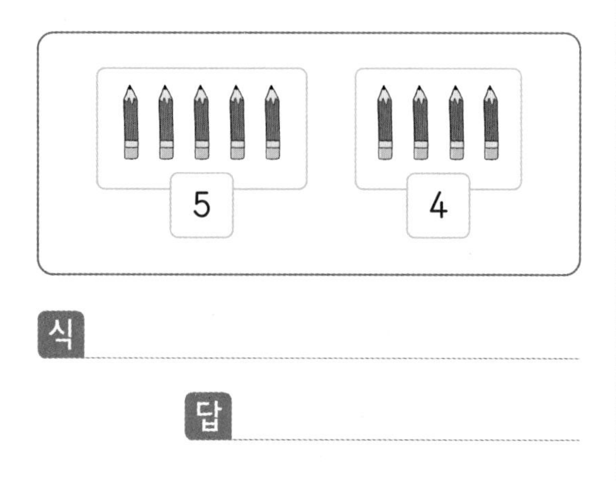

식

답

13 그림을 보고 뺄셈식을 쓰고 답을 구하시오.

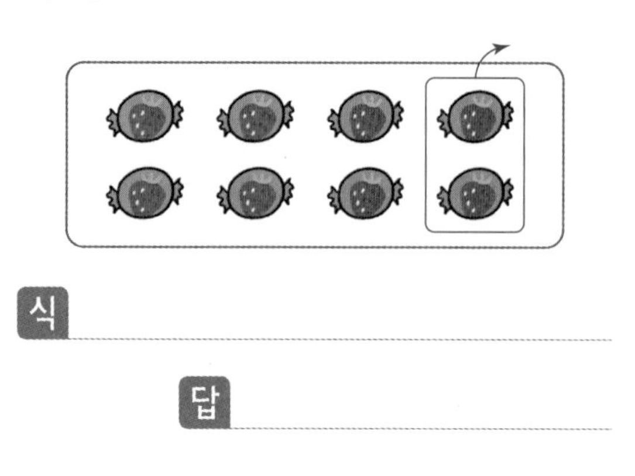

식

답

14 알맞은 말에 ○표 하시오.

(1) 6은 4보다 (큽니다 , 작습니다).

(2) 8은 9보다 (큽니다 , 작습니다).

15 계산을 하시오.

(1) $2+4$

(2) $4+3$

▶정답 및 풀이 28쪽

16 계산 결과가 다른 것을 찾아 ○표 하시오.

(1) $9-6$ ( )

(2) $4-0$ ( )

(3) $7-3$ ( )

17 주희는 사탕 6개를 먹었고, 동생은 사탕 3개를 먹었습니다. 주희와 동생이 먹은 사탕은 모두 몇 개인지 덧셈식을 쓰고 답을 구하시오.

식

답

18 민지는 편지지 7장을 가지고 있습니다. 친구들에게 편지를 쓰는 데 편지지 5장을 썼을 때 남은 편지지는 몇 장인지 식을 쓰고 답을 구하시오.

식

답

19 포도 5송이가 있었는데 손님이 오셔서 포도를 모두 먹었습니다. 남은 포도는 몇 송이인지 식을 쓰고 답을 구하시오.

식

답

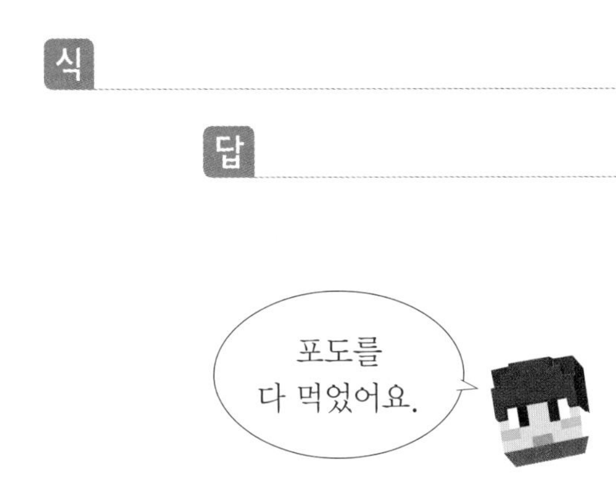

20 책상 위에 우유가 7개 있었는데 아무도 가져가지 않았습니다. 책상에 남아 있는 우유는 몇 개인지 식을 쓰고 답을 구하시오.

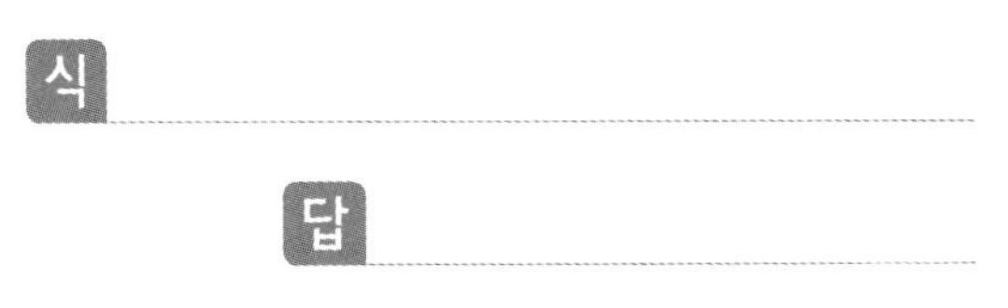

식

답

학력진단 전략 2회

01 다음 물건과 같은 모양을 찾아 ○표 하시오.

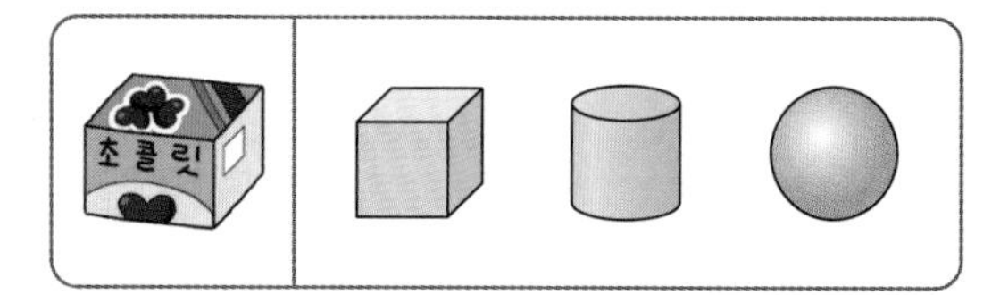

02 키가 더 큰 사람은 누구입니까?

(　　　　　　　　)

03 더 무거운 것을 쓰시오.

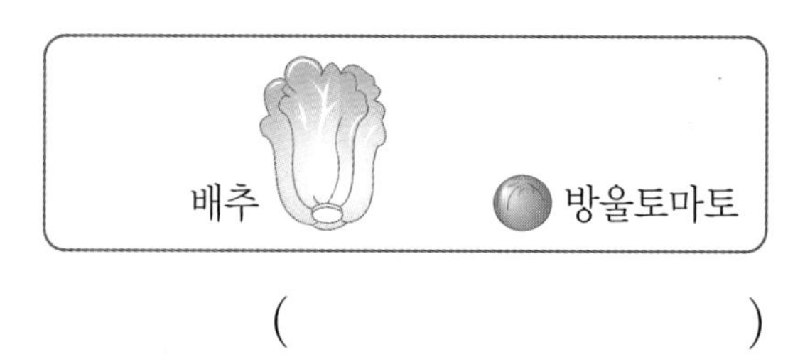

(　　　　　　　　)

04 다음 모양과 같은 모양이 아닌 물건을 찾아 ○표 하시오.

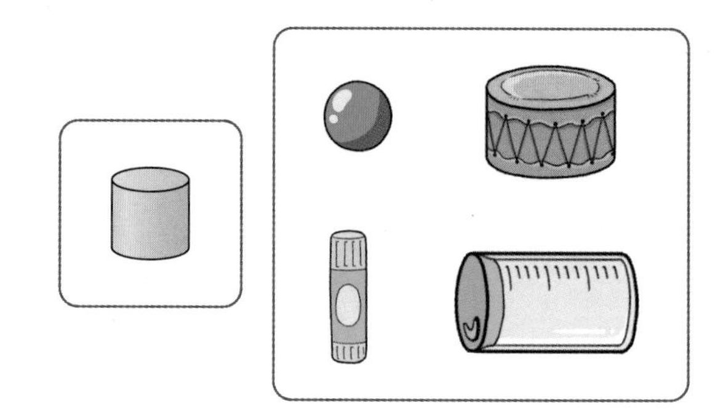

05 더 좁은 창문을 찾아 △표 하시오.

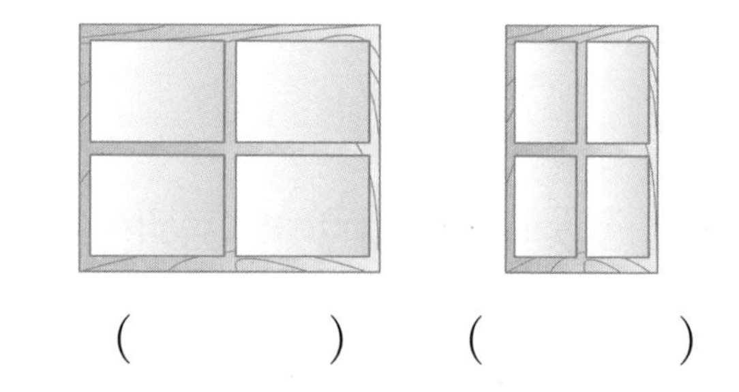

(　　　　)　(　　　　)

06 어떤 모양의 일부분이 ◐와 같을 때 알맞은 모양을 찾아 ○표 하시오.

07 더 가벼운 것을 찾아 ○표 하시오.

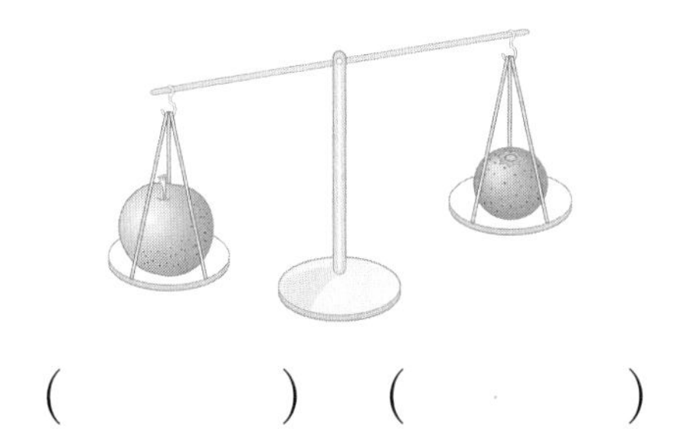

(　　　　) (　　　　)

08 그림을 보고 ▢ 안에 알맞은 말을 써 넣으시오.

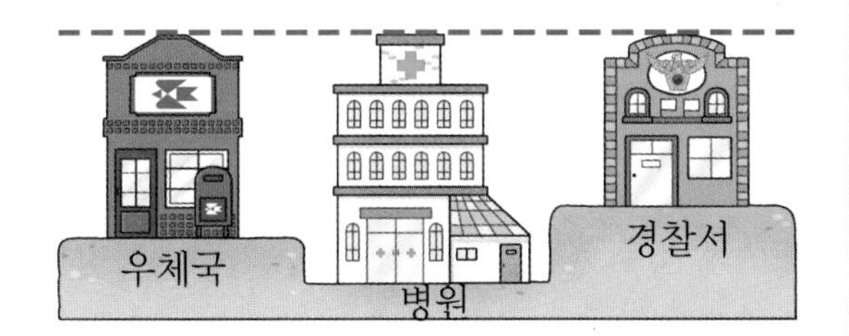

(1) 병원 건물의 높이가 가장 ▢.

(2) 경찰서 건물의 높이가 가장 ▢.

09 담긴 물의 양이 더 많은 것에 ○표 하시오.

(　　　　) (　　　　)

10 상자에서 본 물건의 모양이 ◔와 같을 때 상자 속 물건을 찾아 ○표 하시오.

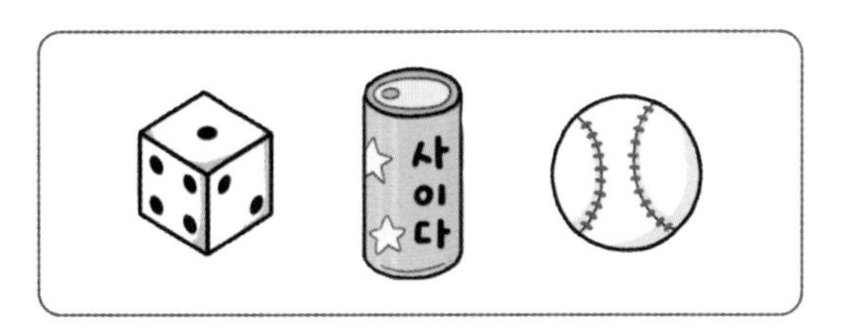

11 가장 넓은 것을 찾아 ○표 하시오.

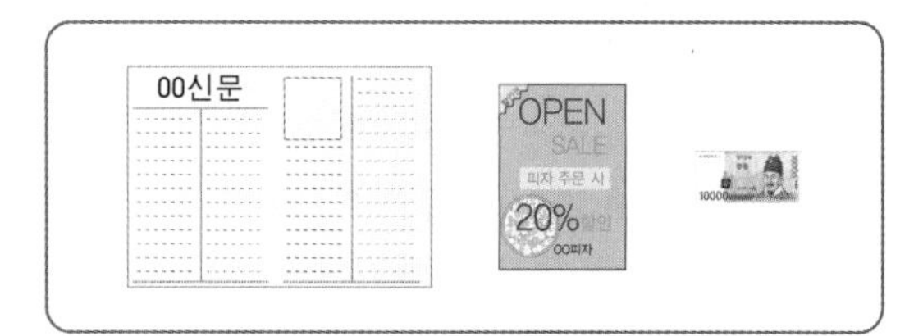

12 잘 굴러가지 <u>않는</u> 물건을 찾아 ○표 하시오.

13 주어진 모양을 모두 사용해서 만들 수 있는 모양을 찾아 ○표 하시오.

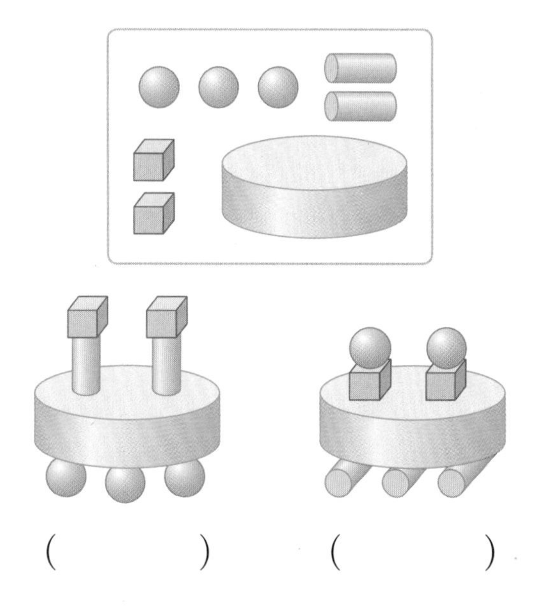

14 쌓을 수 <u>없는</u> 모양을 찾아 ○표 하시오.

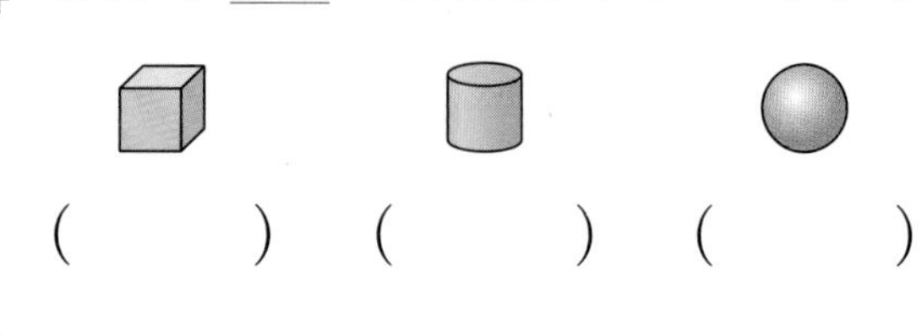

15 다음 모양을 만드는 데에 가장 많이 사용한 모양을 찾아 ○표 하시오.

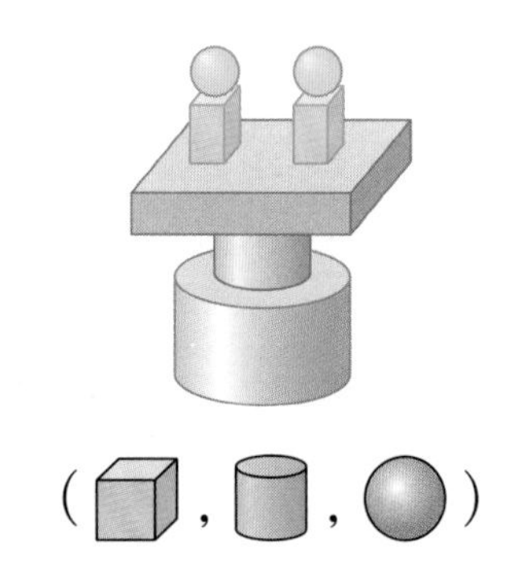

▶정답 및 풀이 30쪽

16 가장 긴 못의 번호를 쓰시오.

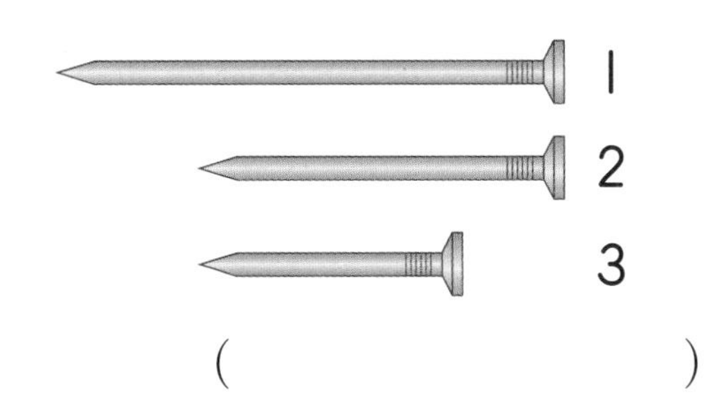

( )

17 다음 모양을 만드는 데 필요한 모양이 모두 있는 것에 ○표 하시오.

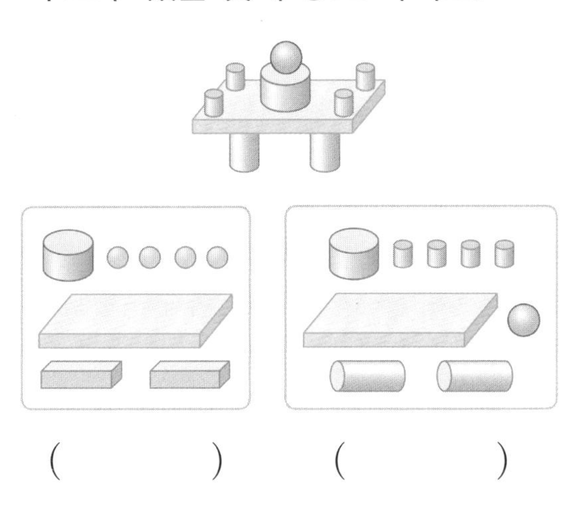

( ) ( )

18 다음 설명에 알맞은 물건을 찾아 ○표 하시오.

이것은 쌓아서 보관합니다. 이것은 잘 굴러가서 멀리 있는 사람에게 굴려서 전해줄 수 있습니다.

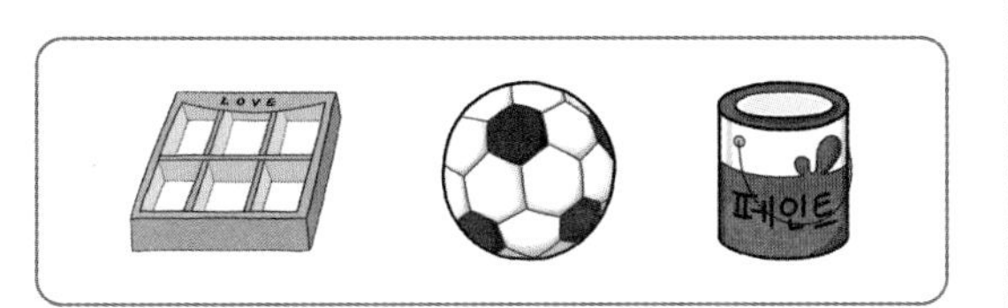

19 진운이는 규원이보다 더 무겁고, 규원이는 수진이보다 더 무겁습니다. 세 사람 중에 가장 무거운 사람의 이름을 쓰시오.

( )

20 다음 규칙에 따라 물건을 가져오는 놀이를 하였습니다. 다음에 올 물건으로 알맞은 것을 찾아 ○표 하시오.

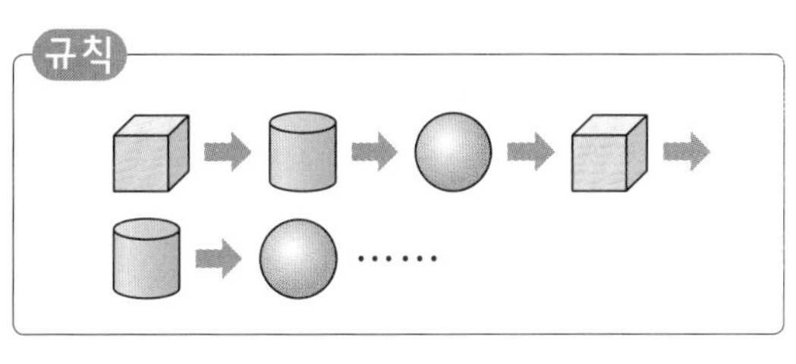

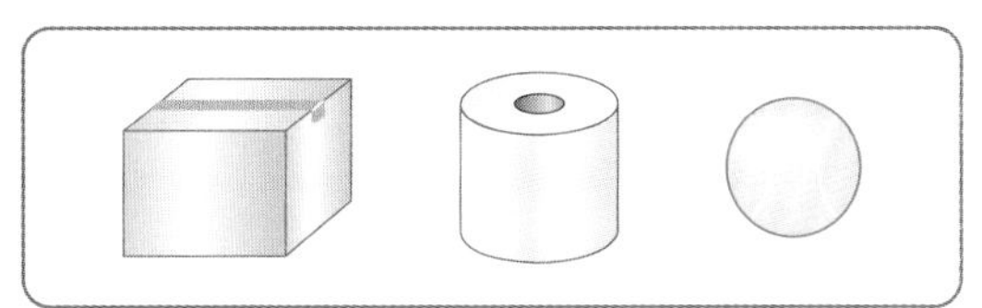

학력진단 전략 3회

01 빈칸에 알맞은 수를 써넣으시오.

02 그림의 수를 세고 알맞은 말에 ○표 하시오.

오늘은 엄마께서 딸기 (십 , 열) 개를 간식으로 주셨습니다.

03 순서에 맞게 빈 곳에 알맞은 수를 써넣으시오.

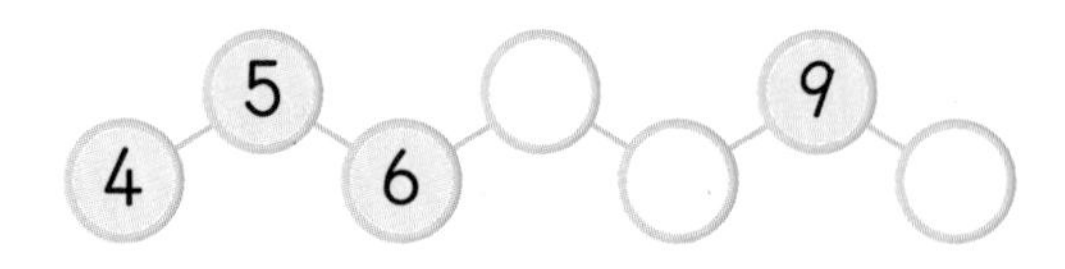

04 색칠한 별의 수가 10이 되도록 별을 더 색칠하시오.

05 그림의 수를 ▢ 안에 써넣고 모으기 하시오.

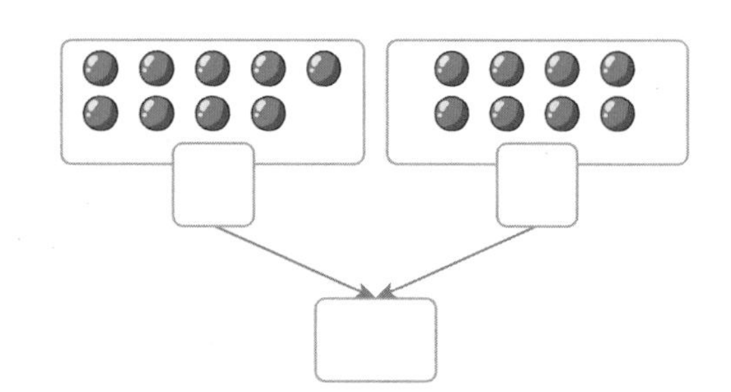

06 모으기 하시오.

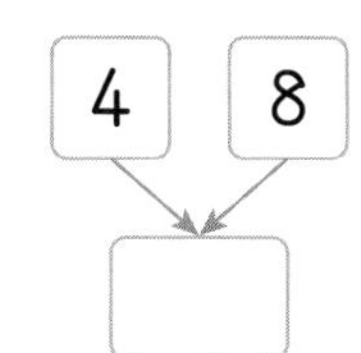

07 그림을 보고 ▢ 안에 알맞은 수를 써넣으시오.

구슬은 10개씩 묶음이 ▢개이므로 ▢개입니다.

08 그림의 수를 쓰고 읽으시오.

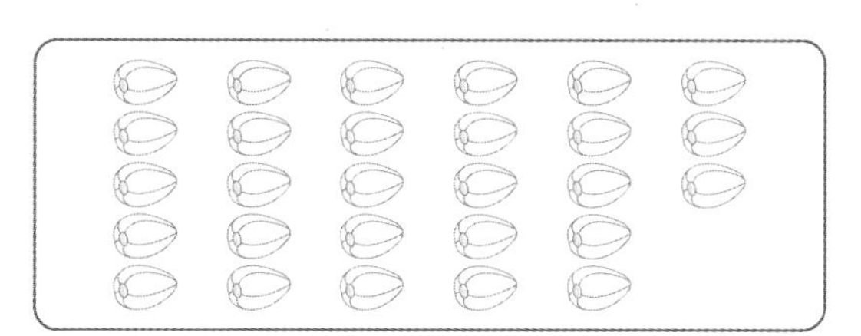

쓰기

읽기

09 두 가지 방법으로 가르기 하시오.

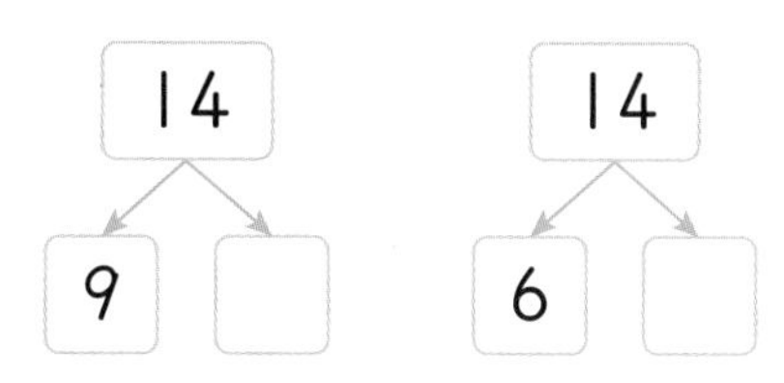

10 더 큰 수에 ○표 하시오.

43	24

11 같은 수로 가르기 하시오.

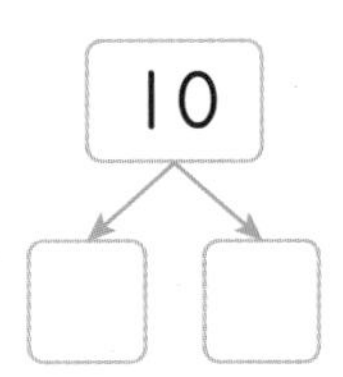

12 준우가 설명하는 수를 쓰시오.

( )

13 빈칸에 알맞은 수를 써넣으시오.

11	12	13	14	15	16
17	18	19	20		
	24	25		27	28
			32	33	34
35	36	37	38		

14 주어진 수만큼 □를 색칠하고 더 큰 수에 ○표 하시오.

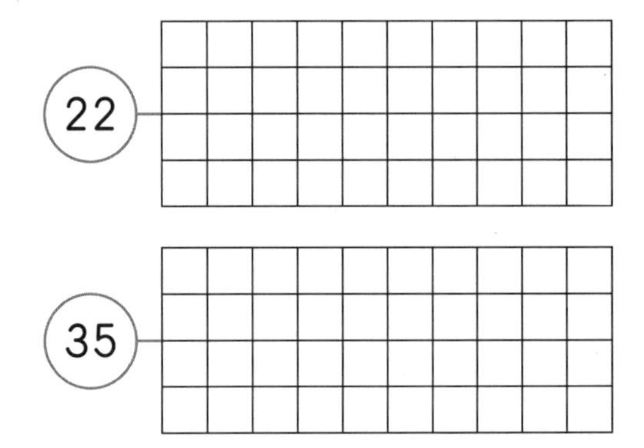

15 스물일곱부터 수를 차례대로 읽었습니다. 빈 곳에 알맞은 수를 써넣으시오.

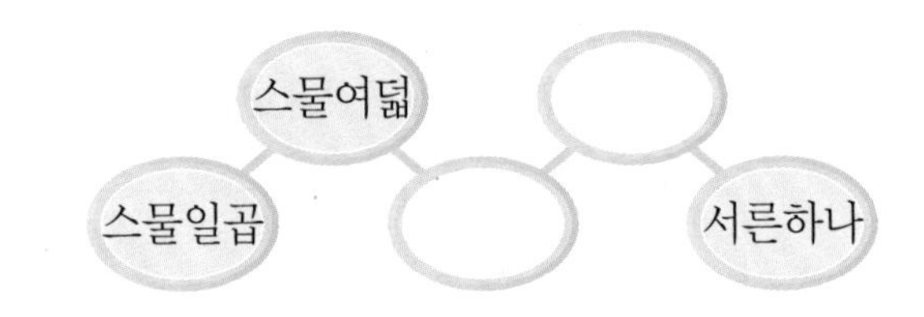

16 □ 안에 알맞은 수나 말을 써넣으시오.

(1) 19와 21 사이에 있는 수는 □입니다.

(2) 39 바로 뒤의 수는 □(이)라고 읽습니다.

17 서연이가 가지고 있는 색종이는 몇 장인지 쓰시오.

( )

18 작은 수부터 차례대로 쓰시오.

39 24 45

( )

19 29개의 구슬을 10개씩 실에 꿰었습니다. 10개씩 묶음은 몇 개이고, 남은 구슬은 몇 개입니까?

10개씩 묶음은 □개, 남은 구슬은 □개입니다.

20 진수는 10점짜리 문제 2개와 1점짜리 문제 3개를 맞혔고, 동규는 10점짜리 문제 3개와 1점짜리 문제 2개를 맞혔습니다. 점수가 더 높은 사람이 이길 때 누가 이겼는지 쓰시오.

(1) 진수의 점수는 몇 점입니까?

( )

(2) 동규의 점수는 몇 점입니까?

( )

(3) 누가 이겼습니까?

( )

메모

초등생의 필수 학습!
탄탄하게 다져두자!

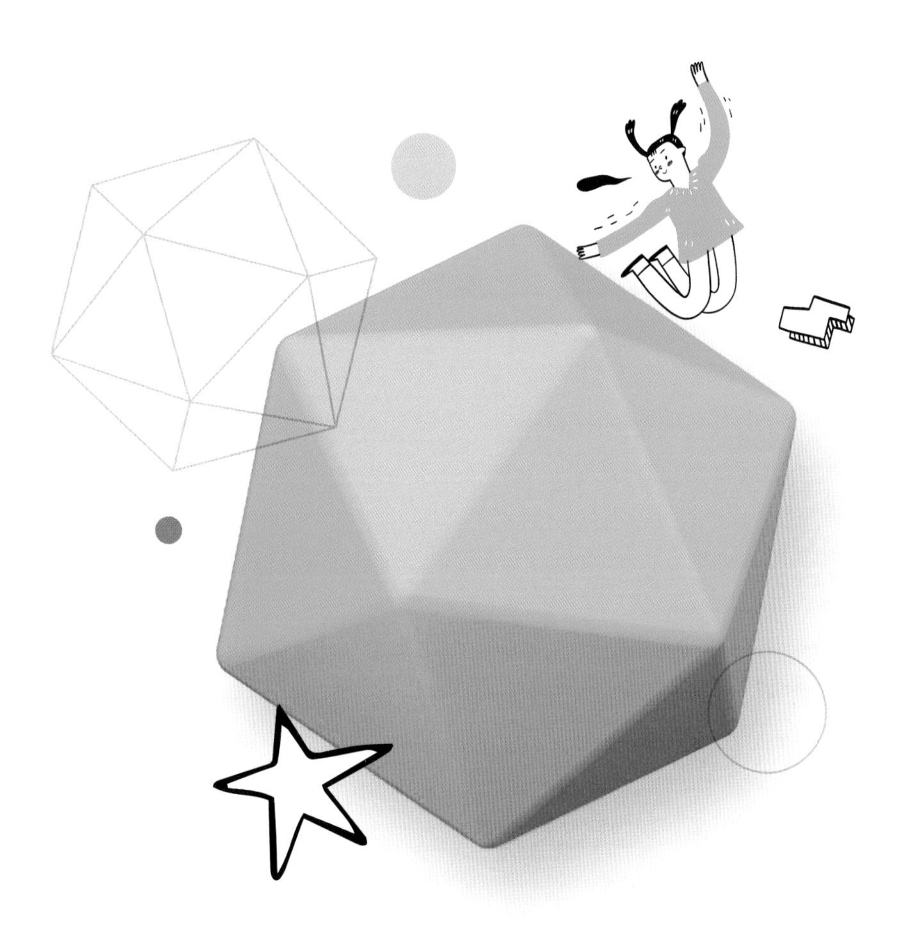

초등 **수학**

천재교육

초등생의 필수 학습!
탄탄하게 다져두자!

초등 **수학**

핵심개념 & 연산 집중연습

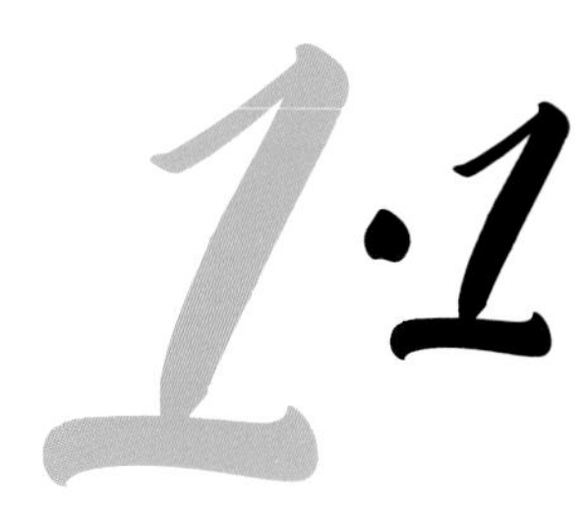

천재교육

1·1

목차

9까지의 수 ······ 2쪽
여러 가지 모양 ······ 10쪽
덧셈과 뺄셈 ······ 14쪽
비교하기 ······ 22쪽
50까지의 수 ······ 28쪽
정답 ······ 38쪽

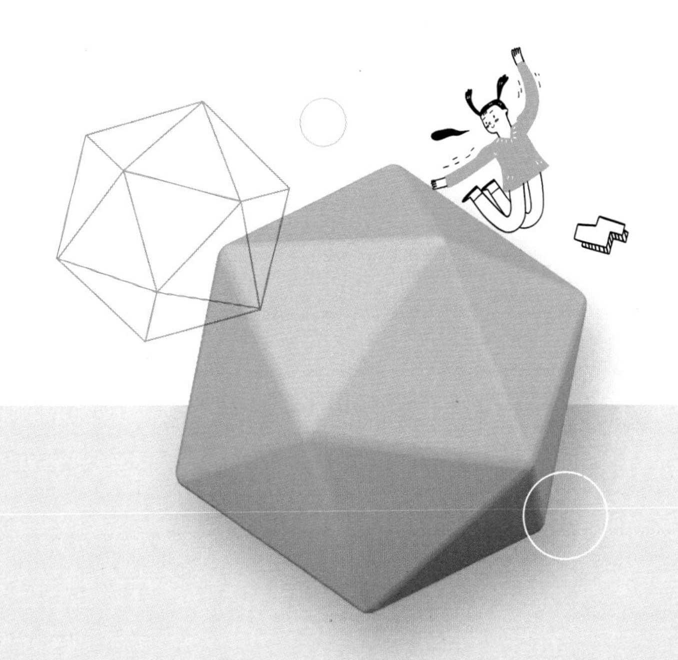

1 1, 2, 3, 4, 5 알아보기

- 1, 2, 3, 4, 5 알아보기

	숫자	읽기		쓰기
(당근 1개)	1	하나	일	① 1
(당근 2개)	2	❶	이	① 2
(당근 3개)	3	셋	삼	① 3
(당근 4개)	4	넷	사	① 4 ②
(당근 5개)	5	다섯	❷	① 5 ②

[답] ❶ 둘 ❷ 오

핵심 체크

1 (당근 2개)의 수를 세어 보면 (2 , 3)입니다.

2 숫자 4를 읽으면 사 또는 (셋 , 넷)입니다.

2 6, 7, 8, 9 알아보기

● 6, 7, 8, 9 알아보기

	숫자	읽기		쓰기
	6	여섯	❶	6
	7	일곱	칠	7
	8	여덟	팔	8
	9	❷	구	9

7은 "일곱" 또는 "칠"이라고 읽습니다.

[답] ❶ 육 ❷ 아홉

핵심 체크

1 ●●●●●●●의 수를 세어 보면 (6 , 7)입니다.

2 숫자 8을 읽으면 팔 또는 (일곱 , 여덟)입니다.

3 순서 알아보기

● 몇째 알아보기

1	2	3	4	5	6	7	8	9
첫째	둘째	셋째	넷째	다섯째	여섯째	일곱째	여덟째	아홉째

● 기준 넣어 순서 말하기

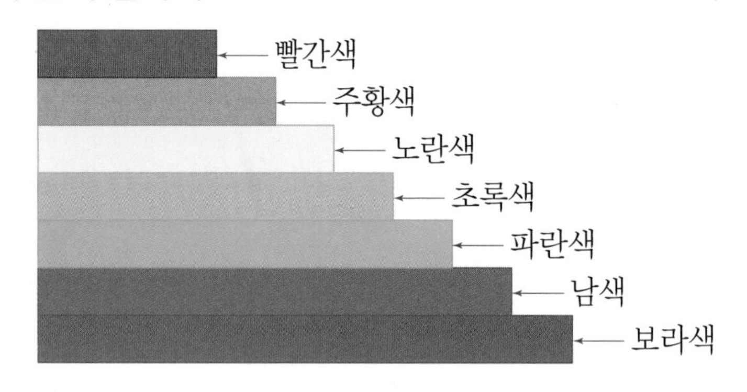

- 빨간색은 위에서 ❶ [   ] 입니다.
- 파란색은 아래에서 ❷ [   ] 입니다.
- 아래에서 다섯째인 색은 ❸ [   ] 입니다.

[답] ❶ 첫째 ❷ 셋째 ❸ 노란색

핵심 체크

1

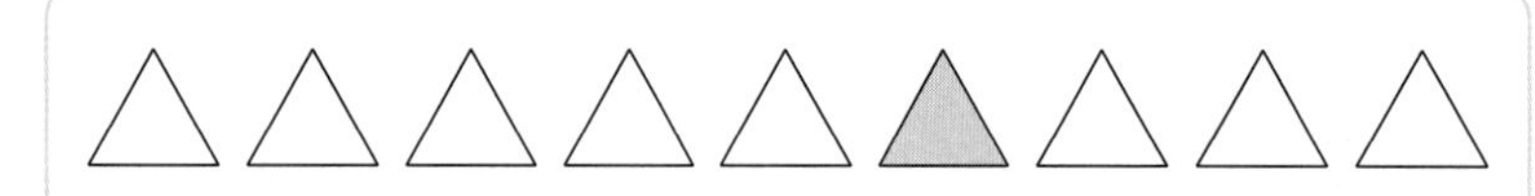

왼쪽에서 (다섯째 , 여섯째)에 색칠했습니다.

2

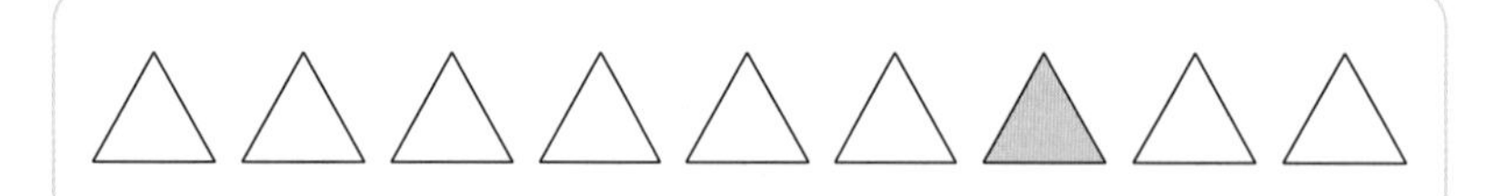

오른쪽에서 (셋째 , 넷째)에 색칠했습니다.

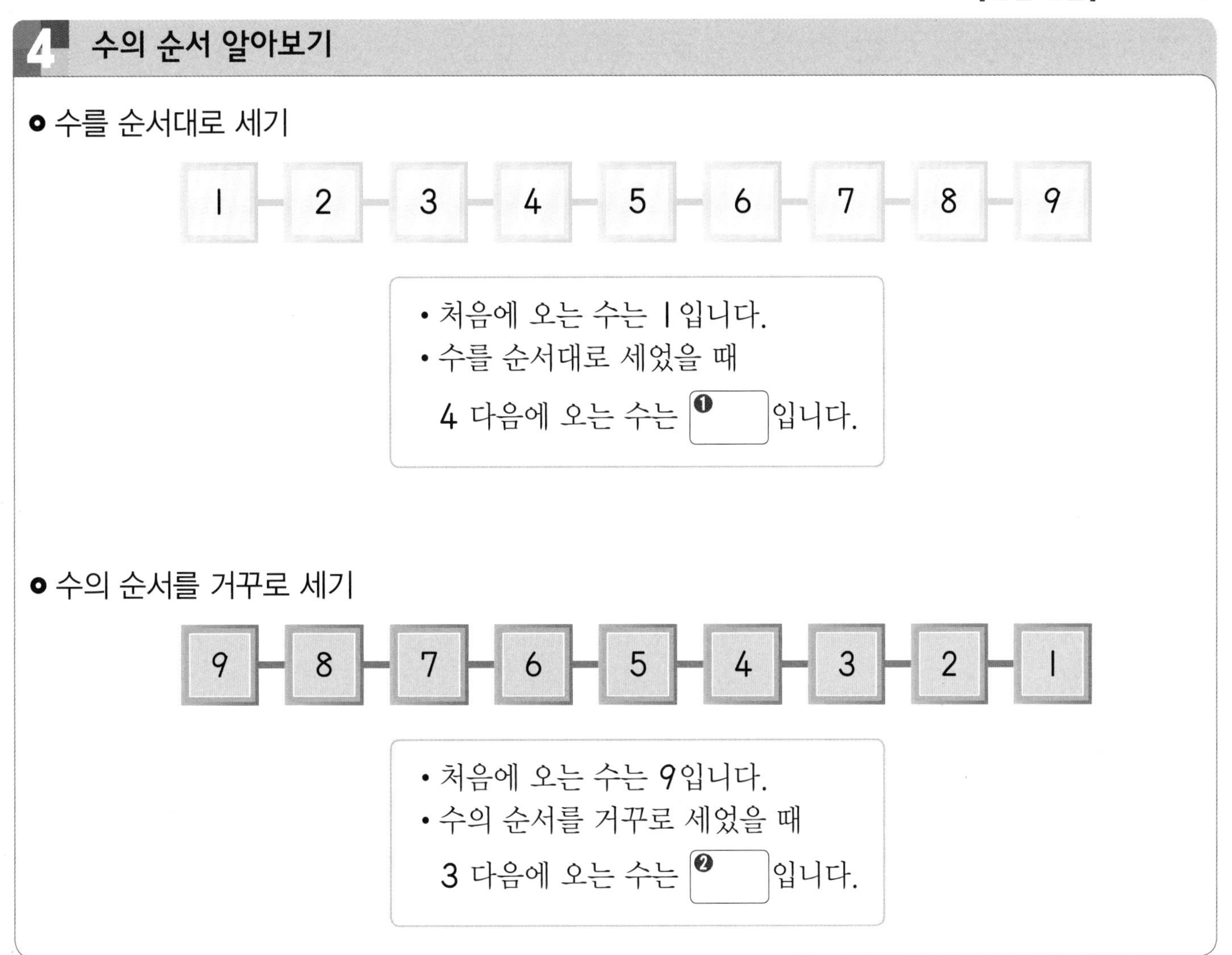

4 수의 순서 알아보기

∘ 수를 순서대로 세기

1 - 2 - 3 - 4 - 5 - 6 - 7 - 8 - 9

- 처음에 오는 수는 1입니다.
- 수를 순서대로 세었을 때 4 다음에 오는 수는 ❶ ☐ 입니다.

∘ 수의 순서를 거꾸로 세기

9 - 8 - 7 - 6 - 5 - 4 - 3 - 2 - 1

- 처음에 오는 수는 9입니다.
- 수의 순서를 거꾸로 세었을 때 3 다음에 오는 수는 ❷ ☐ 입니다.

[답] ❶ 5 ❷ 2

핵심 체크

1 수를 순서대로 세었을 때 5 다음에 오는 수는 (6 , 8)입니다.

2 수의 순서를 거꾸로 세었을 때 8 다음에 오는 수는 (7 , 9)입니다.

5 1만큼 더 큰 수, 1만큼 더 작은 수 알아보기

- 1만큼 더 큰 수, 1만큼 더 작은 수 알아보기

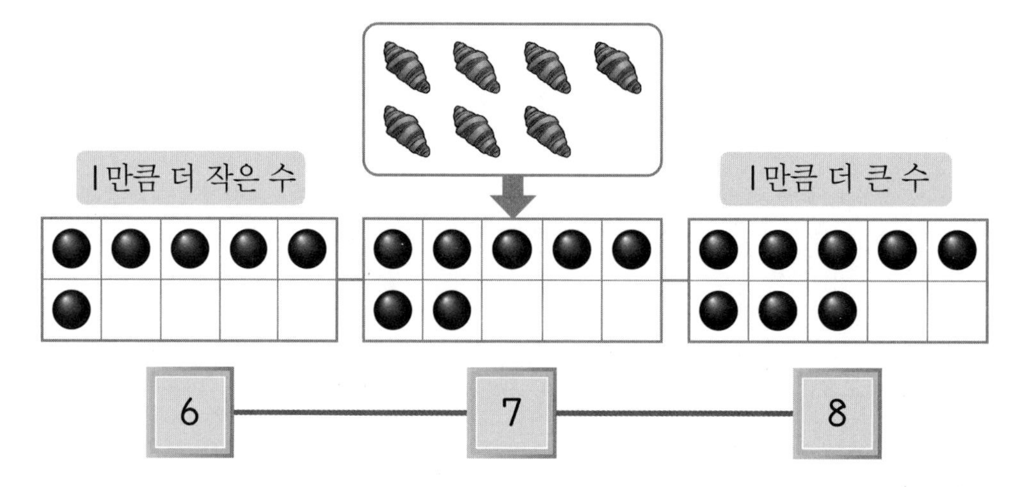

7보다 1만큼 더 큰 수는 ❶ [ ] 입니다.

7보다 1만큼 더 작은 수는 ❷ [ ] 입니다.

- 0 알아보기

숫자	읽기	쓰기
0	영	0

아무것도 없는 것을 0이라 쓰고 영이라고 읽습니다.

[답] ❶ 8 ❷ 6

핵심 체크

1 4보다 1만큼 더 큰 수는 (5 , 6)입니다.

2 아무것도 없는 것은 (1 , 0)입니다.

6 두 수의 크기 비교하기

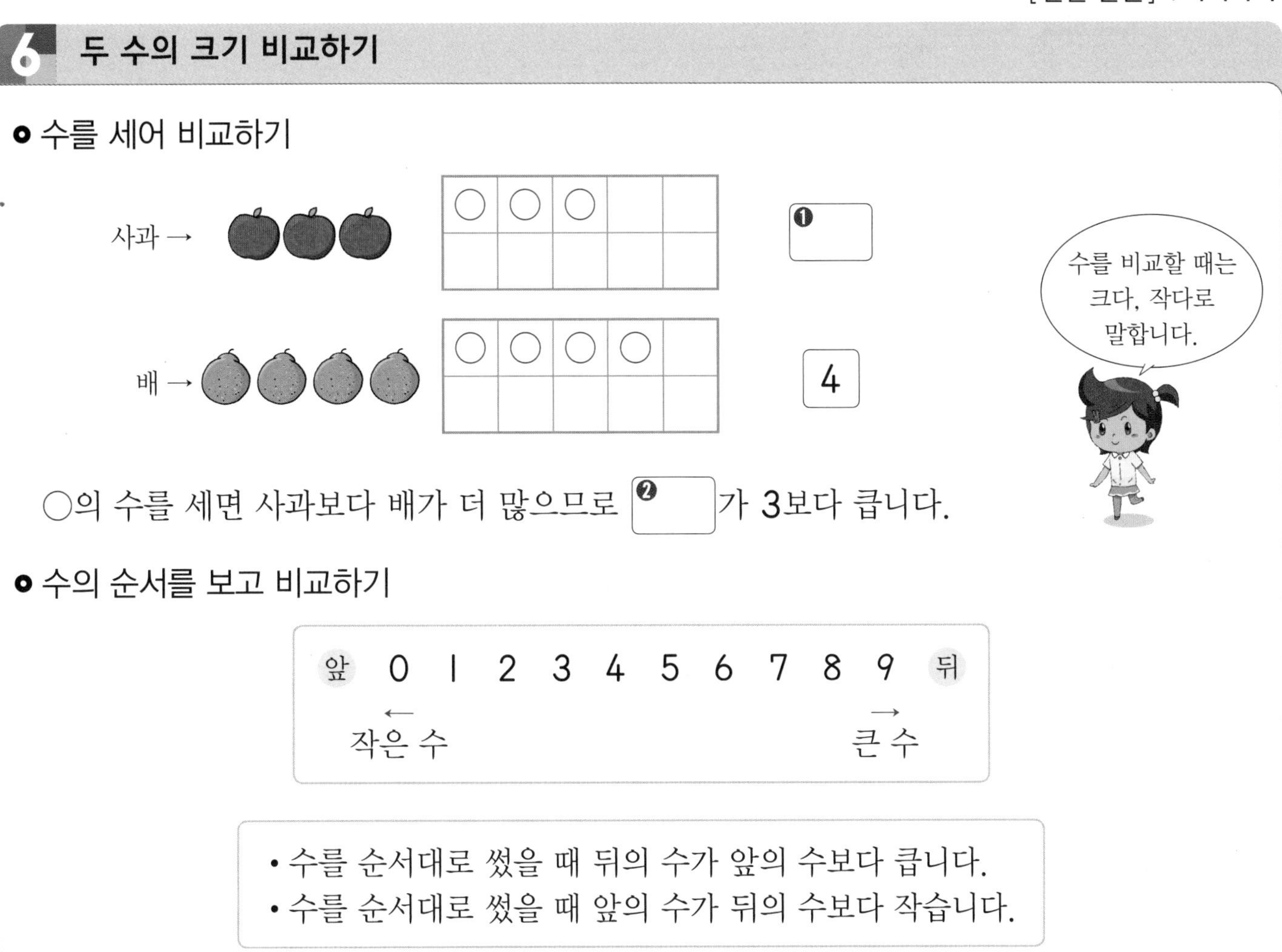

• 수를 세어 비교하기

사과 → ❶

배 → 4

○의 수를 세면 사과보다 배가 더 많으므로 ❷ 가 3보다 큽니다.

• 수의 순서를 보고 비교하기

앞 0 1 2 3 4 5 6 7 8 9 뒤

← 작은 수 → 큰 수

- 수를 순서대로 썼을 때 뒤의 수가 앞의 수보다 큽니다.
- 수를 순서대로 썼을 때 앞의 수가 뒤의 수보다 작습니다.

[답] ❶ 3 ❷ 4

핵심 체크

1 ○의 수를 세어 비교하면 7이 9보다 (큽니다 , 작습니다).

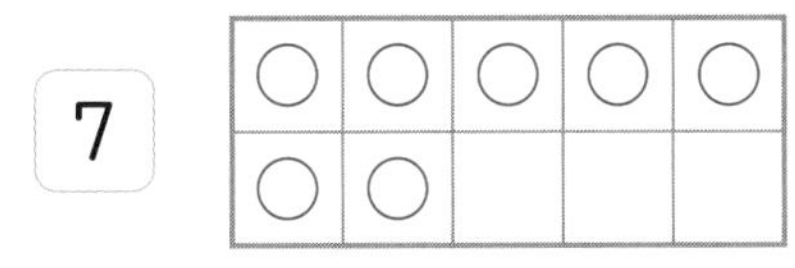

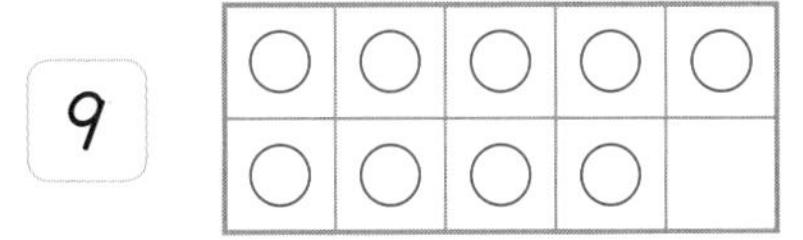

2 4는 6보다 (큽니다 , 작습니다).

집중 연습

[01~08] 수를 세어 ○표 하시오.

01

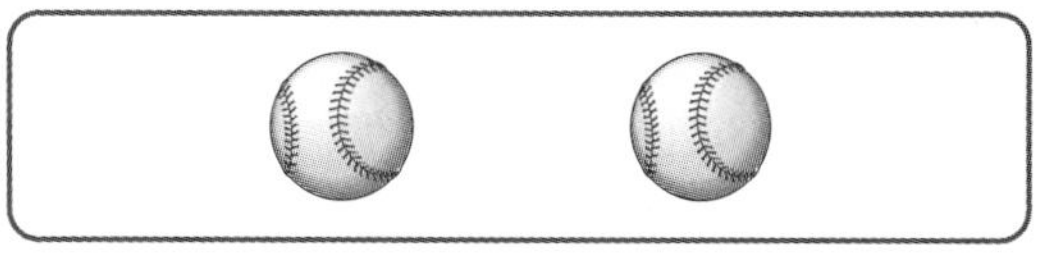

(1 2 3 4 5)

02

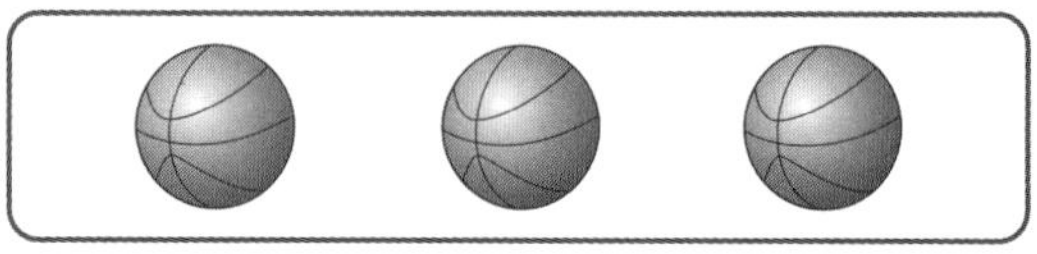

(1 2 3 4 5)

03

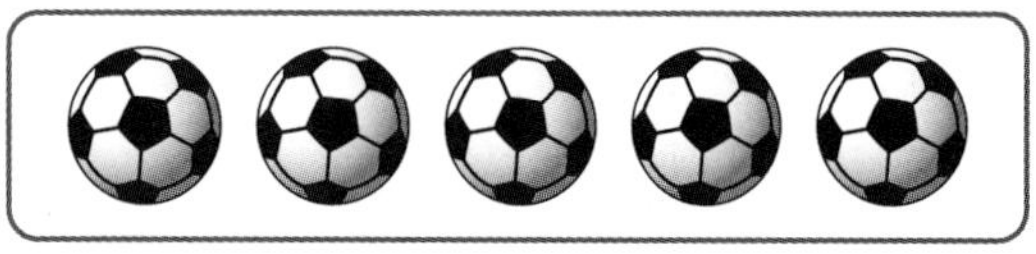

(1 2 3 4 5)

04

(1 2 3 4 5)

05

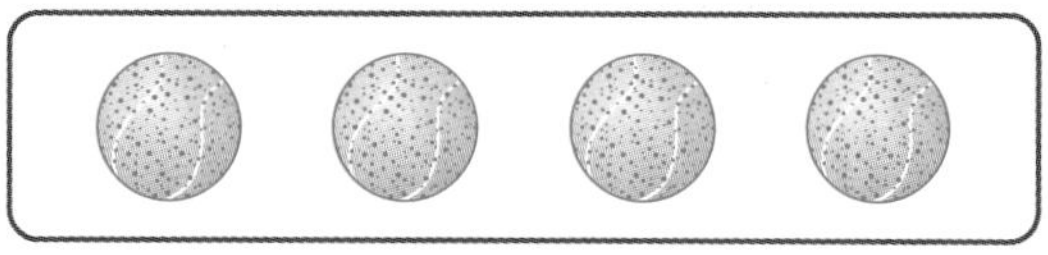

(1 2 3 4 5)

06

(6 7 8 9)

07

(6 7 8 9)

08

(6 7 8 9)

[09~16] 주어진 수보다 1만큼 더 큰 수와 1만큼 더 작은 수를 각각 쓰시오.

09 □ — 4 — □

1만큼 더 작은 수 / 1만큼 더 큰 수

10 □ — 6 — □

1만큼 더 작은 수 / 1만큼 더 큰 수

11 □ — 1 — □

1만큼 더 작은 수 / 1만큼 더 큰 수

12 □ — 8 — □

1만큼 더 작은 수 / 1만큼 더 큰 수

13 □ — 7 — □

1만큼 더 작은 수 / 1만큼 더 큰 수

14 □ — 3 — □

1만큼 더 작은 수 / 1만큼 더 큰 수

15

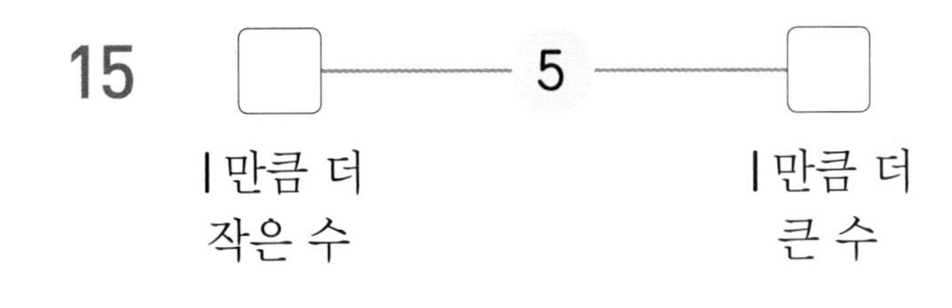

16 □ — 2 — □

1만큼 더 작은 수 / 1만큼 더 큰 수

7 여러 가지 모양 찾기

- ⬜, ⬜, ⚪ 찾기

물건	(선물 상자), ㉠ (휴지), ㉡ (테니스공), (통조림), (주사위), (축구공)

모양	물건	
(상자 모양)	(선물 상자)	(주사위)
(둥근기둥 모양)	❶	(통조림)
(공 모양)	❷	(축구공)

[답] ❶ ㉠ ❷ ㉡

핵심 체크

1 (상자 모양) 모양은 ((주사위) , (통조림) , (테니스공))입니다.

2 (둥근기둥 모양) 모양은 ((축구공) , (선물 상자) , (휴지))입니다.

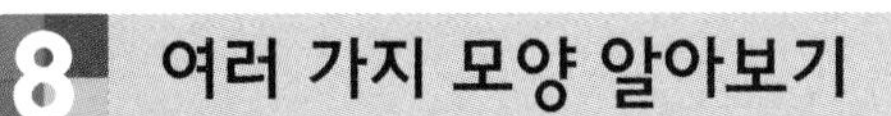

8 여러 가지 모양 알아보기

● 일부분만 보고 모양 알아맞히기

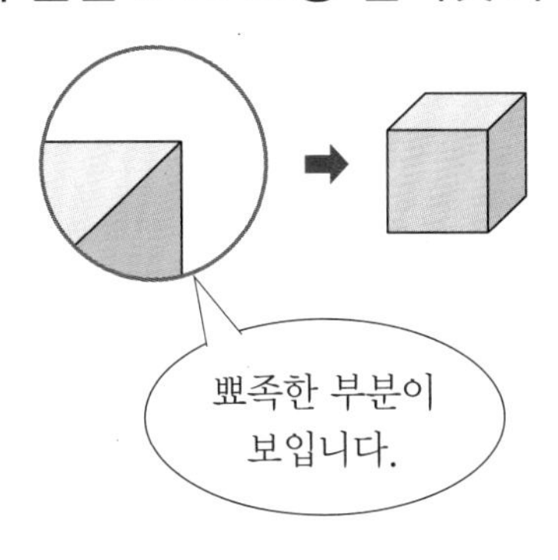

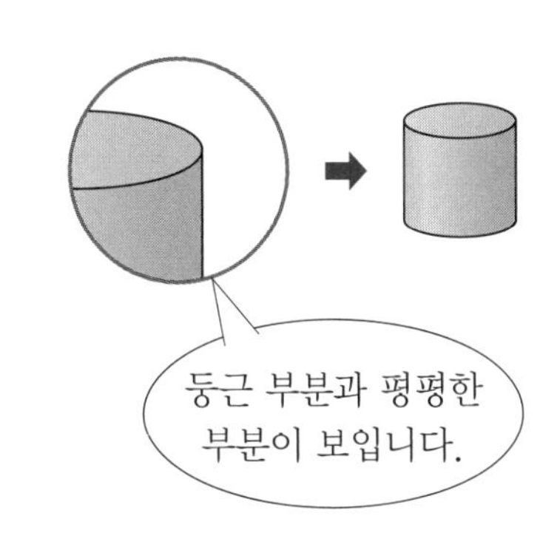

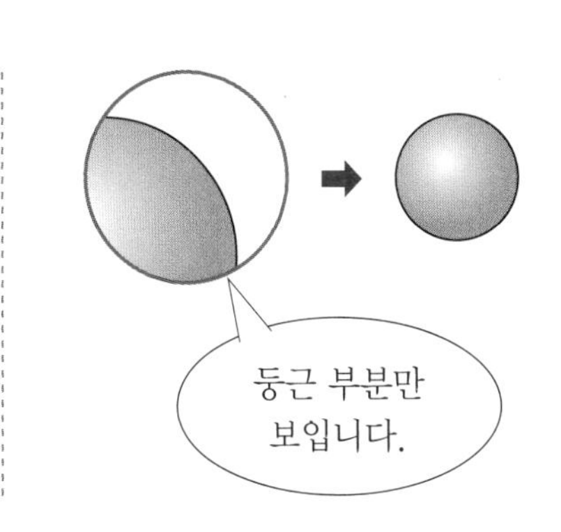

● 여러 가지 모양의 특징 알아보기

모양	쌓기	굴리기
(상자 모양)	잘 쌓을 수 있습니다.	잘 굴러가지 않습니다.
(둥근기둥 모양)	세우면 쌓을 수 있습니다.	눕히면 잘 ❷ ☐.
(공 모양)	쌓을 수 ❶ ☐.	잘 굴러갑니다.

[**답**] ❶ 없습니다 ❷ 굴러갑니다

핵심 체크

1 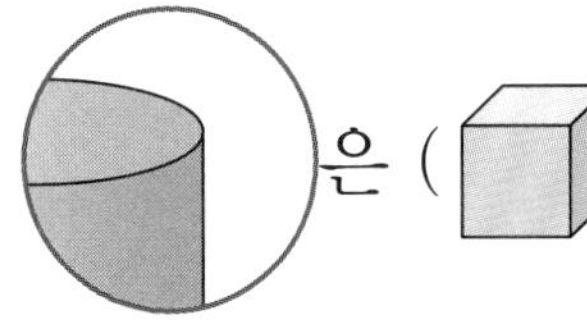 은 (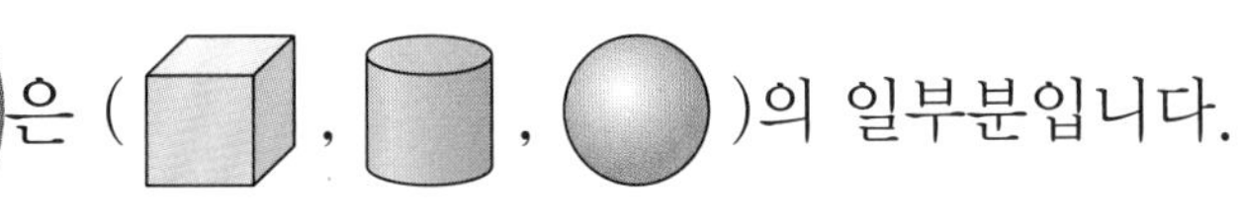 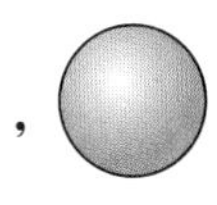)의 일부분입니다.

둥근 부분과 평평한
부분이 보입니다.

2 쌓을 수 없는 모양은 (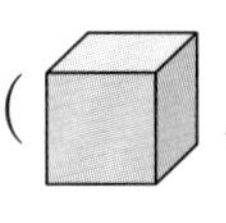 , 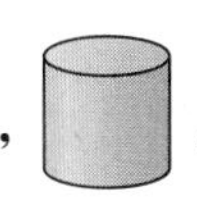 , )입니다.

집중 연습

[01~08] 모양에 □표, 모양에 △표, 모양에 ○표 하시오.

01

(　　　　　　)

02

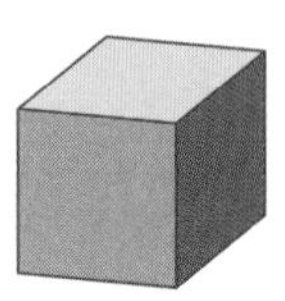

(　　　　　　)

03

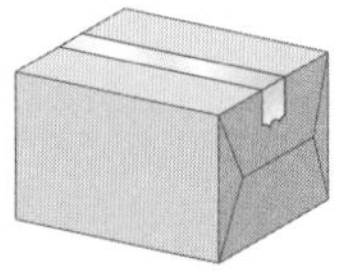

(　　　　　　)

04

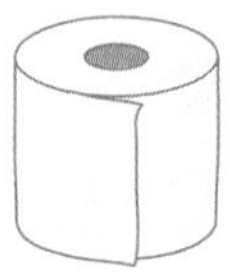

(　　　　　　)

05

(　　　　　　)

06

(　　　　　　)

07

(　　　　　　)

08

(　　　　　　)

[09~14] 설명에 알맞은 모양을 찾아 ○표 하시오.

09

둥근 부분이 없습니다.

(, ,)

10

쌓을 수 없습니다.

(, ,)

11

뾰족한 부분이 있습니다.

(, ,)

12

평평한 부분과 둥근 부분이 있습니다.

(, ,)

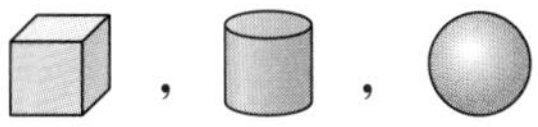

13

잘 굴러가지 않습니다.

(, ,)

14

눕히면 잘 굴러갑니다.

(, ,)

9 모으기와 가르기

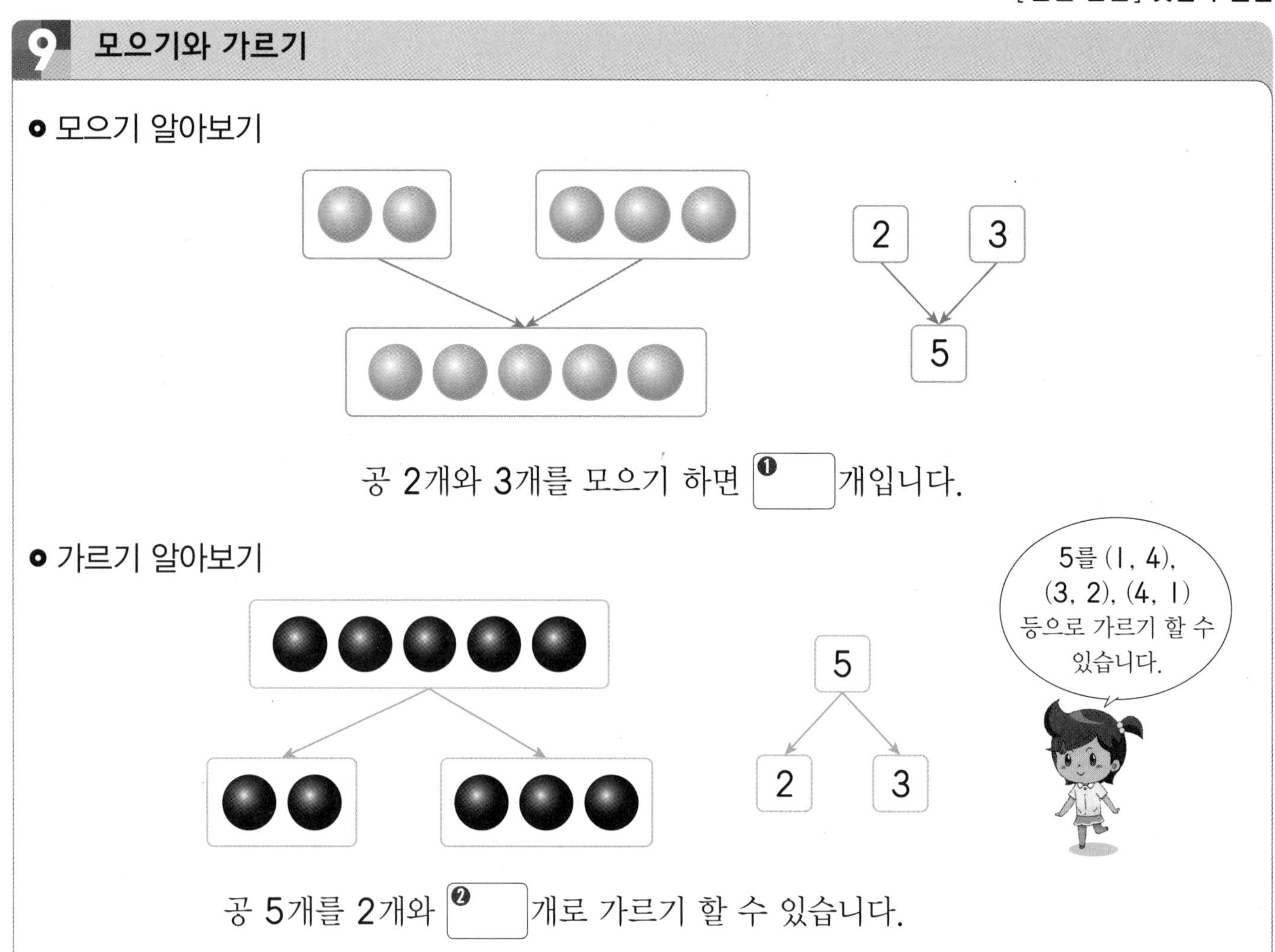

• 모으기 알아보기

공 2개와 3개를 모으기 하면 ❶ ☐ 개입니다.

• 가르기 알아보기

공 5개를 2개와 ❷ ☐ 개로 가르기 할 수 있습니다.

[답] ❶ 5 ❷ 3

핵심 체크

1 1과 3을 모으기 하면 (4 , 5)입니다.

공 1개와 3개를 모으기 하면 4개입니다.

2

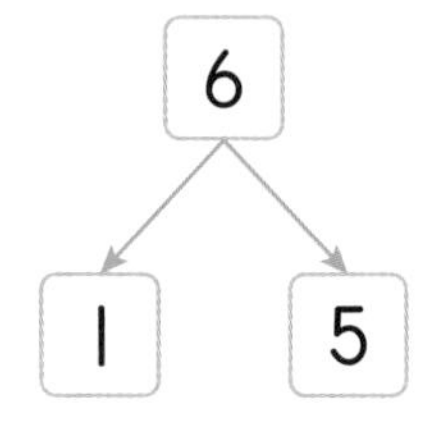

6을 가르기 하면 1과 (4 , 5)입니다.

10 더하기로 나타내고 덧셈하기

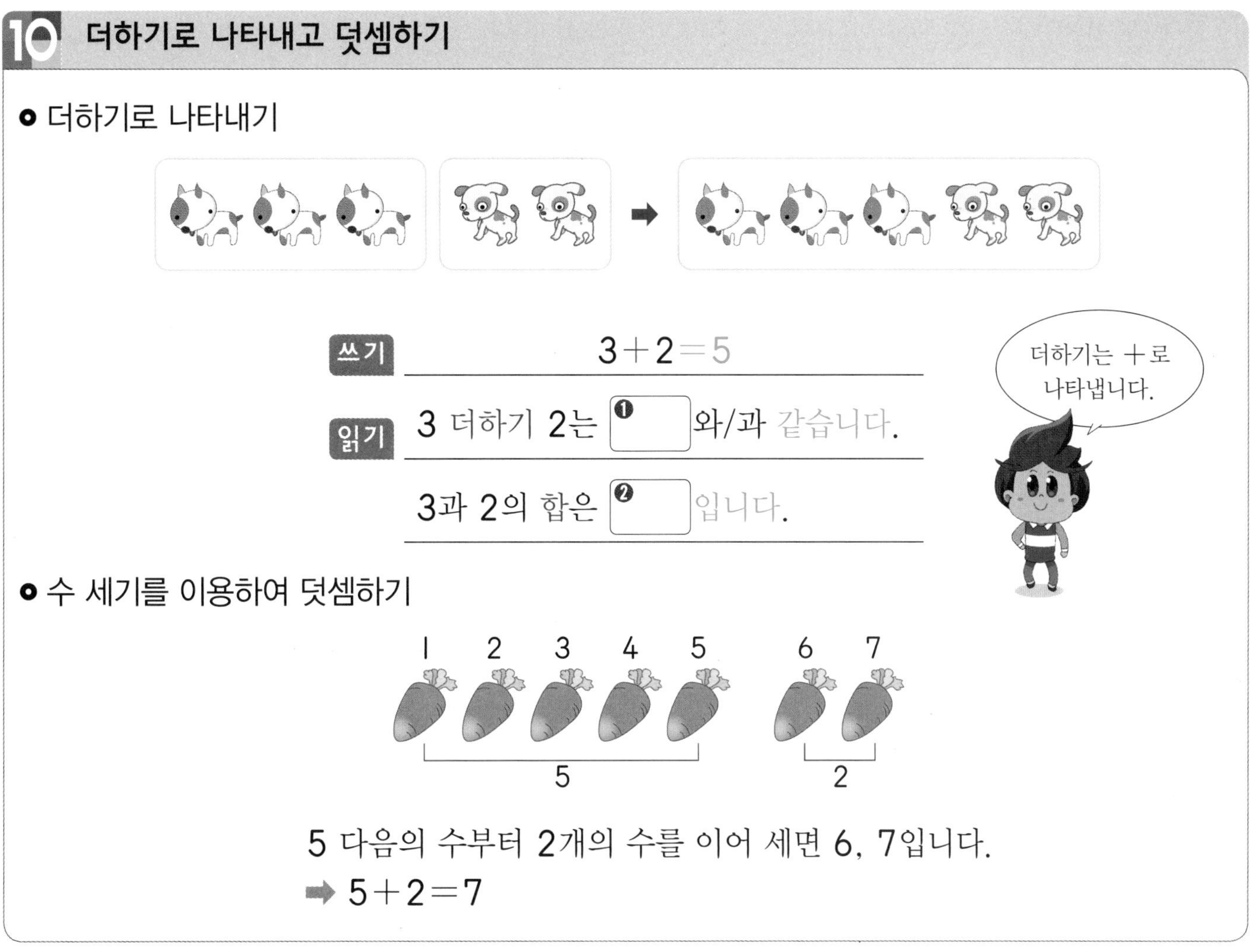

5 다음의 수부터 2개의 수를 이어 세면 6, 7입니다.

➡ $5+2=7$

[답] ❶ 5 ❷ 5

핵심 체크

1 '1 더하기 1은 2와 같습니다.'를 덧셈식으로 나타내면 $1+1=2$입니다. (○ , ×)

2 $3+4=7$을 읽으면 '3과 4의 합은 7입니다.'입니다. (○ , ×)

11 덧셈하기

- 그림을 그려 덧셈하기

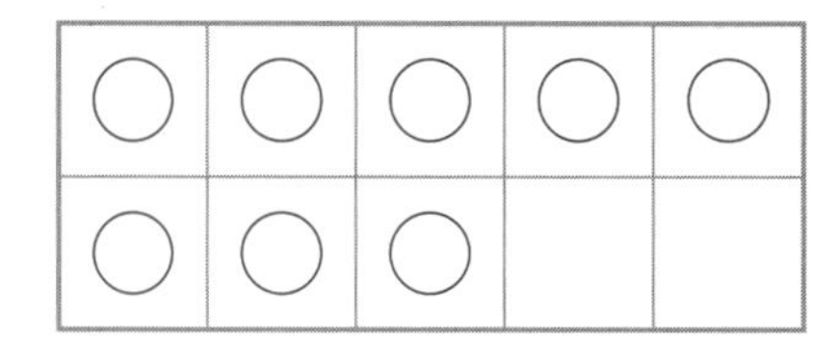

공의 수만큼 수판에 ○를 그리면 3 다음에 4, 5, 6, 7, 8이므로 공은 모두 8개입니다.

➡ 3+5=❶ [ ]

- 모으기를 이용하여 덧셈하기

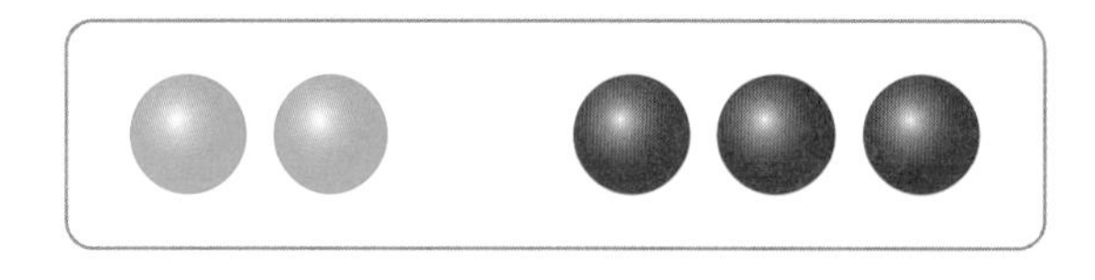
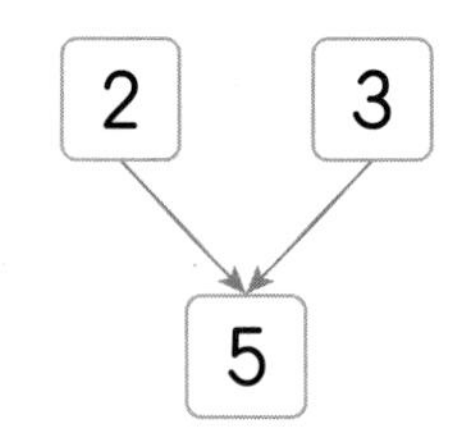

2와 3을 모으기 하면 5이므로 파란색 공 2개와 빨간색 공 3개를 더하면 5개입니다.

➡ 2+3=❷ [ ]

[답] ❶ 8 ❷ 5

핵심 체크

1 공의 수만큼 ○를 그리면 공은 모두 (5 , 6)개입니다. ➡ 4+2=(5 , 6)

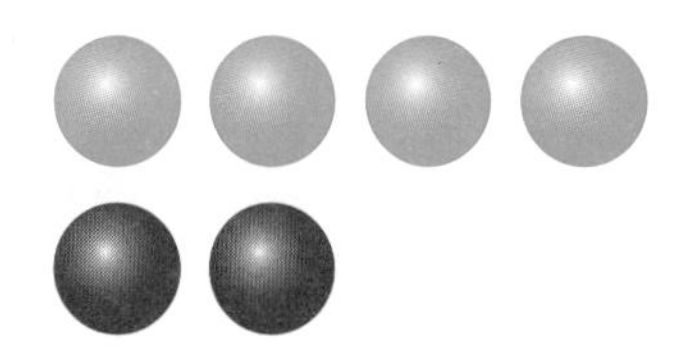
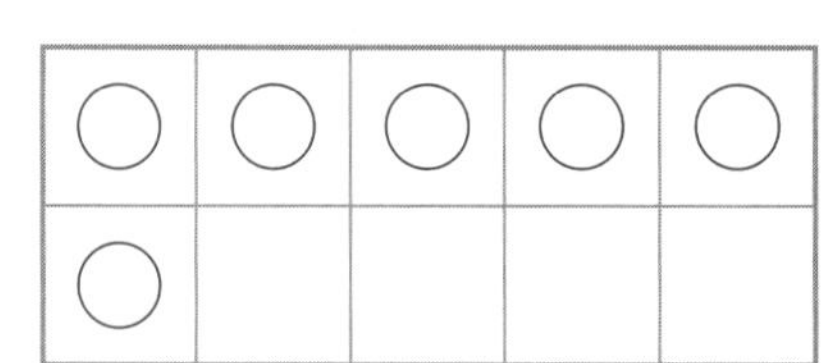

2 5와 2를 모으면 (6 , 7)입니다. ➡ 5+2=(6 , 7)

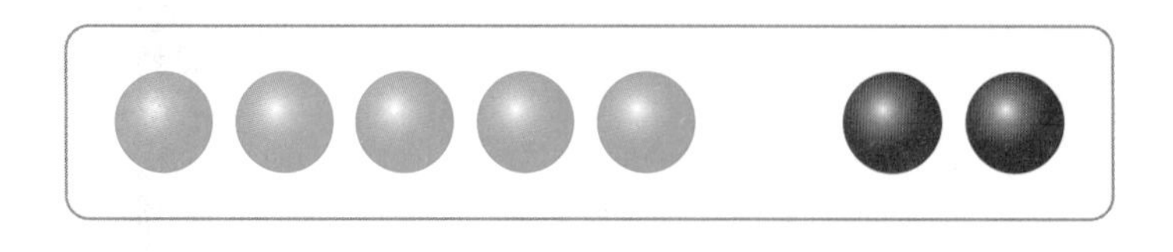
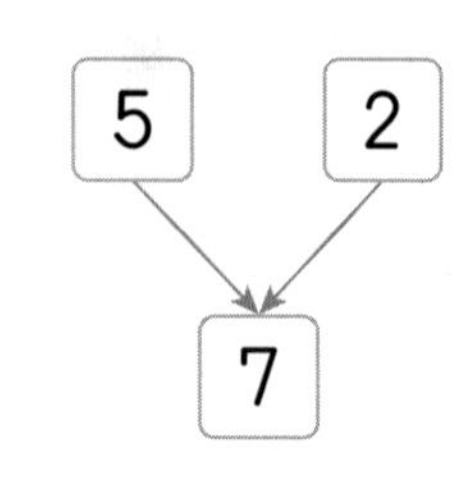

12 빼기로 나타내고 뺄셈하기

● 빼기로 나타내기

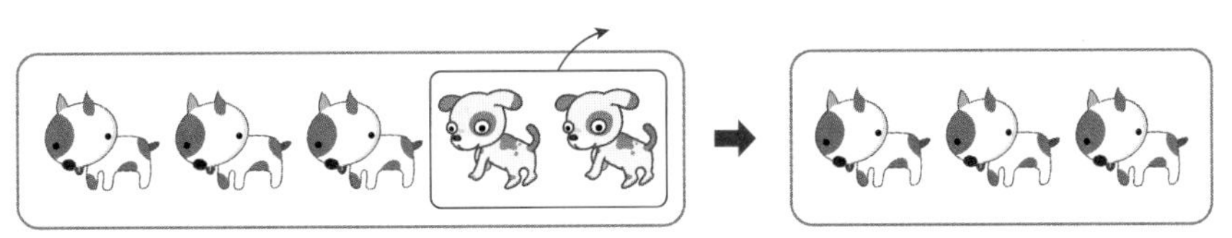

쓰기 5－2＝3

읽기 5 빼기 2는 ❶ [ ] 와/과 같습니다.

5와 2의 차는 ❷ [ ] 입니다.

● /으로 지우고 남은 ○의 수 세기

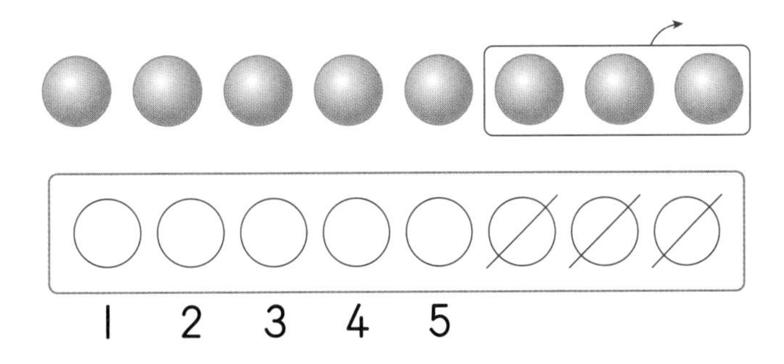

공 8개 중에서 3개를 뺐습니다.

➡ 동그라미 8개에서 3개를 지우고 하나씩 세면 1, 2, 3, 4, 5로 5개가 남습니다.

➡ 8－3＝5

[답] ❶ 3 ❷ 3

핵심체크

1 '3 빼기 1은 2와 같습니다.'를 뺄셈식으로 나타내면 3－2＝1 입니다. (○ , ×)

2 동그라미 9개에서 4개를 지우면 (4 , 5)개가 남습니다. ➡ 9－4＝(4 , 5)

13 뺄셈하기

• 하나씩 짝 짓고 남은 것의 수 세어 뺄셈하기

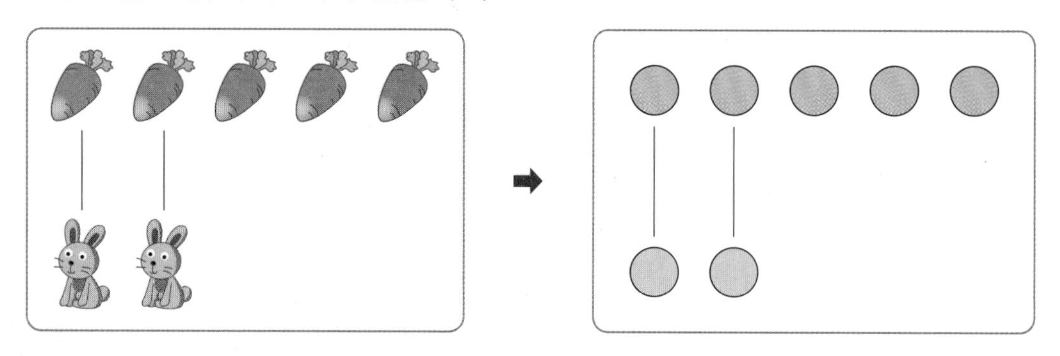

당근 5개와 토끼 2마리를 하나씩 짝 지으면 당근 3개가 남습니다.

➡ 5－2＝❶ ☐

• 가르기를 이용하여 뺄셈하기

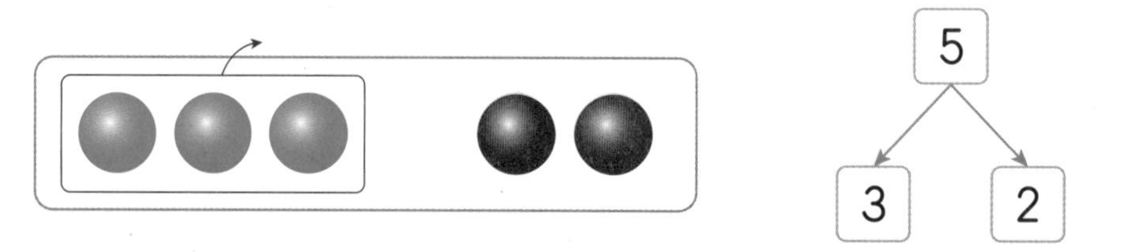

5는 3과 2로 가르기 할 수 있으므로 공 5개에서 파란색 공 3개를 빼면 빨간색 공은 2개입니다.

➡ 5－3＝❷ ☐

[답] ❶ 3 ❷ 2

핵심 체크

1 9를 가르기 하면 5와 (3 , 4)입니다. ➡ 9－5＝(3 , 4)

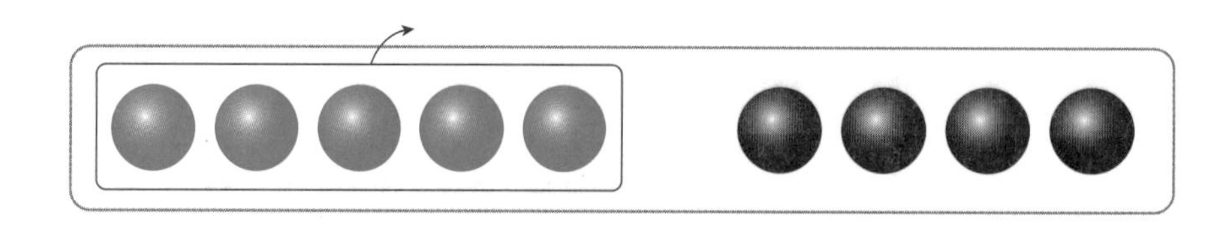

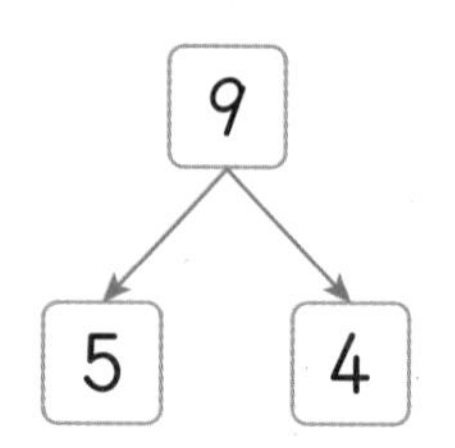

2 8－4＝(3 , 4)

14 0의 덧셈과 뺄셈

- 0+(어떤 수)

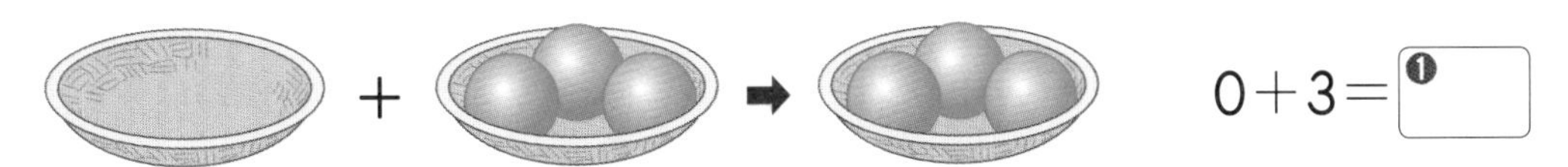

$0+3=$ ❶ ☐

0에 어떤 수를 더하면 항상 어떤 수가 나옵니다.

- (어떤 수)+0

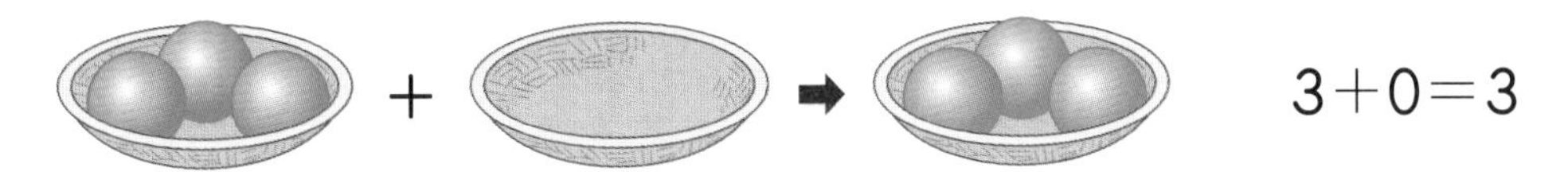

$3+0=3$

어떤 수에 0을 더하면 항상 어떤 수가 나옵니다.

- (어떤 수)−0

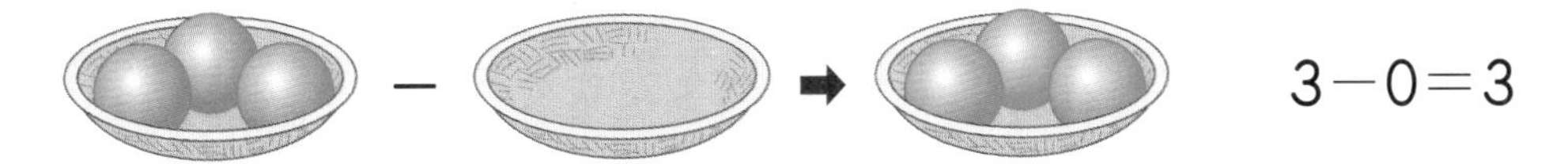

$3-0=3$

어떤 수에서 0을 빼면 어떤 수 그대로입니다.

- (어떤 수)−(어떤 수)

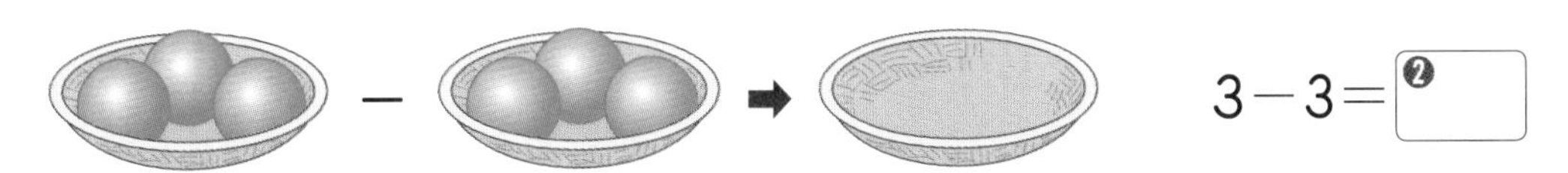

$3-3=$ ❷ ☐

어떤 수에서 그 수 전체를 빼면 0이 됩니다.

[**답**] ❶ 3 ❷ 0

핵심 체크

1 0+6의 값은 (0 , 6)입니다.

2 7−7의 값은 (0 , 7)입니다.

집중 연습

[01~08] 모으기를 하고 덧셈을 하시오.

01 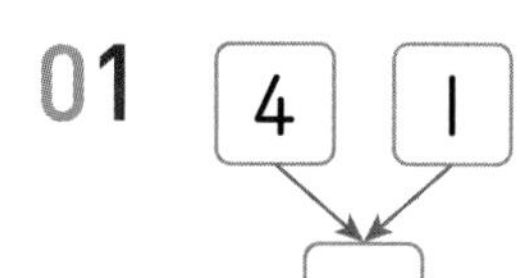

4 | 1

$4+1=\square$

02

6 | 3

$6+3=\square$

03

2 | 5

$2+5=\square$

04

1 | 2

$1+2=\square$

05

4 | 4

$4+4=\square$

06 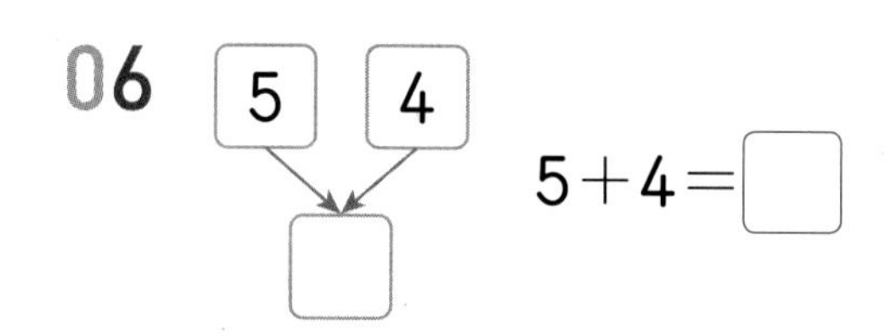

5 | 4

$5+4=\square$

07

4 | 2

$4+2=\square$

08

3 | 4

$3+4=\square$

[09~16] 가르기를 하고 뺄셈을 하시오.

09

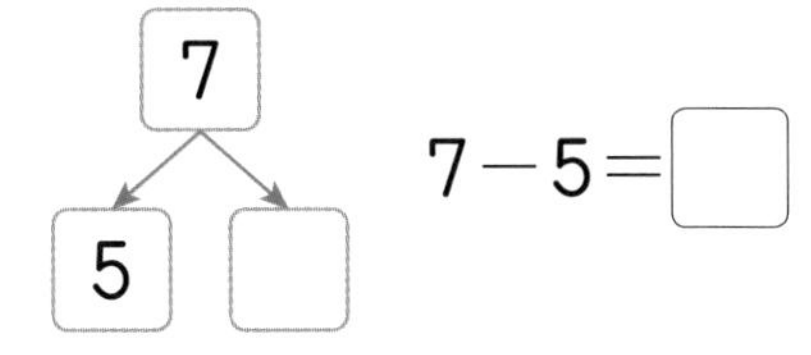

10

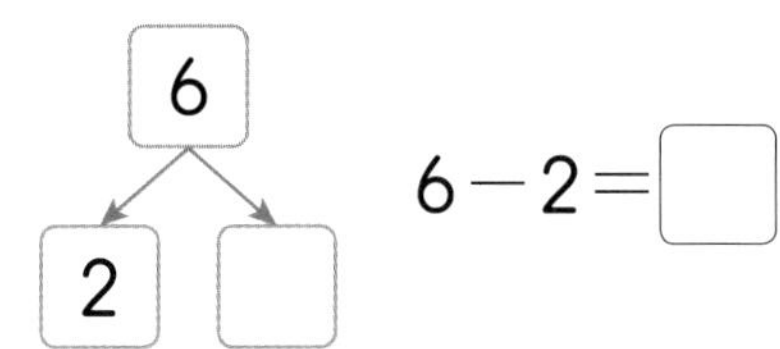

11

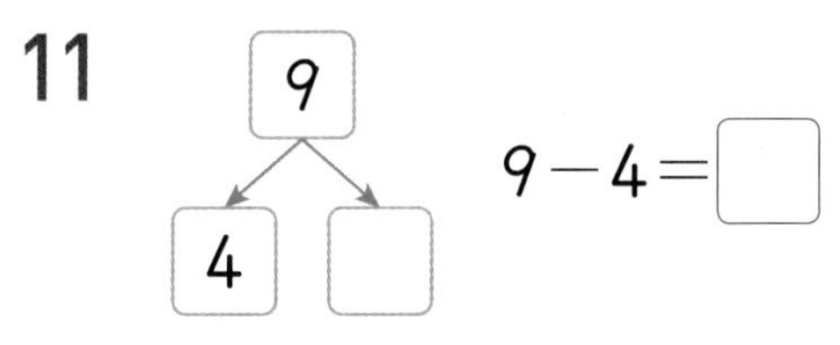

12

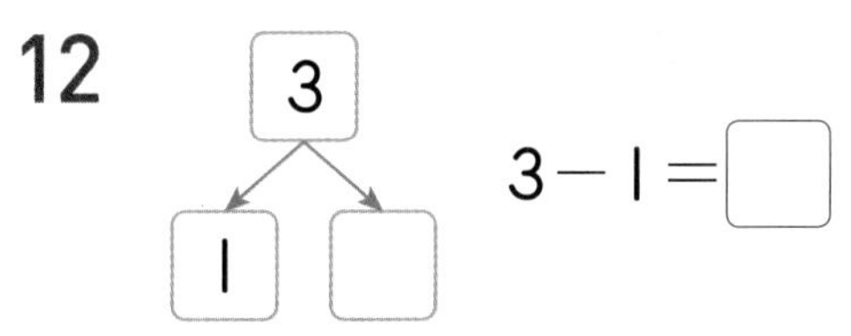

13

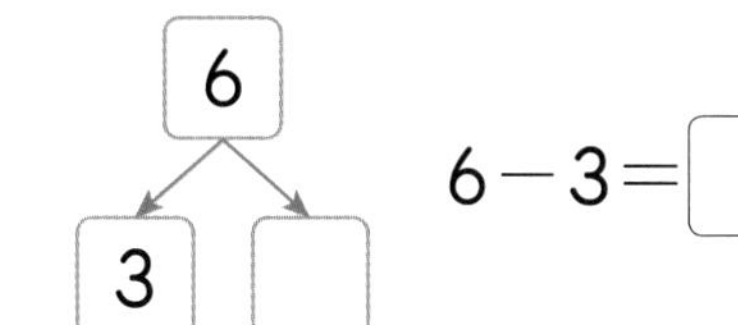

14

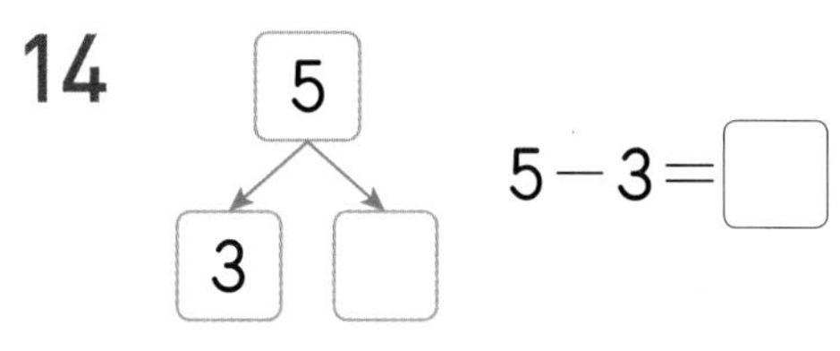

15

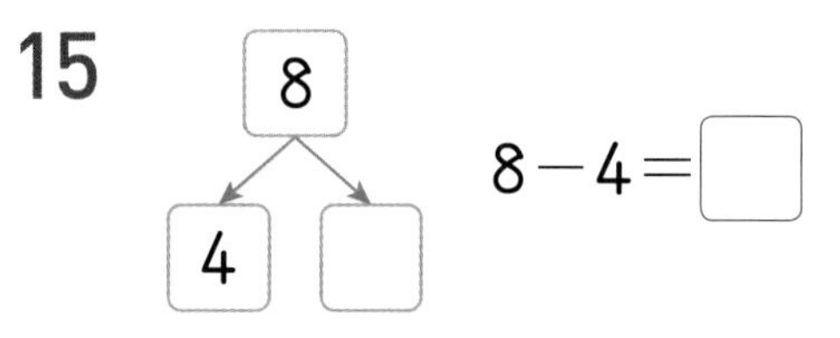

16

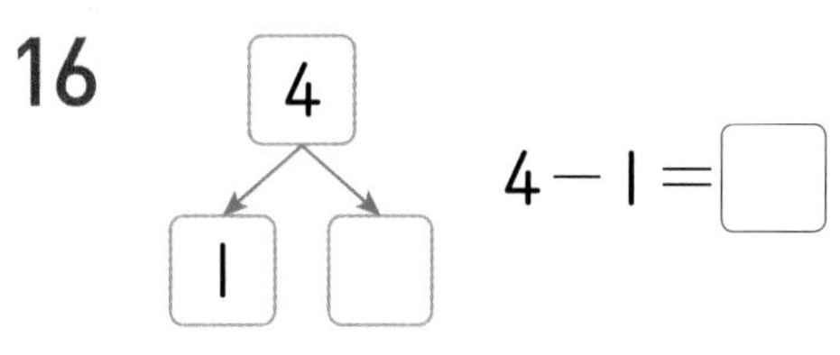

15 길이 비교하기

연필이 가장 ❶ ☐.

지우개가 가장 ❷ ☐.

[답] ❶ 깁니다 ❷ 짧습니다

핵심 체크

1

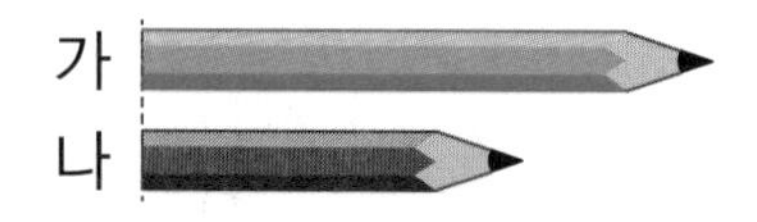

가 연필은 나 연필보다 더 (깁니다 , 짧습니다).

한쪽 끝을 맞추었으므로 반대쪽 끝을 확인합니다.

2

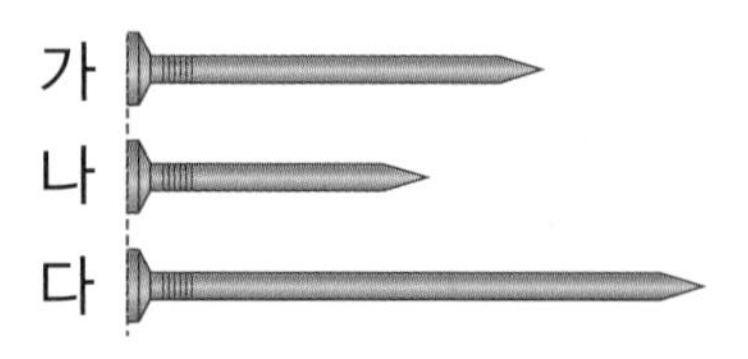

나 못이 가장 (깁니다 , 짧습니다).

16 무게 비교하기

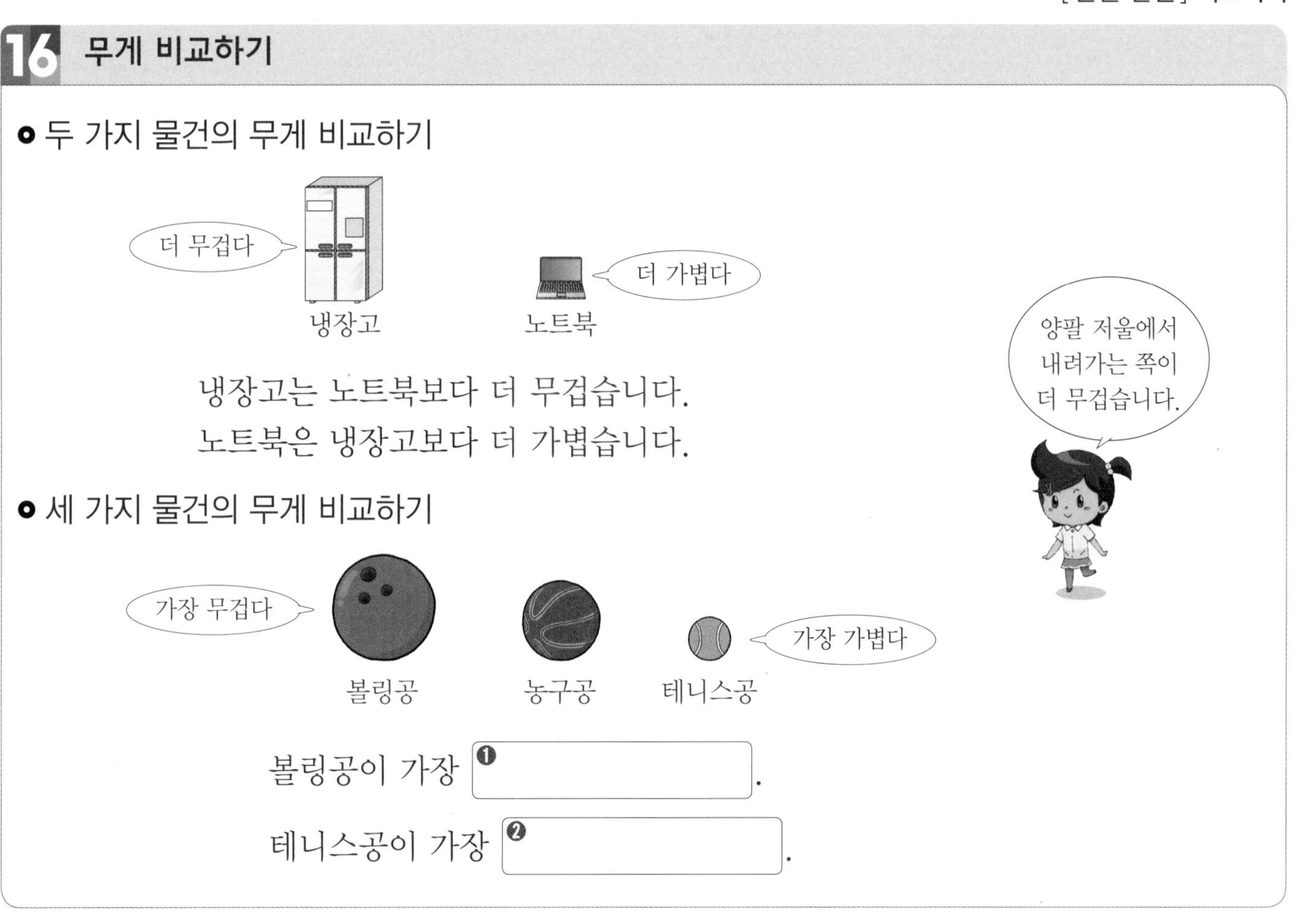

- 두 가지 물건의 무게 비교하기

냉장고는 노트북보다 더 무겁습니다.
노트북은 냉장고보다 더 가볍습니다.

- 세 가지 물건의 무게 비교하기

볼링공이 가장 ❶ [   ].

테니스공이 가장 ❷ [   ].

[답] ❶ 무겁습니다 ❷ 가볍습니다

핵심 체크

1

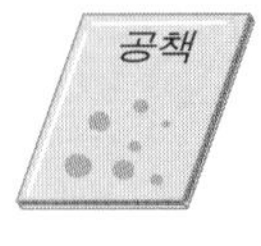

공책이 백과사전보다 더 (무겁습니다 , 가볍습니다).

2

딸기

포도

수박

수박이 가장 (무겁습니다 , 가볍습니다).

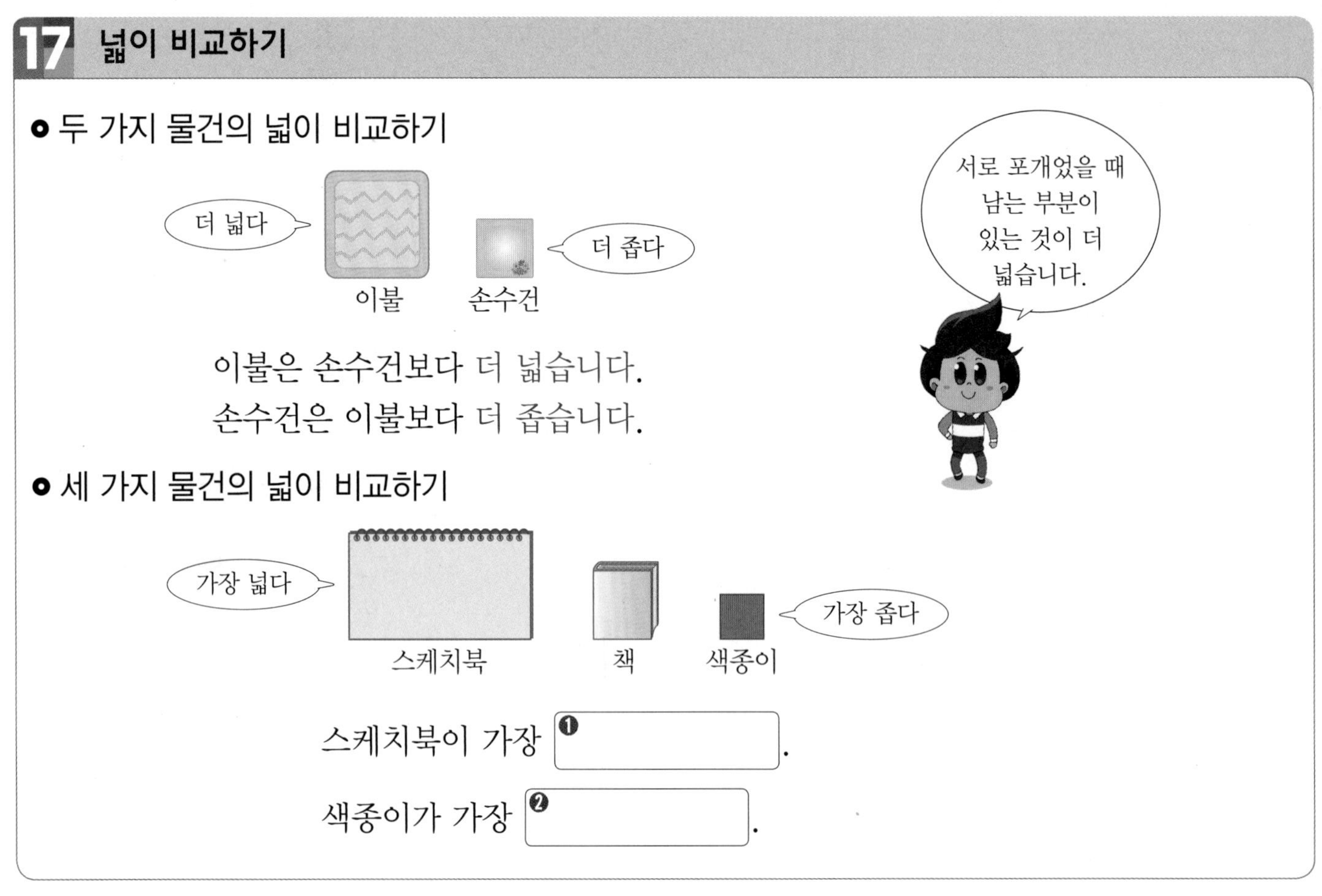

17 넓이 비교하기

- 두 가지 물건의 넓이 비교하기

이불은 손수건보다 더 넓습니다.
손수건은 이불보다 더 좁습니다.

- 세 가지 물건의 넓이 비교하기

스케치북이 가장 ❶ [　　　　].

색종이가 가장 ❷ [　　　　].

[**답**] ❶ 넓습니다 ❷ 좁습니다

핵심 체크

1

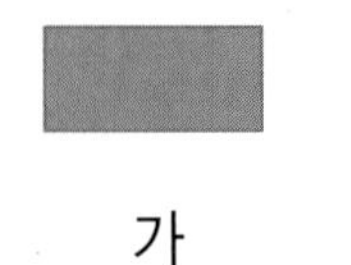

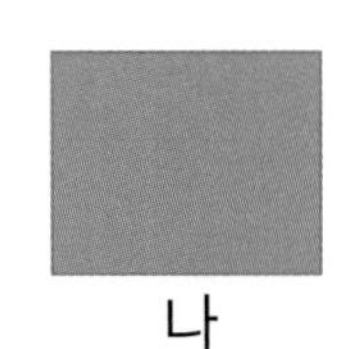

가　　　　나

가 종이가 나 종이보다 더 (넓습니다 , 좁습니다).

두 종이를 포개었을 때 나 종이가 남는 부분이 있습니다.

2

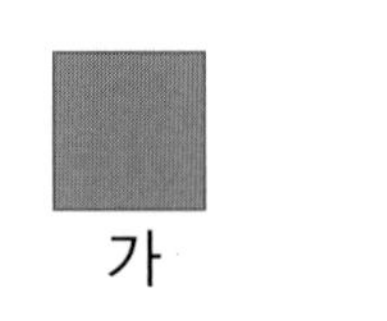

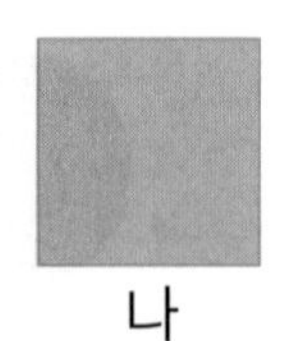

가　　　　나　　　　다

다 종이가 가장 (넓습니다 , 좁습니다).

18 담을 수 있는 양 비교하기

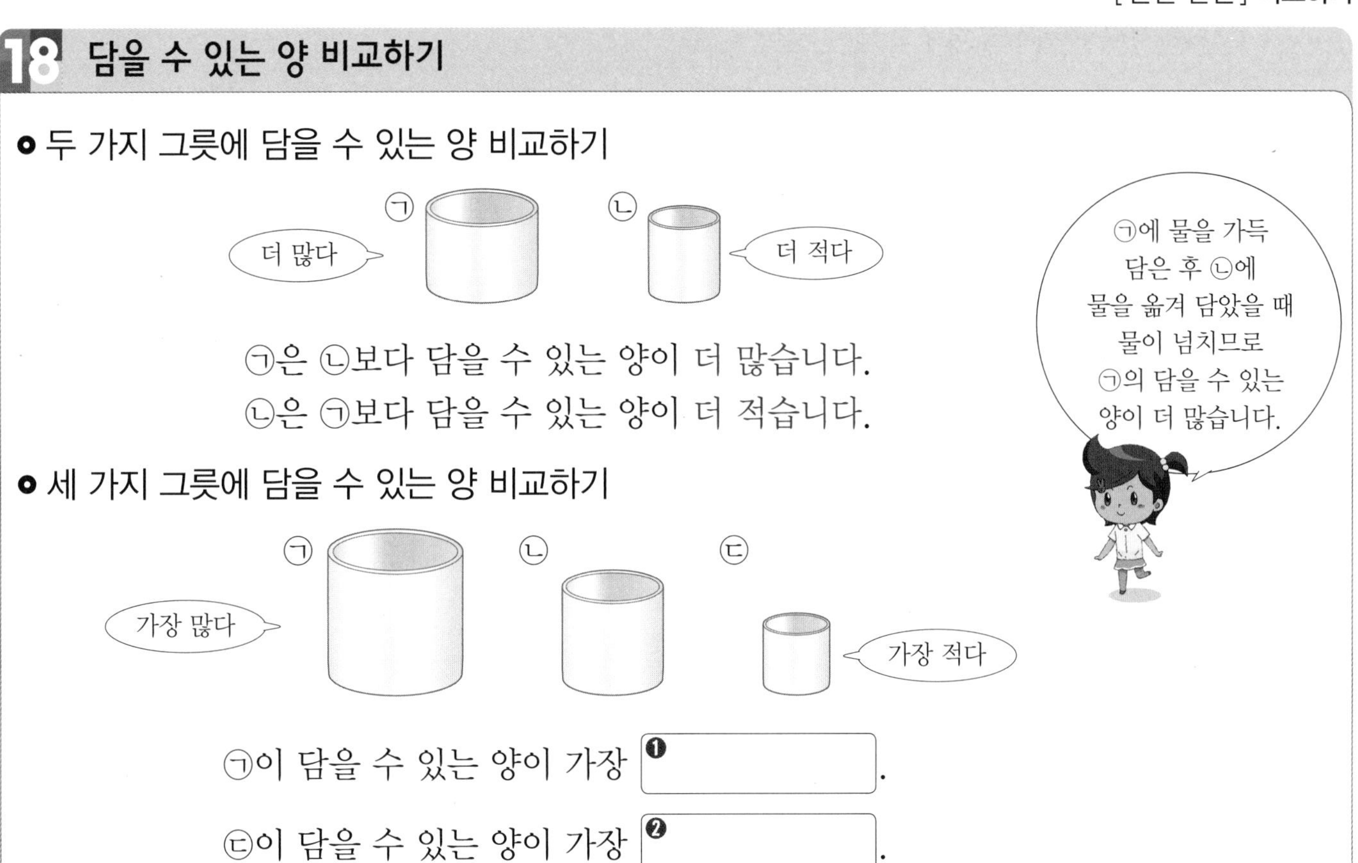

• 두 가지 그릇에 담을 수 있는 양 비교하기

㉠은 ㉡보다 담을 수 있는 양이 더 많습니다.
㉡은 ㉠보다 담을 수 있는 양이 더 적습니다.

• 세 가지 그릇에 담을 수 있는 양 비교하기

㉠이 담을 수 있는 양이 가장 ❶ ______.

㉢이 담을 수 있는 양이 가장 ❷ ______.

[답] ❶ 많습니다 ❷ 적습니다

핵심 체크

1

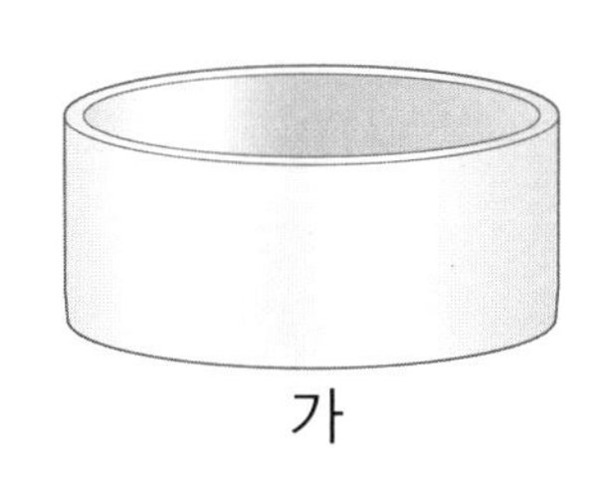

가

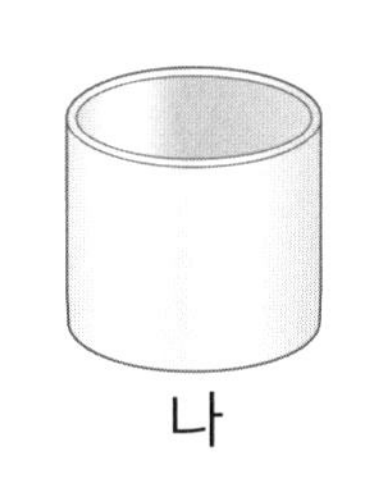

나

가 그릇이 나 그릇보다 담을 수 있는 양이 더 (많습니다 , 적습니다).

가 그릇에 물을 가득 담고 나 그릇에 옮겨 담으면 물이 넘칩니다.

2

가

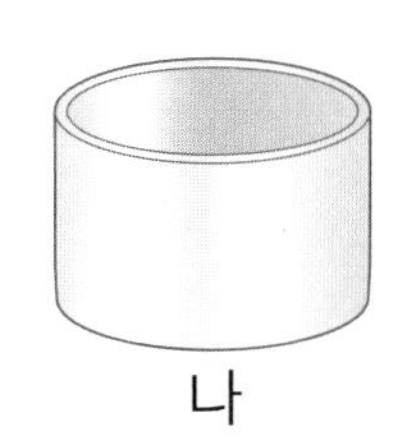

나

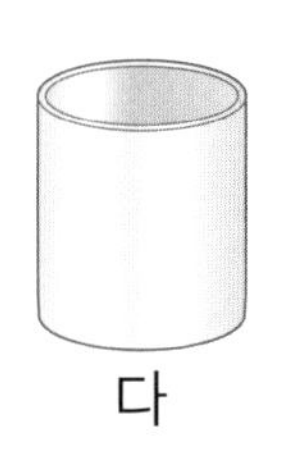

다

가 그릇이 담을 수 있는 양이 가장 (많습니다 , 적습니다).

집중 연습

[01~04] 더 긴 것에 ○표 하시오.

01

(　　　　)

(　　　　)

02

(　　　　)

(　　　　)

03

(　　　　)

(　　　　)

04

(　　　　)

(　　　　)

[05~08] 더 무거운 것에 ○표 하시오.

05

(　　　　)　(　　　　)

06

(　　　　)　(　　　　)

07

(　　　　)　(　　　　)

08

(　　　　)　(　　　　)

[09~12] 더 넓은 것에 ○표 하시오.

09

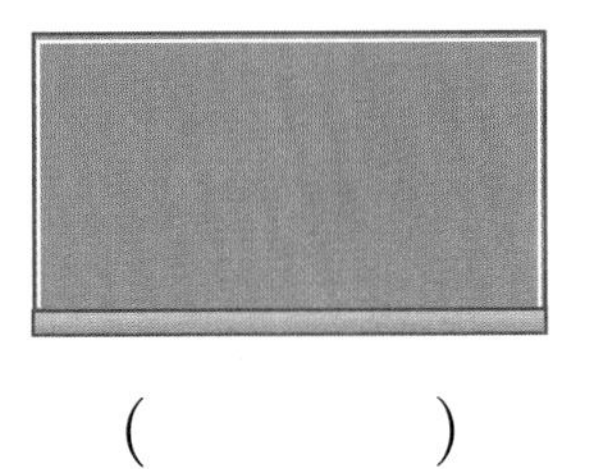

(　　　　) (　　　　)

10

(　　　　) (　　　　)

11

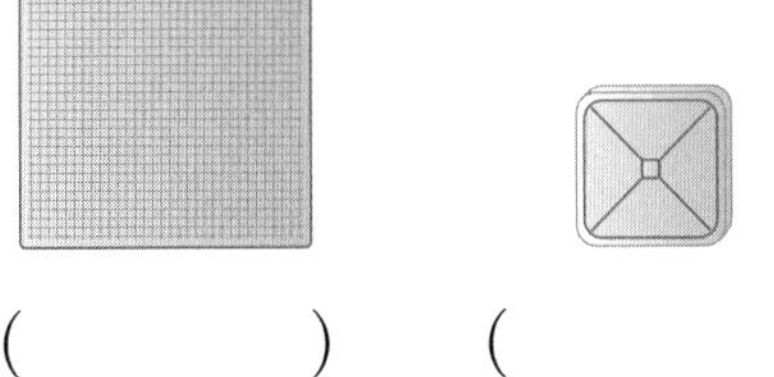

(　　　　) (　　　　)

12

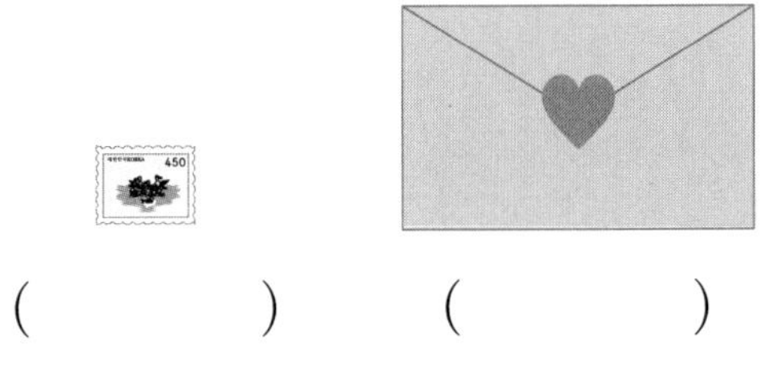

(　　　　) (　　　　)

[13~16] 담을 수 있는 양이 더 많은 것에 ○표 하시오.

13

(　　　　) (　　　　)

14

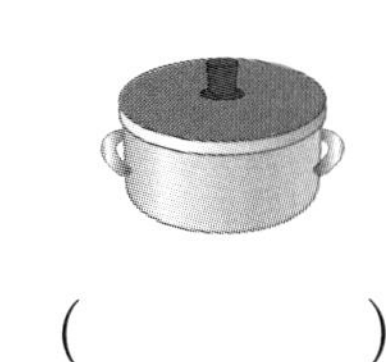

(　　　　) (　　　　)

15

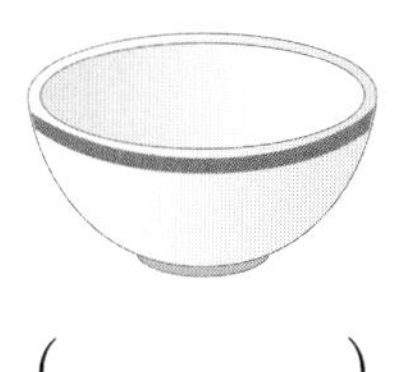

(　　　　) (　　　　)

16

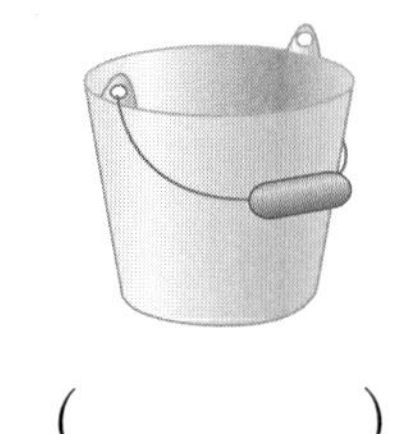

(　　　　) (　　　　)

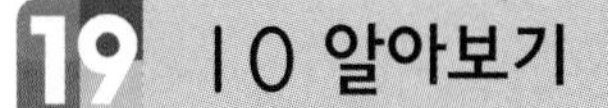

19 10 알아보기

- 9 다음 수 알아보기

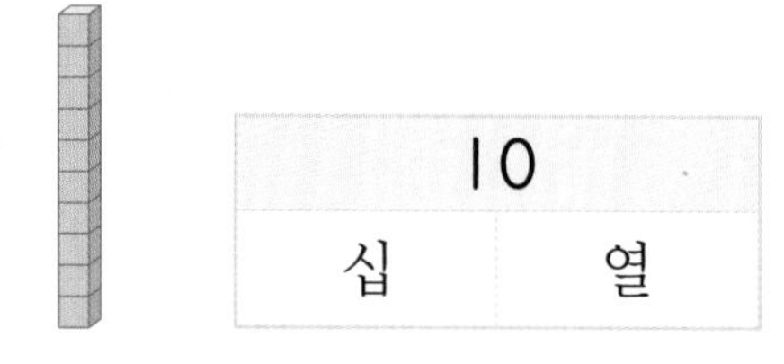

10	
십	열

➡ 9보다 1만큼 더 큰 수를 10이라고 합니다.

- 10을 모으기와 가르기

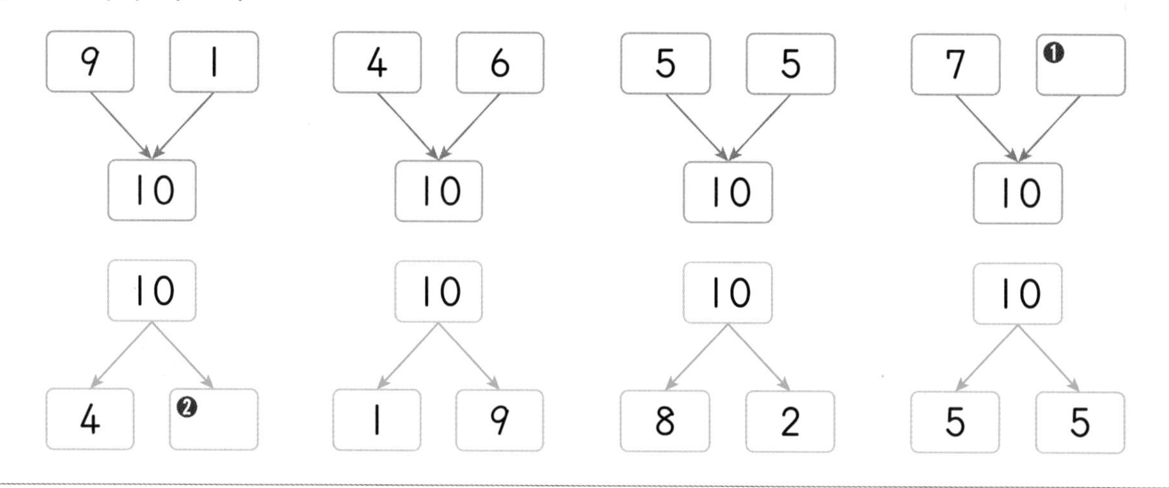

[답] ❶ 3 ❷ 6

핵심 체크

1 8보다 1만큼 더 큰 수는 10입니다. (○ , ×)

2 7, 3 → 10

7과 3을 모으기 하면 (9 , 10)입니다.

3

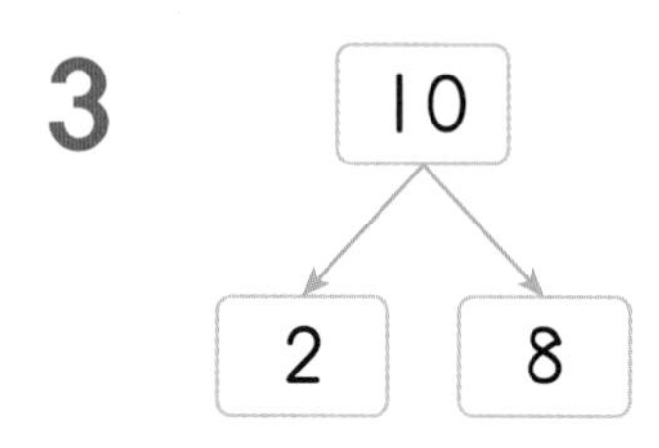

10을 가르기 하면 2와 (7 , 8)입니다.

20 십몇 알아보기

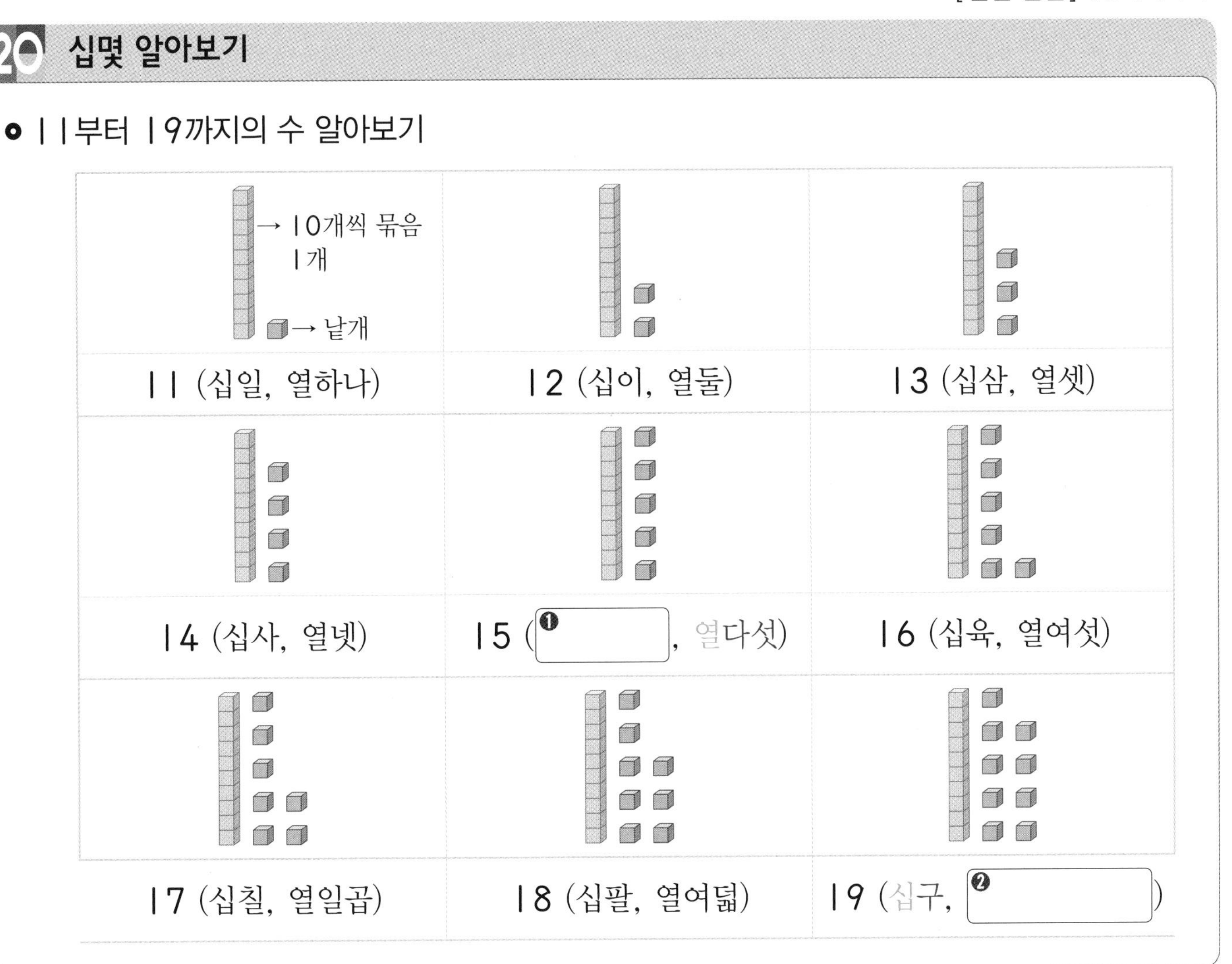

- 11부터 19까지의 수 알아보기

→ 10개씩 묶음 1개 / → 낱개		
11 (십일, 열하나)	12 (십이, 열둘)	13 (십삼, 열셋)
14 (십사, 열넷)	15 (❶ [ ], 열다섯)	16 (십육, 열여섯)
17 (십칠, 열일곱)	18 (십팔, 열여덟)	19 (십구, ❷ [ ])

[답] ❶ 십오 ❷ 열아홉

핵심 체크

1 10개씩 묶음 1개와 낱개 3개인 수는 (11 , 13)입니다.

2 17을 읽으면 (십칠 , 십구)입니다.

21 모으기와 가르기

• 11부터 19까지의 수를 모으기

• 11부터 19까지의 수를 가르기

[답] ❶ 5 ❷ 8

핵심 체크

1

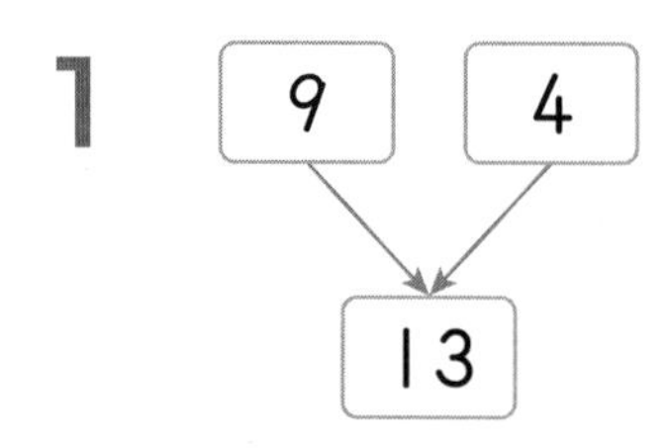

9와 4를 모으기 하면 (13 , 14)입니다.

2

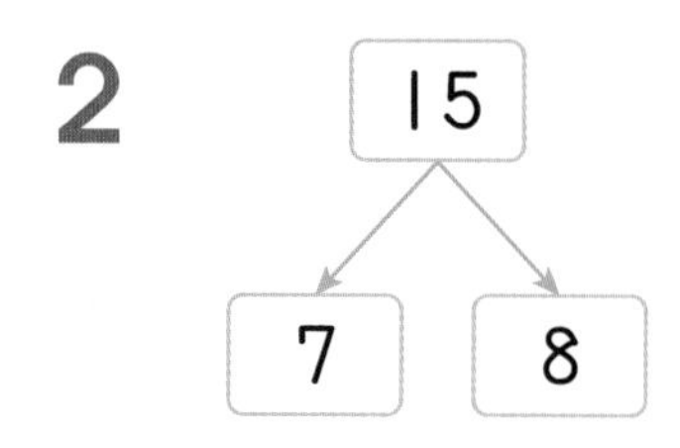

15를 가르기 하면 7과 (8 , 9)입니다.

22 10개씩 묶어 세기, 50까지의 수 세기

- 20, 30, 40, 50 알아보기

10개씩 묶음 2개	10개씩 묶음 3개	10개씩 묶음 4개	10개씩 묶음 5개
20	30	40	50
이십, 스물	삼십, 서른	사십, 마흔	오십, 쉰

- 몇십몇을 읽고 쓰기

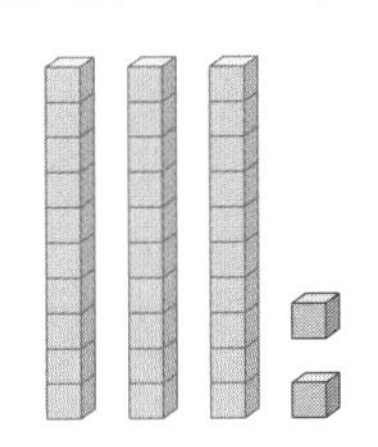

32	
삼십이	서른둘

➡ 10개씩 묶음 3개와 낱개 2개를 32라고 합니다.

- 10개씩 묶음과 낱개로 나타내기

	10개씩 묶음	낱개
24	2	4
36	❶	6
48	4	❷

[답] ❶ 3 ❷ 8

핵심 체크

1 10개씩 묶음 4개와 낱개 3개인 수는 (34 , 43)입니다.

2 29를 읽으면 (스물아홉 , 서른아홉)입니다.

23 수의 순서 알아보기

• 50까지의 수의 순서

1	2	3	4	5	6	7	8	9	10
11	12	13	14	15	16	17	18	19	20
21	22	23	24	25	26	27	28	29	30
31	32	33	34	35	36	37	38	39	40
41	42	43	44	45	46	47	48	49	50

- 43보다 1만큼 더 작은 수는 42이고, 42보다 1만큼 더 작은 수는 41입니다.
- 43보다 1만큼 더 큰 수는 44이고, 44보다 1만큼 더 큰 수는 ❶ [ ] 입니다.
- 24와 29 사이에 있는 수는 25, ❷ [ ], 27, 28입니다.

[답] ❶ 45 ❷ 26

핵심 체크

1 36보다 1만큼 더 작은 수는 (35 , 37)입니다.

2 22보다 1만큼 더 큰 수는 (21 , 23)입니다.

3 12와 14 사이에 있는 수는 15입니다. (○ , ×)

24 수의 크기 비교하기

• 10개씩 묶음의 수가 다른 경우

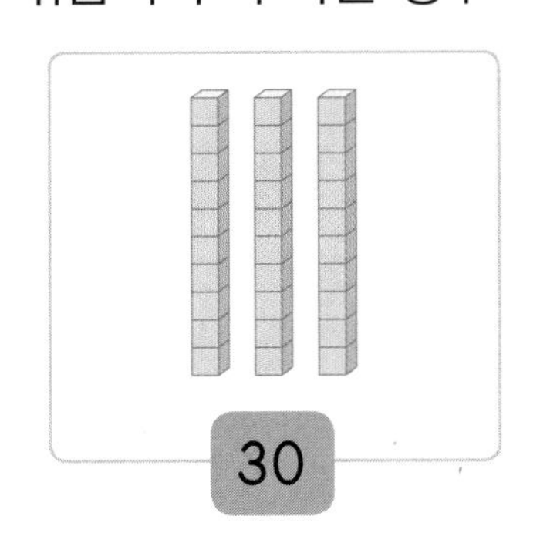

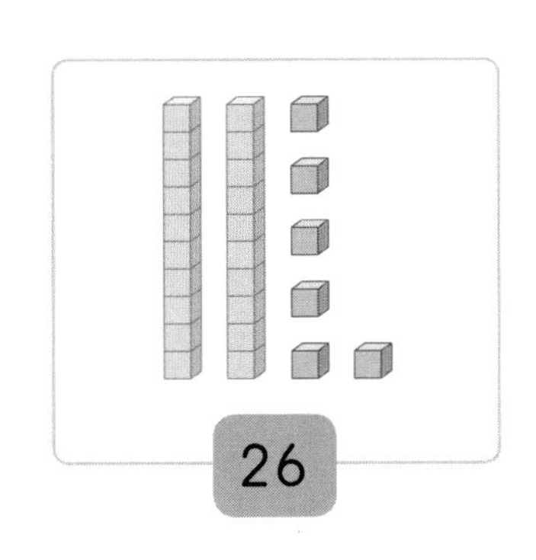

• 10개씩 묶음의 수가 클수록 더 큰 수입니다. ➡ $3>2$

① 30이 26보다 큽니다.

② 26이 30보다 작습니다.

• 10개씩 묶음의 수가 같은 경우

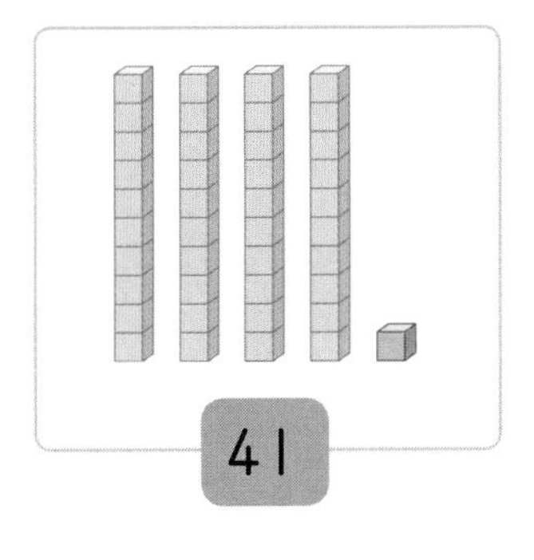

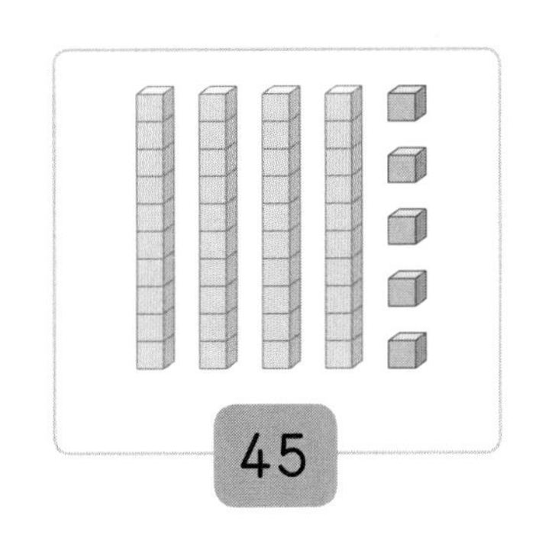

• 낱개의 수가 클수록 더 큰 수입니다. ➡ $1<5$

① 41이 45보다 ❶ [ ].

② 45가 41보다 ❷ [ ].

[답] ❶ 작습니다 ❷ 큽니다

핵심체크

1 22는 17보다 10개씩 묶음의 수가 (크므로 , 작으므로)

22는 17보다 (큽니다 , 작습니다).

집중 연습

[01~08] 수를 두 가지로 읽으시오.

01 | 16 |

(,)

05 | 15 |

(,)

02 | 33 |

(,)

06 | 21 |

(,)

03 | 42 |

(,)

07 | 39 |

(,)

04 | 26 |

(,)

08 | 50 |

(,)

[09~16] 빈칸에 알맞은 수를 써넣으시오.

09

수	10개씩 묶음	낱개
23		

10

수	10개씩 묶음	낱개
36		

11

수	10개씩 묶음	낱개
41		

12

수	10개씩 묶음	낱개
27		

13

수	10개씩 묶음	낱개
16		

14

수	10개씩 묶음	낱개
45		

15

수	10개씩 묶음	낱개
37		

16

수	10개씩 묶음	낱개
19		

집중 연습

[17~24] 빈칸에 알맞은 수를 써넣으시오.

17

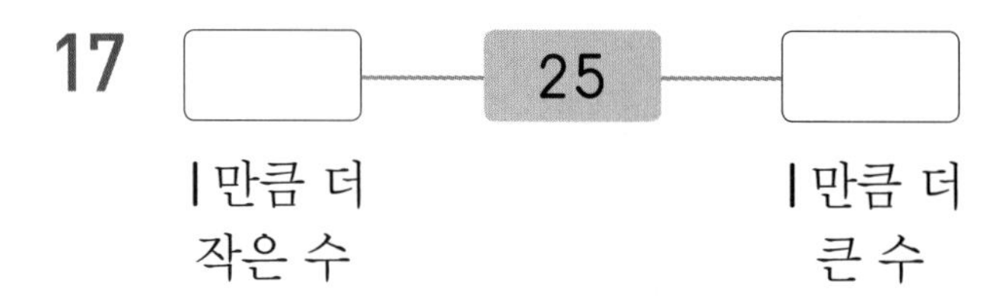

18

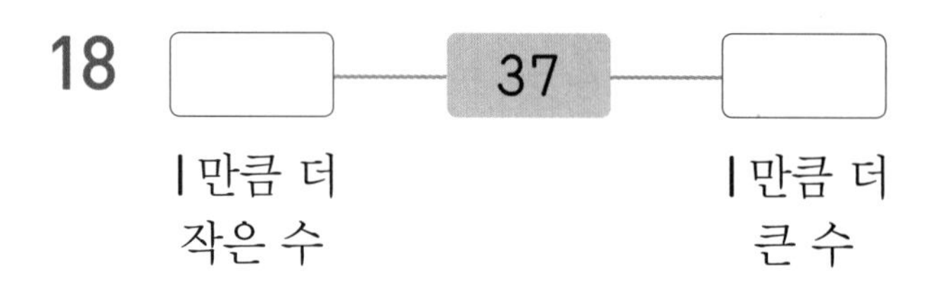

19

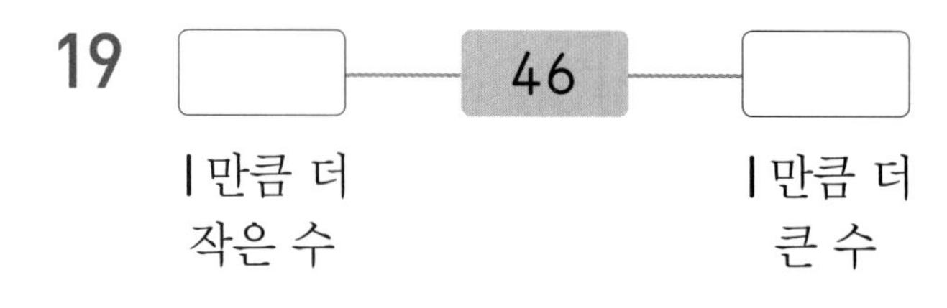

20

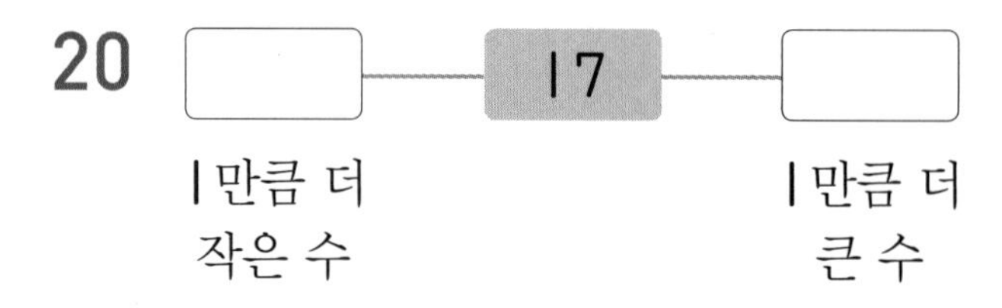

21

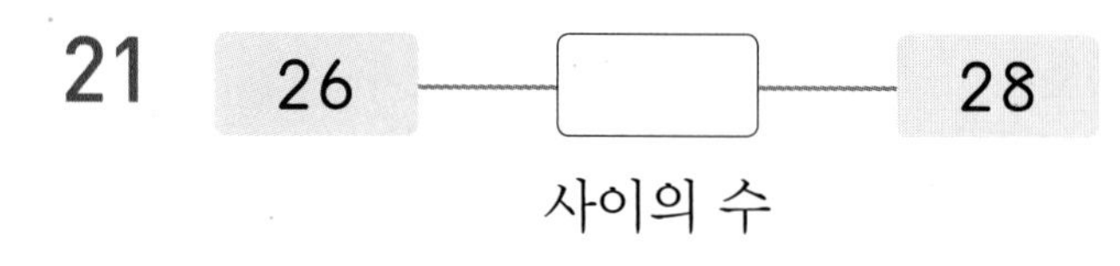

22

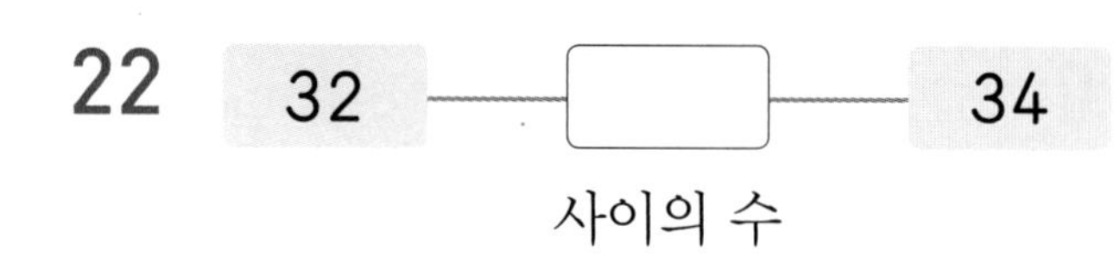

23

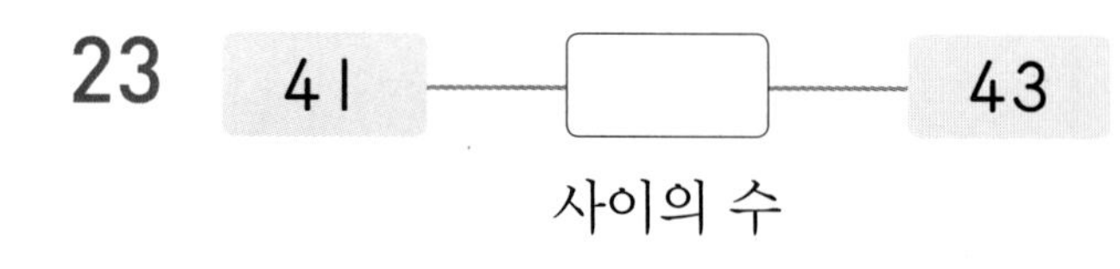

24

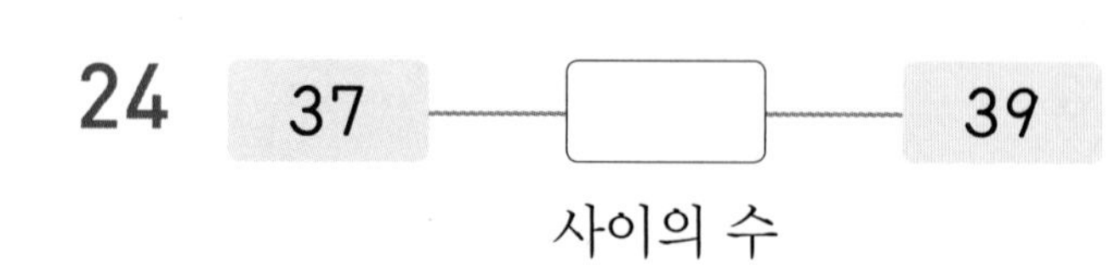

[25~28] 더 큰 수에 ○표 하시오.

25 15 26

26 42 38

27 27 30

28 16 19

[29~32] 더 작은 수에 △표 하시오.

29 35 40

30 22 18

31 36 25

32 17 12

정답

2쪽

1 2에 ○표

2 넷에 ○표

3쪽

1 7에 ○표

2 여덟에 ○표

4쪽

1 여섯째에 ○표

2 셋째에 ○표

5쪽

1 6에 ○표

2 7에 ○표

6쪽

1 5에 ○표

2 0에 ○표

7쪽

1 작습니다에 ○표

2 작습니다에 ○표

8쪽

01 2에 ○표
02 3에 ○표
03 5에 ○표
04 1에 ○표
05 4에 ○표
06 8에 ○표
07 6에 ○표
08 9에 ○표

9쪽

09 3, 5
10 5, 7
11 0, 2
12 7, 9
13 6, 8
14 2, 4
15 4, 6
16 1, 3

10쪽

1  에 ○표

2 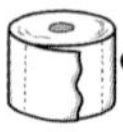 에 ○표

11쪽

1  에 ○표

2 에 ○표

12쪽

01 ○
02 □
03 □
04 △
05 ○
06 △
07 □
08 □

13쪽

09 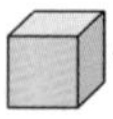 에 ○표
10  에 ○표
11 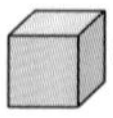 에 ○표
12  에 ○표
13 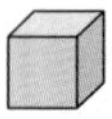 에 ○표
14  에 ○표

14쪽

1 4에 ○표

2 5에 ○표

정답

15쪽
1 ○
2 ○

16쪽
1 6에 ○표, 6에 ○표
2 7에 ○표, 7에 ○표

17쪽
1 ×
2 5에 ○표, 5에 ○표

18쪽
1 4에 ○표, 4에 ○표
2 4에 ○표

19쪽
1 6에 ○표
2 0에 ○표

20쪽
01 5, 5
02 9, 9
03 7, 7
04 3, 3
05 8, 8
06 9, 9
07 6, 6
08 7, 7

21쪽
09 2, 2
10 4, 4
11 5, 5
12 2, 2
13 3, 3
14 2, 2
15 4, 4
16 3, 3

22쪽
1 깁니다에 ○표
2 짧습니다에 ○표

23쪽
1 가볍습니다에 ○표
2 무겁습니다에 ○표

24쪽
1 좁습니다에 ○표
2 좁습니다에 ○표

25쪽
1 많습니다에 ○표
2 적습니다에 ○표

26쪽
01 (○)
( )
02 ( )
(○)
03 ( )
(○)
04 (○)
( )
05 (○)( )
06 ( )(○)
07 (○)( )

정답

27쪽

09 (○)(   )
10 (○)(   )
11 (○)(   )
12 (   )(○)
13 (○)(   )
14 (   )(○)
15 (   )(○)
16 (○)(   )

28쪽

1 ×
2 10에 ○표
3 8에 ○표

29쪽

1 13에 ○표
2 십칠에 ○표

30쪽

1 13에 ○표
2 8에 ○표

31쪽

1 43에 ○표
2 스물아홉에 ○표

32쪽

1 35에 ○표
2 23에 ○표
3 ×

33쪽

1 크므로에 ○표, 큽니다에 ○표

34쪽

01 십육, 열여섯
02 삼십삼, 서른셋
03 사십이, 마흔둘
04 이십육, 스물여섯
05 십오, 열다섯
06 이십일, 스물하나
07 삼십구, 서른아홉
08 오십, 쉰

35쪽

09 2, 3
10 3, 6
11 4, 1
12 2, 7
13 1, 6
14 4, 5
15 3, 7
16 1, 9

36쪽

17 24, 26
18 36, 38
19 45, 47
20 16, 18
21 27
22 33
23 42
24 38

37쪽

25 26에 ○표
26 42에 ○표
27 30에 ○표
28 19에 ○표
29 35에 △표
30 18에 △표
31 25에 △표
32 12에 △표

핵심개념
유형연습
탄탄하게!

수학
전략

축구 선수, 래퍼, 선생님, 요리사, …
배움을 통해 아이들은 꿈을 꿉니다.

학교에서 공부하고, 뛰어놀고 싶은 마음을
잠시 미뤄 둔 친구들이 있습니다.
어린이 병동에 입원해 있는 아이들.

이 아이들도 똑같이 공부하고
맘껏 꿈 꿀 수 있어야 합니다.
천재교육 학습봉사단은
직접 병원으로 찾아가
같이 공부하고 얘기를 나눕니다.

함께 하는 시간이
아이들이 꿈을 키우는 밑바탕이 되길 바라며
천재교육은 앞으로도
나눔을 실천하며 세상과 소통하겠습니다.

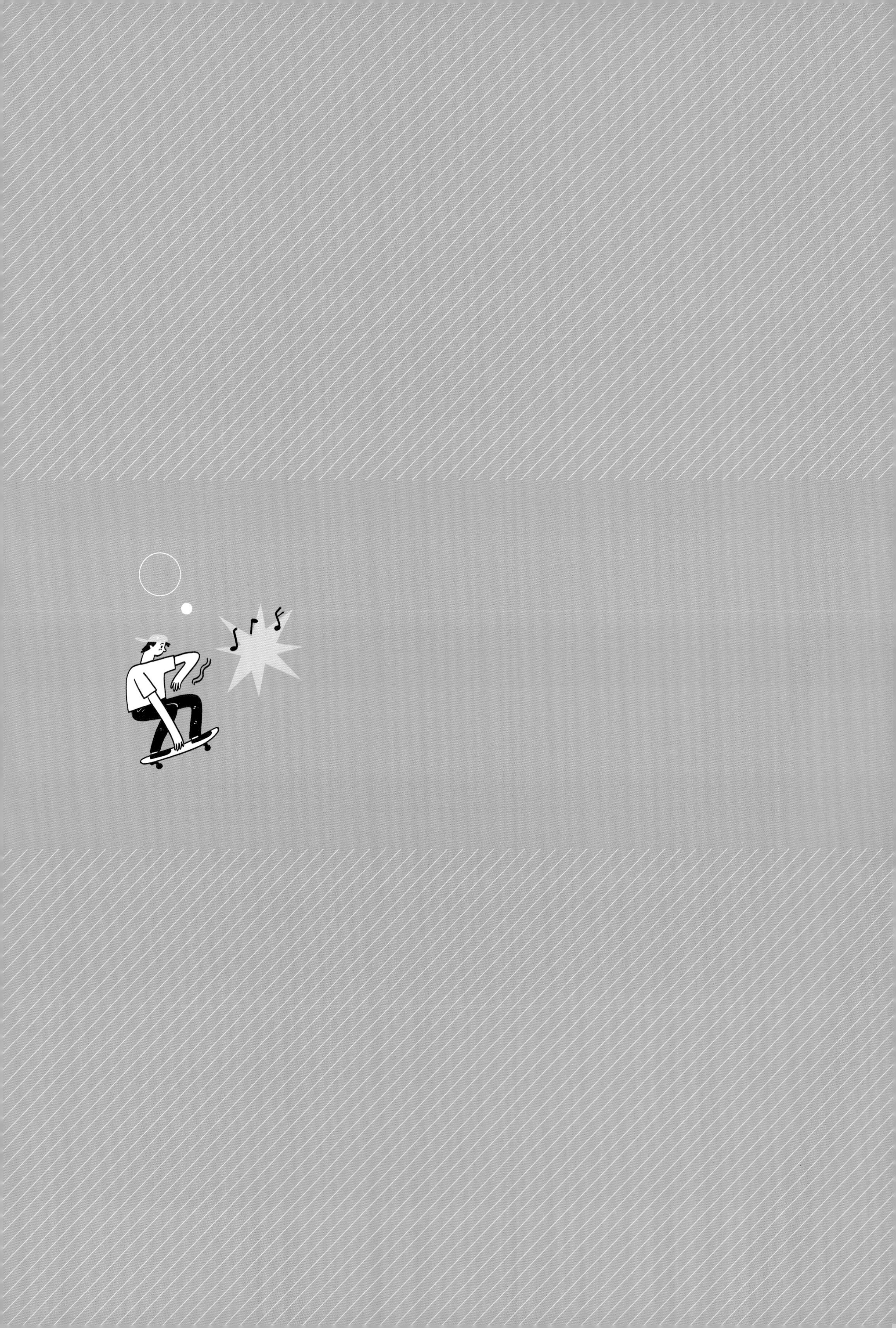

초등생의 필수 학습!
탄탄하게 다져두자!

초등 **수학**

정답 및 풀이

1·1

천재교육

모르는 문제는
확실하게
알고 가자!

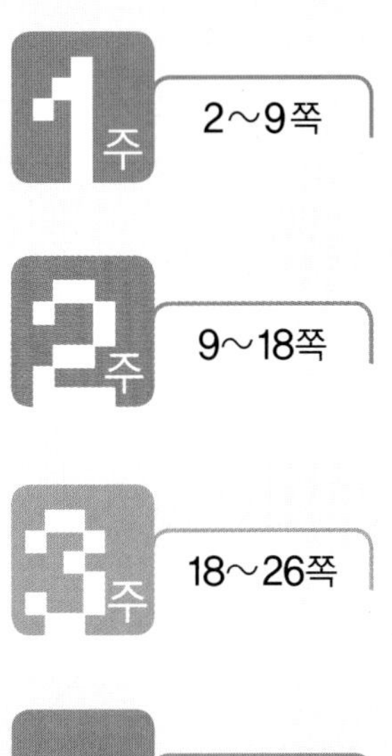

정답 및 풀이

초등 수학 1-1

정답 및 풀이

1주 01일

개념 돌파 전략❶ 개념 기초 확인 9, 11쪽

1-1 예 ○ ○ ○ | | — 3

1-2 6 ; 여섯, 육

2-1 (○)( )　2-2 ( )(○)

3-1 많습니다에 ○표, 큽니다에 ○표

3-2 많습니다에 ○표, 큽니다에 ○표

4-1 5, 2, 7　4-2 8, 4, 4

5-1 3, 2, 5 ; $3+2=5$

5-2 4, 3, 7 ; $4+3=7$

6-1 6, 2, 4 ; $6-2=4$

6-2 8, 5, 3 ; $8-5=3$

1-2 자동차를 세어 보면 하나, 둘, 셋, 넷, 다섯, 여섯이므로 수로 쓰면 6입니다. 6은 여섯 또는 육으로 읽습니다.

2-2 6보다 1만큼 더 작은 수는 5입니다.

3-2 빵과 우유를 짝 지어 보면 빵이 남으므로 빵이 더 많습니다. 따라서 빵의 수인 7이 우유의 수인 4보다 더 큽니다.

4-2 고양이 8마리는 4마리와 4마리로 가르기 할 수 있습니다.

5-2 그릇 4개와 그릇 3개를 모으면 그릇은 7개입니다. 식으로 쓰면 $4+3=7$입니다.

6-2 당근 8개 중에서 당근 5개를 빼면 당근은 3개가 남습니다. 식으로 쓰면 $8-5=3$입니다.

개념 돌파 전략❷ 12~13쪽

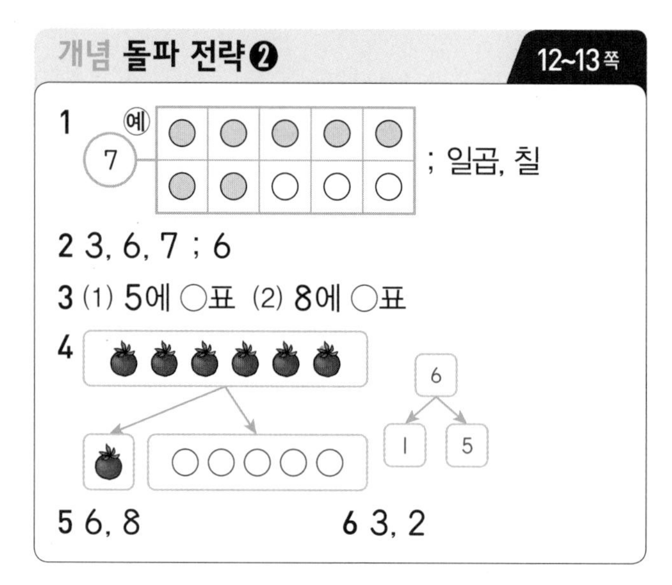

1 7은 일곱 또는 칠이라고 읽습니다. ○를 하나, 둘, 셋, 넷, 다섯, 여섯, 일곱 개를 세어 모두 색칠합니다.

2 수를 순서대로 쓰면 2 다음은 3이고, 5 다음은 6, 7입니다. 그리고 5보다 1만큼 더 큰 수는 5 바로 뒤에 있는 6입니다.

3 (1) 5는 4보다 뒤에 있으므로 5는 4보다 큽니다.
(2) 8은 6보다 뒤에 있으므로 8은 6보다 큽니다.

4 토마토 6개는 1개와 5개로 가를 수 있으므로 빈 곳에 ○를 5개 그립니다.
6은 1과 5로 가르기 할 수 있습니다.

5 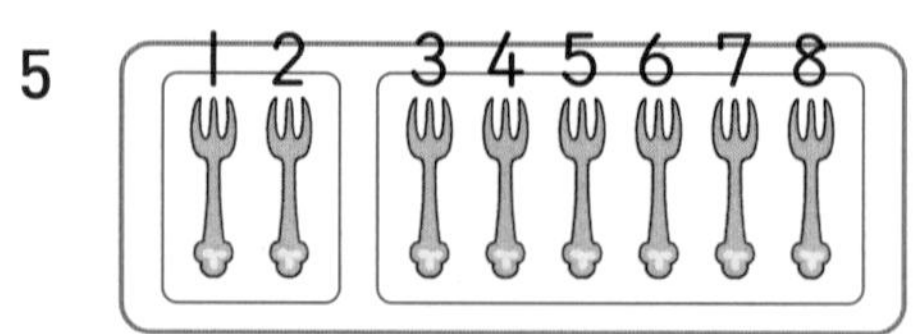

포크 2개와 포크 6개를 모으면 포크는 ○와 ○의 수인 8개입니다.
따라서 $2+6=8$입니다.

6 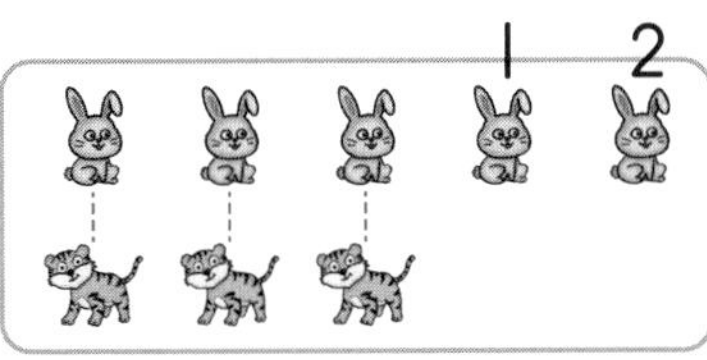

토끼 5마리와 호랑이 3마리를 하나씩 짝지으면 토끼가 2마리 남습니다.
따라서 $5-3=2$입니다.

1주 02일

필수 체크 전략❶ 14~17쪽

필수 예제 01 6 ; 여섯, 육
확인 1-1 5 ; 다섯, 오
확인 1-2 (1) 8 ; 여덟, 팔 (2) 0 ; 영
필수 예제 02 여섯째, 아홉째
확인 2-1 다섯째
확인 2-2 일곱째
필수 예제 03 2 ; 2
확인 3-1 9, 5 ; 5
확인 3-2 (1) 8 (2) 5
필수 예제 04 5, 3, 8 ; 8
확인 4-1 $2+6=8$; 2 더하기 6은 8과 같습니다. (또는 2와 6의 합은 8입니다.)
확인 4-2 $4+3=7$; 4 더하기 3은 7과 같습니다. (또는 4와 3의 합은 7입니다.)

확인 1-1 물병을 세어 보면 하나, 둘, 셋, 넷, 다섯이므로 물병의 수는 5입니다. 5는 다섯 또는 오로 읽습니다.

확인 1-2 (1) 피자 조각을 세어 보면 하나, 둘, 셋, 넷, 다섯, 여섯, 일곱, 여덟이므로 피자 조각의 수는 8입니다.
8은 여덟 또는 팔이라고 읽습니다.
(2) 그릇 위에 아무것도 없습니다.
따라서 피자 조각의 수는 0입니다.
0은 영이라고 읽습니다.

확인 2-1 왼쪽에서부터 순서를 세어 보면 첫째, 둘째, 셋째, 넷째, 다섯째입니다.

○	○	○	○	●	○
첫째	둘째	셋째	넷째	다섯째	여섯째

확인 2-2 위에서부터 순서를 세어 보면 첫째, 둘째, 셋째, 넷째, 다섯째, 여섯째, 일곱째입니다.

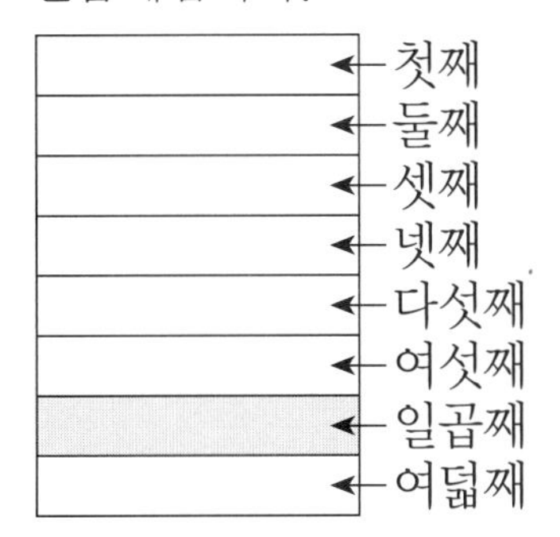

확인 3-1 의자 9개 중에 4개를 지우면 5개가 남으므로 의자 9개는 4개와 5개로 가르기 할 수 있습니다. 따라서 9는 4와 5로 가르기 할 수 있습니다.

확인 3-2 (1) 3과 5를 모으기 하면 8입니다.
(2) 6은 1과 5로 가르기 할 수 있습니다.

확인 4-1 농구공은 2개이고 야구공은 6개입니다. 덧셈식을 쓰면 $2+6=8$입니다.

확인 4-2 구슬이 주머니에 담긴 것이 4개이고, 주머니에 담기지 않은 것이 3개입니다. 따라서 덧셈식을 쓰면 $4+3=7$입니다.

필수 체크 전략 2 18~19쪽

1 예

7

2

다섯 개	★★★★★☆☆☆☆☆
다섯째	☆☆☆☆★☆☆☆☆☆

3 (1) 2, 7 (2) 7, 3, 0

4 3 ; 있습니다에 ○표

5 9 ; 6+3=9 6 5+2=7

1 물고기를 하나, 둘, 셋, 넷, 다섯, 여섯, 일곱 마리를 세어 묶습니다.

2 다섯 개는 하나, 둘, 셋, 넷, 다섯을 세어 모두 색칠합니다.
다섯째는 첫째, 둘째, 셋째, 넷째, 다섯째를 세어 다섯째에만 색칠합니다.

참고
다섯은 수를, 다섯째는 순서를 나타냅니다.

3 (1) 0부터 수를 순서대로 씁니다.
(2) 9부터 수를 거꾸로 씁니다.

4 6은 3과 3으로 가르기 할 수 있습니다.
따라서 같은 수로 가르기 할 수 있습니다.

5 6과 3을 모으기 하면 9입니다.
따라서 6+3=9입니다.

6 저금통에 동전이 5개가 있었는데 2개를 더 넣었으므로 동전은 5+2=7(개)입니다.

1주 03일

필수 체크 전략 1 20~23쪽

필수 예제 01

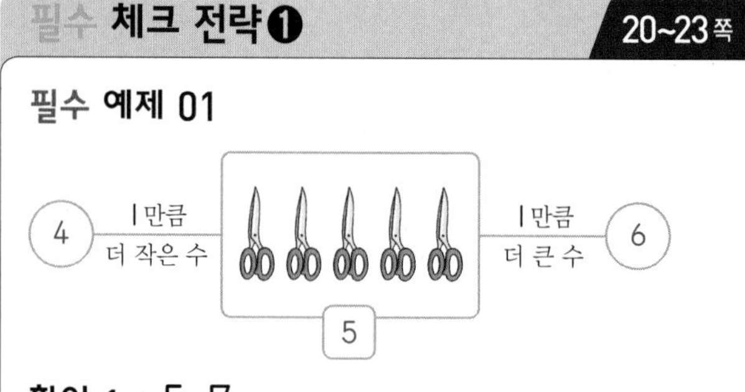

확인 1-1 5, 7

확인 1-2 7 ; 일곱, 칠

필수 예제 02 적습니다에 ○표, 작습니다에 ○표

확인 2-1 큽니다에 ○표

확인 2-2 5 ○○○○○
8 ○○○○○○○○
; 큽니다에 ○표

필수 예제 03 7, 4, 3 ; 3

확인 3-1 2, 3 ; 5 빼기 2는 3과 같습니다.
(또는 5와 2의 차는 3입니다.)

확인 3-2 8−4=4 ; 8 빼기 4는 4와 같습니다.
(또는 8과 4의 차는 4입니다.)

필수 예제 04 0, 0

확인 4-1 (1) 0 (2) 5

확인 4-2 (1) 2 (2) 8 (3) 0 (4) 9

확인 1-1 가방의 수는 6입니다. 6보다 I만큼 더 작은 수는 6 바로 앞의 수인 5이고, 6보다 I만큼 더 큰 수는 6 바로 뒤의 수인 7입니다.

확인 1-2 사과의 수는 8입니다. 8보다 I만큼 더 작은 수는 8 바로 앞의 수인 7입니다. 7은 일곱 또는 칠이라고 읽습니다.

확인 2-1 오리는 여우보다 많으므로 오리의 수인 6은 여우의 수인 2보다 큽니다.

확인 2-2 수만큼 그린 ○를 하나씩 짝 지어 보면 8의 ○가 남으므로 8은 5보다 큽니다.

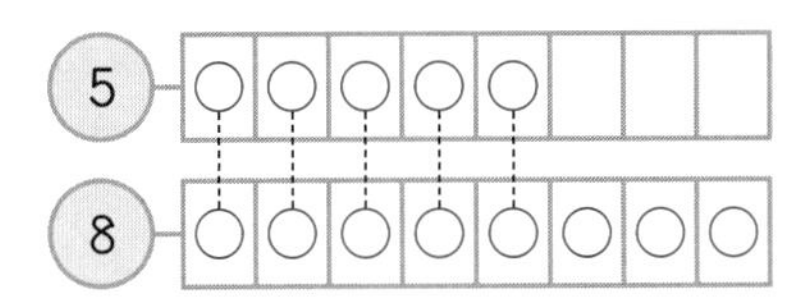

확인 3-1 컵은 5개이고 빨대는 2개입니다. 컵과 빨대를 하나씩 짝 지었을 때 짝 지어지지 않은 컵의 수는 3입니다.
따라서 $5-2=3$입니다.

확인 3-2 케이크는 8개, 접시는 4개입니다. 케이크와 접시를 하나씩 짝 지었을 때 짝 지어지지 않은 케이크의 수는 4입니다.
따라서 $8-4=4$입니다.

확인 4-1 (1) 귤의 개수가 변하지 않았으므로 아무것도 빼지 않았습니다.
따라서 $5-0=5$입니다.
(2) 귤 5개에서 귤 5개를 빼면 아무것도 없습니다.
따라서 $5-5=0$입니다.

확인 4-2 (1) 어떤 수에 0을 더하면 어떤 수입니다.
(2) 0에 어떤 수를 더하면 어떤 수입니다.
(3) 어떤 수에서 그 수 전체를 빼면 0입니다.
(4) 어떤 수에서 0을 빼면 어떤 수입니다.

필수 체크 전략❷ 24~25쪽

1 (1) 큽니다에 ○표 (2) 작은에 ○표
2 지연　　3 7, 5
4 $7-3=4$
5 (1) 6 (2) 9 (3) 0 (4) 5
6 노랑

1 배의 수는 3, 귤의 수는 4, 사과의 수는 1입니다.

2 주사위의 눈의 수는 6입니다. 6은 5보다 1만큼 더 큰 수이고, 여섯 또는 육이라고 읽습니다.

3 벌집의 수는 5, 벌의 수는 7입니다.
벌이 벌집보다 많으므로 7은 5보다 큽니다.

참고

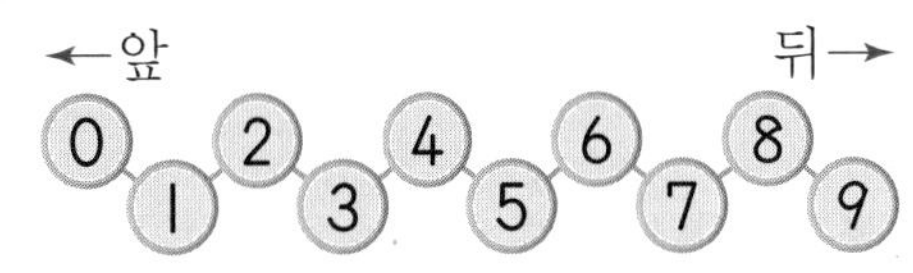

수를 순서대로 썼을 때 7은 5보다 뒤에 있으므로 7은 5보다 큽니다.

4 꽃 7송이 중에 3송이가 시들었으므로 $7-3=4$(송이)가 남았습니다.

5 (1) $4+2=6$
(2) $2+7=9$
(3) $9-9=0$
(4) $8-3=5$

6 초록: $3+5=8$
빨강: $4+4=8$
파랑: $8-0=8$
노랑: $6+0=6$

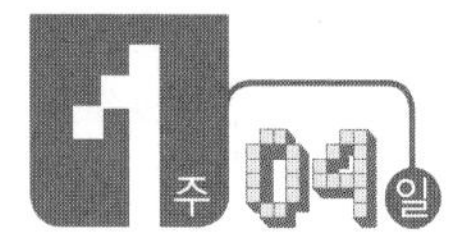

교과서 **대표 전략❶** 26~29쪽

대표 **예제 01** 5 ; 다섯, 오

대표 **예제 02** 백합

대표 **예제 03** 1, 2, 3, 4, 5, 6

대표 **예제 04** ②

대표 **예제 05** 9, 0

대표 **예제 06** 5,

○	○	○	○	○		

대표 **예제 07** 7

대표 **예제 08** 많습니다에 ○표,
큽니다에 ○표

대표 **예제 09** (위부터) 5, 7

대표 **예제 10** (위부터) 8, 6, 2

대표 **예제 11** 6 ; 3 더하기 3은 6과 같습니다.
(또는 3과 3의 합은 6입니다.)

대표 **예제 12**

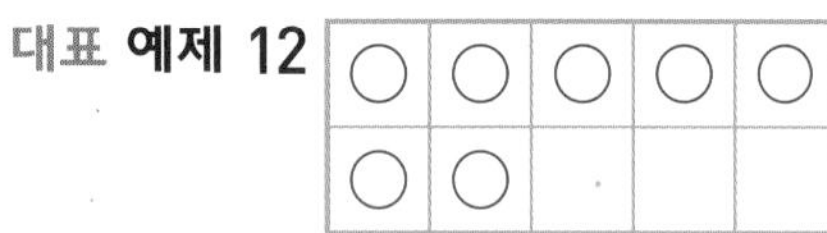

; 3, 7

대표 **예제 13** 6 ; 4, 6

대표 **예제 14** 0, 7

대표 **예제 15**

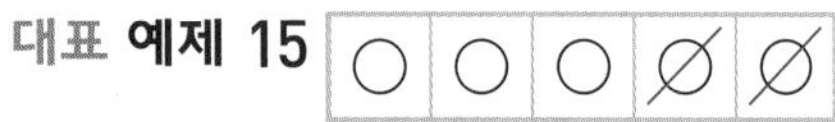

; 2, 3

대표 **예제 16** 6 ; 6

대표 **예제 01** 사탕의 수는 5이고 다섯 또는 오라고 읽습니다.

대표 **예제 02** 튤립은 아홉 송이, 백합은 일곱 송이라고 읽습니다.

대표 **예제 03** 앞에서부터 순서대로 1, 2, 3, 4, 5, 6을 씁니다.

대표 **예제 04** 사물함은 아래에서 셋째 줄, 왼쪽에서 둘째 칸이므로 ②입니다.

왼쪽에서 첫째　왼쪽에서 둘째

아래에서 셋째

아래에서 둘째

아래에서 첫째

아래

대표 **예제 05** 8보다 1만큼 더 큰 수는 9입니다.
1보다 1만큼 더 작은 수는 0입니다.

대표 **예제 06** 4보다 1만큼 더 큰 수는 5입니다.
○는 4개를 그리고 1개 더 그려서 모두 5개를 그립니다.

대표 **예제 07** 도넛의 수는 8입니다. 8보다 1만큼 더 작은 수는 7입니다.

대표 **예제 08** 케이크의 수는 7이고 상자의 수는 5입니다.
케이크와 상자를 하나씩 짝 지어 보면 케이크가 남으므로 7이 5보다 큽니다.

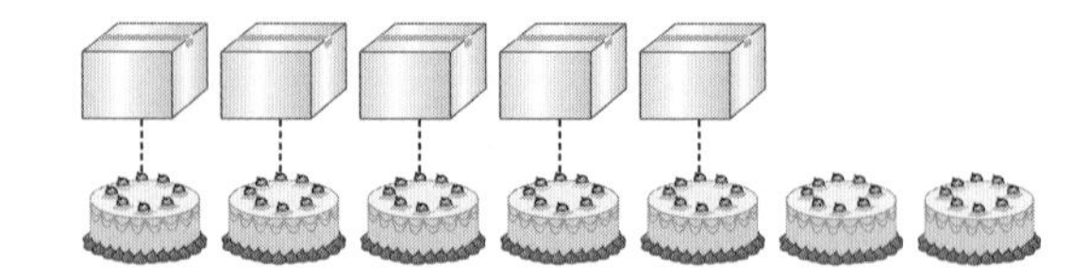

대표 **예제 09** 5와 2를 모으기 하면 7입니다.

대표 **예제 10** 8은 6과 2로 가르기 할 수 있습니다.

대표 **예제 11** 배 3개와 3개를 모으면 배는 모두 3+3=6(개)입니다.

대표 **예제 12** 다람쥐 4마리와 3마리를 모으면 다람쥐는 모두 4+3=7(마리)입니다.

대표 **예제 13** 2와 4를 모으기 하면 2+4=6입니다.

대표 **예제 14** 밤의 수가 변하지 않았으므로 아무것도 빼지 않았습니다.
따라서 밤은 7−0=7(개)입니다.

대표 **예제 15** 건전지 5개 중에 2개를 빼면 남은 건전지는 5−2=3(개)입니다.

대표 **예제 16** 7은 1과 6으로 가르기 할 수 있습니다. 따라서 7−1=6입니다.

교과서 **대표 전략❷** 30~31쪽

1 5, 0
2 여섯에 ○표, 셋째에 ○표
3 일곱, 칠
4 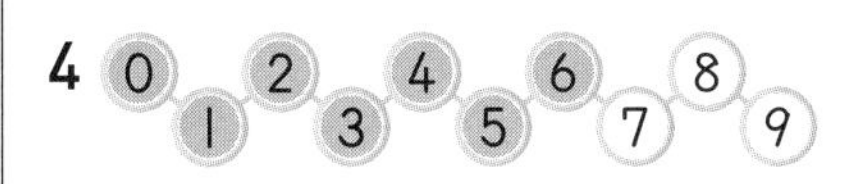
5 4, 3, 2, 1
6 4, 6
7 4, 2 ; 2
8 ③

1 왼쪽에 있는 쿠키의 수는 5이고 오른쪽에 있는 쿠키의 수는 0입니다.

2 하나 둘 셋 넷 다섯 여섯

컵의 수는 6이고, 빈 컵은 왼쪽에서 셋째에 있습니다.

3 당근의 수는 8이므로 8보다 1만큼 더 작은 수는 7입니다. 7은 일곱 또는 칠이라고 읽습니다.

4 수를 순서대로 썼을 때, 7보다 앞에 있는 수는 7보다 작습니다. 따라서 7보다 작은 수는 0, 1, 2, 3, 4, 5, 6입니다.

5 5는 1과 4, 2와 3, 3과 2, 4와 1로 가르기 할 수 있습니다.

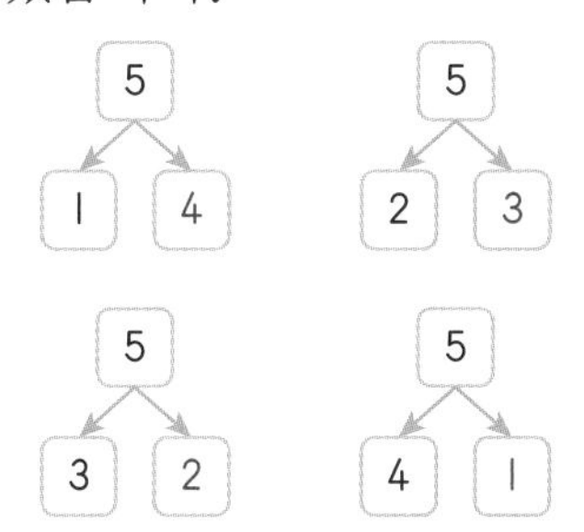

참고
5는 같은 수로 가르기 할 수 없습니다.

6 엘리베이터에 2명이 타고 있었는데 4명이 더 탔으므로 사람은 모두 2+4=6(명)입니다.

7 귤의 수는 6이고 사과의 수는 4입니다.
귤은 사과보다 6−4=2(개) 더 많습니다.

8 ① 5−3=2
② 2−0=2
③ 9−6=3
④ 7−5=2

누구나 만점 전략 32~33쪽

01 3, 5, 2	02 다섯째
03 7, 9	04 5, 4
05 5, 6에 ○표	06 (1) 2 (2) 6
07 5, 2, 7	08 (1) 8 (2) 6
09 4, 0	10 2, 4, 6 ; 6

01 왼쪽 화분부터 꽃의 수는 3, 5, 2입니다.

02 앞에 4명이 있으면 순서는 첫째, 둘째, 셋째, 넷째, 다섯째이므로 준서의 순서는 다섯째입니다.

03 8보다 1만큼 더 작은 수는 7이고, 1만큼 더 큰 수는 9입니다.

04 해의 수는 5이고 달의 수는 4입니다.
해가 달보다 많으므로 5가 4보다 큽니다.

05 4보다 큰 수는 4의 뒤에 있는 수이고 7보다 작은 수는 7의 앞에 있는 수입니다.
따라서 두 조건에 알맞은 수는 5, 6입니다.

06 (1) 5는 3과 2로 가르기 할 수 있습니다.
(2) 2와 4로 가르기 할 수 있는 수는 6입니다. 2와 4를 모으기 하면 6입니다.

07 빵 5개와 2개를 모았으므로 5와 2의 합을 구하면 $5+2=7$입니다.

08 (1) $3+5=8$
(2) $9-3=6$

09 의자에 앉아 있던 4명이 모두 교실을 나갔으므로 사람은 $4-4=0$(명)입니다.

10 토끼가 2마리였는데 4마리가 더 있으므로 토끼는 모두 $2+4=6$(마리)입니다.

창의•융합•코딩 전략❶ 34~35쪽

1 과자	2 구름 동산

1 과자와 돈가스가 1개씩 없어졌으므로 과자의 수는 6보다 1만큼 더 작은 수인 5, 돈가스의 수는 5보다 1만큼 더 작은 수인 4입니다. 따라서 과자가 더 많이 남았습니다.

2 $2+2=4$이므로 출발 칸에서 4칸 이동하면 구름 동산입니다.

창의•융합•코딩 전략❷ 36~39쪽

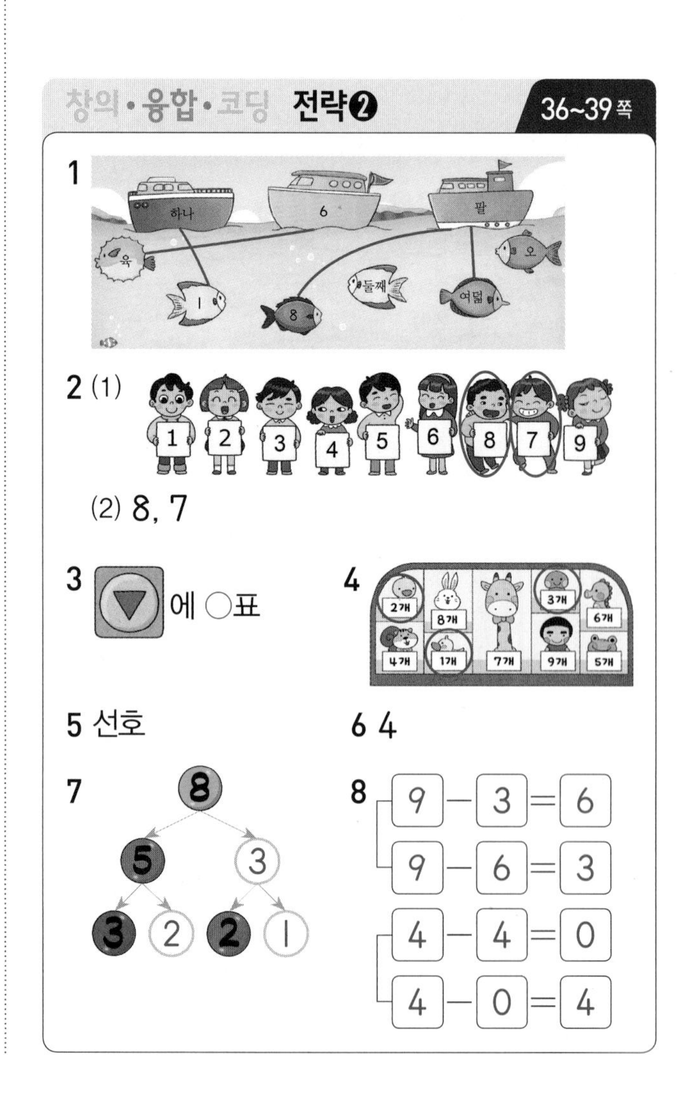

1 1은 하나 또는 일이라고 읽습니다.
6은 여섯 또는 육이라고 읽습니다.
8은 여덟 또는 팔이라고 읽습니다.

2 (2) 7은 6과 8 사이의 수이므로 7번 친구는 6번 친구와 8번 친구 사이에 서야 합니다.

3 3은 8보다 작습니다. 따라서 8층에서 3층으로 가려면 내려가야 합니다.

4 칭찬 도장이 3개 있으면 칭찬 도장 1개, 2개, 3개로 받을 수 있는 인형을 받을 수 있습니다.

5 동완이는 화살을 4점과 2점에 맞혔으므로 $4+2=6$(점)입니다.
선호는 화살을 4점과 4점에 맞혔으므로 $4+4=8$(점)입니다.
8이 6보다 크므로 선호가 이겼습니다.

6 ① $1-1=0$, ② $0+3=3$
③ $3-1=2$, ④ $2-1=1$
➡ ★$=1+3=4$

7 8은 5와 3으로 가르기 할 수 있습니다.
5는 3과 2로 가르기 할 수 있습니다.
3은 2와 1로 가르기 할 수 있습니다.

8 6, 9, 3을 가지고 뺄셈식 $9-3=6$, $9-6=3$을 쓸 수 있습니다.
4, 0, 4를 가지고 뺄셈식 $4-4=0$, $4-0=4$를 쓸 수 있습니다.

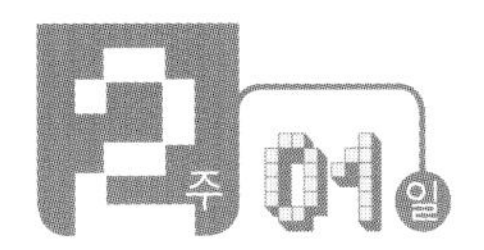

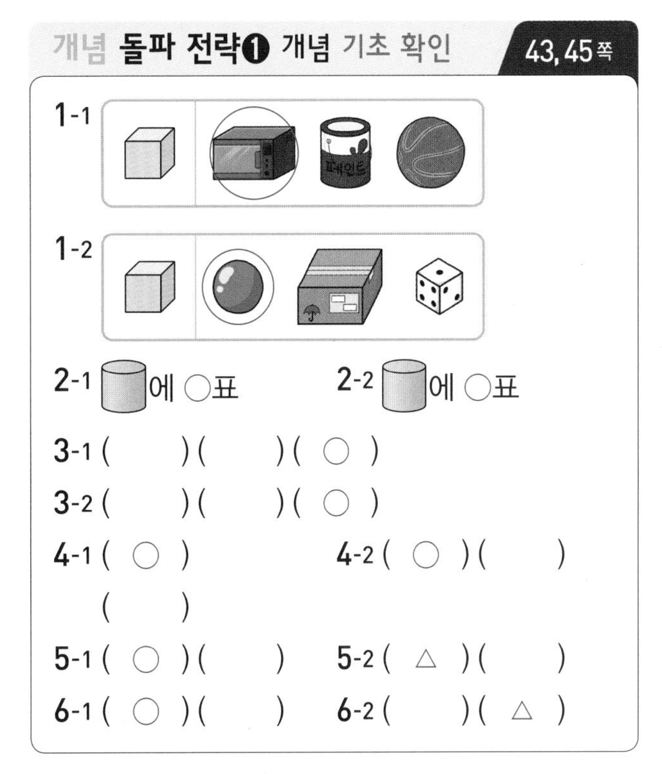

1-2 구슬은 둥근 부분만 있으므로 모양입니다.

2-2 주어진 물건들은 둥근 부분도 있고 평평한 부분도 있습니다. 따라서 모양입니다.

3-2 휴지는 둥근 부분이 있고 평평한 부분도 있습니다.
구슬과 야구공은 둥근 부분만 있으므로 모양입니다.
따라서 모양이 다른 하나는 휴지입니다.

4-2 두 건물은 아래쪽 끝을 맞추었으므로 위쪽 끝이 더 많이 올라간 것이 더 높습니다.

5-2 코끼리는 손으로 들 수 없을 정도로 무겁습니다.

6-2 그릇의 크기가 더 작은 것이 담을 수 있는 양이 더 적습니다.

개념 돌파 전략 ❷ 46~47쪽

1 ( )( )(○)
2 (○)( )( )
3 ( )(○)( )
4 짧습니다
5 무겁습니다
6 적습니다

1 모양은 뾰족한 부분이 있고, 평평한 부분이 있습니다. 따라서 모양의 물건을 찾습니다.

2 모양은 둥근 부분이 있으므로 잘 굴러갑니다.

3 물통은 평평한 부분이 있고, 둥근 부분이 있는 모양입니다. 모양은 둥근 부분이 있으므로 눕혀서 굴리면 잘 굴러갑니다.

4 왼쪽 끝을 맞추면 붕어의 오른쪽 끝이 더 나와 있습니다.
따라서 열대어의 길이가 붕어보다 더 짧습니다.

5 무거울수록 직접 들어봤을 때 힘이 더 많이 들어갑니다. 따라서 냉장고가 휴대 전화보다 더 무겁습니다.

6 컵의 크기가 같습니다. 따라서 물의 높이가 더 낮은 왼쪽 컵에 담긴 물의 양이 더 적습니다.

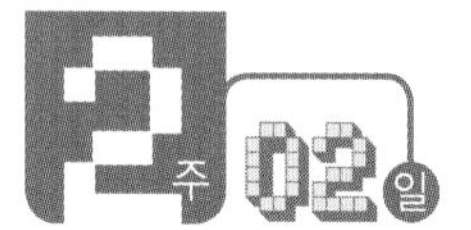

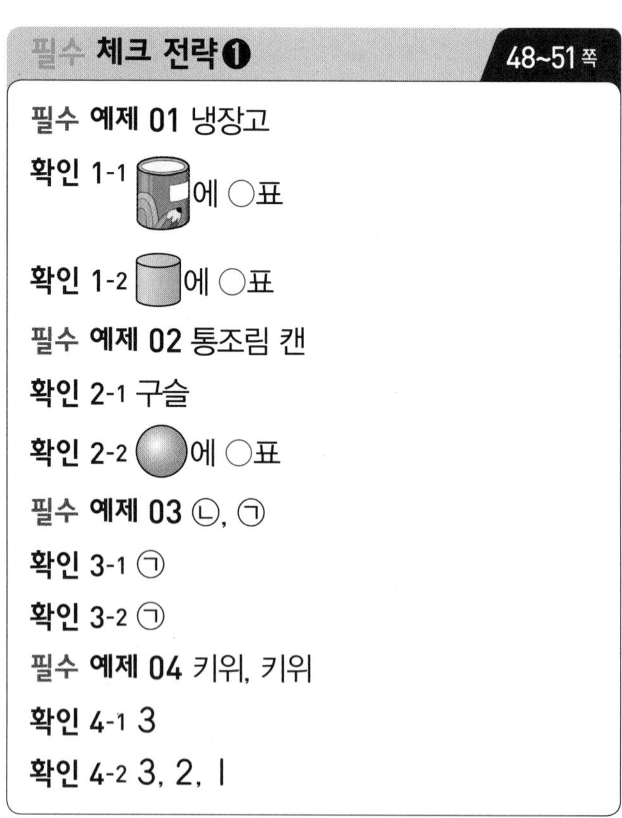
필수 체크 전략 ❶ 48~51쪽

필수 예제 01 냉장고
확인 1-1 에 ○표
확인 1-2 에 ○표
필수 예제 02 통조림 캔
확인 2-1 구슬
확인 2-2 에 ○표
필수 예제 03 ㉡, ㉠
확인 3-1 ㉠
확인 3-2 ㉠
필수 예제 04 키위, 키위
확인 4-1 3
확인 4-2 3, 2, 1

확인 1-1 연필꽂이는 평평한 부분이 있어 쌓을 수 있습니다. 따라서 연필꽂이는 모양이 아닙니다.

확인 1-2 주어진 물건은 평평한 부분과 둥근 부분이 있습니다.
따라서 모양을 모은 것입니다.

확인 2-1 상자 안의 물건은 둥근 부분만 있습니다. 따라서 이것과 같은 모양의 물건은 구슬입니다.

확인 2-2 둥근 부분만 있고 모든 방향으로 잘 굴러갔으므로 상자 안의 물건은 모양입니다.

참고
모양은 눕혀서 굴리면 잘 굴러갑니다.

확인 3-1 세 물건의 아래쪽 끝을 맞췄습니다. 따라서 위쪽 끝이 가장 많이 올라간 ㉠의 길이가 가장 깁니다.

확인 3-2 세 동물의 아래쪽 끝을 맞췄습니다. 따라서 위쪽 끝이 가장 많이 올라간 ㉠의 키가 가장 큽니다.

확인 4-1 공이 무거울수록 고무줄은 많이 늘어납니다. 고무줄이 가장 적게 늘어난 공은 3번 공입니다.
따라서 3번 공이 가장 가볍습니다.

확인 4-2 공이 무거울수록 고무줄은 많이 늘어납니다. 고무줄이 3번 공, 2번 공, 1번 공 순으로 많이 늘어났습니다.
따라서 공은 3번, 2번, 1번 순으로 무겁습니다.

필수 체크 전략❷ 52~53쪽

1 (○)(　)(　)
2 (　)(○)(　)
3 (○)(　)(　)
4 3등
5 ①
6 빨강에 ○표

1 주어진 물건은 둥근 부분과 평평한 부분이 있으므로 모양입니다.
구슬은 둥근 부분만 있으므로 모양입니다.

2 모양의 물건을 모았습니다. 따라서 뾰족한 부분과 평평한 부분이 있는 사전을 더할 수 있습니다.

3 평평한 부분과 둥근 부분이 모두 있는 모양은 모양입니다.

4 세 사람의 머리끝이 맞춰져 있으므로 발끝이 더 많이 나간 사람의 키가 가장 큽니다.
따라서 3등을 한 사람의 키가 가장 큽니다.

5 곧은 길이 더 짧고 구부러진 길이 더 깁니다. 따라서 ②번 길이 더 짧고 ①번 길이 더 깁니다.

6 빨간색 공은 파란색 공보다 더 무겁습니다.
빨간색 공은 노란색 공보다 더 무겁습니다.
빨간색 공은 나머지 두 개의 공보다 무거우므로 가장 무겁습니다.

필수 체크 전략❶ 54~57쪽

필수 예제 01 볼링공
확인 1-1 구슬
확인 1-2 북
필수 예제 02 3, 2
확인 2-1 2, 1, 3
확인 2-2 2, 5, 1
필수 예제 03 돗자리
확인 3-1 수첩
확인 3-2 액자
필수 예제 04 클수록에 ○표, 많습니다에 ○표
확인 4-1 ㉢
확인 4-2 ㉡

확인 1-1 구슬은 둥근 부분만 있습니다.
따라서 잘 굴러갑니다.

참고
구슬은 (공) 모양입니다.

확인 1-2 북은 둥근 부분이 있습니다.
따라서 잘 굴러갑니다.

참고
둥근 부분이 있으면 잘 굴러갑니다.
따라서 (원기둥) 모양, (공) 모양은 잘 굴러갑니다.

확인 2-1 (상자) 모양은 2개, (원기둥) 모양은 1개, (공) 모양은 3개 사용했습니다.

둥근 부분이 있습니다. → ← 뾰족한 부분이 있습니다.

확인 2-2 (상자) 모양은 2개, (원기둥) 모양은 5개, (공) 모양은 1개 사용했습니다.

확인 3-1 물건을 포개었을 때 남는 부분이 있는 것이 더 넓습니다. 가장 좁은 것은 수첩입니다.

참고
지도와 편지지를 포개어 보면 지도가 남는 부분이 있습니다. 따라서 지도가 편지지보다 더 넓습니다.
편지지와 수첩을 포개어 보면 편지지가 남는 부분이 있습니다. 따라서 편지지가 수첩보다 더 넓습니다.
➡ 가장 넓은 것은 지도이고, 가장 좁은 것은 수첩입니다.

확인 3-2 물건을 포개었을 때 남는 부분이 있는 것이 더 넓습니다. 가장 좁은 것은 액자입니다.

확인 4-1 모양과 크기가 같은 그릇이므로 물의 높이가 높을수록 담긴 물이 더 많습니다. 따라서 ㉢ 그릇에 물이 가장 많습니다.

참고
그릇에 담긴 물의 양이 가장 적은 것은 물의 높이가 가장 낮은 ㉠ 그릇입니다.

확인 4-2 물의 높이가 같으면 그릇이 클수록 담긴 물이 더 많습니다. 따라서 ㉡ 그릇에 물이 가장 적습니다.

참고
물의 높이가 같으면 그릇의 크기가 클수록 담긴 물의 양이 더 많습니다.

필수 체크 전략❷ 58~59쪽

1 에 ○표　　2 에 ○표
3 ( )(○)　　4 6, 8, 토끼
5 많습니다에 ○표
6 (1) 높습니다 (2) 무겁습니다

1 바퀴는 잘 굴러가야 하므로 둥근 부분이 있는 모양이 적당합니다. 모양은 둥근 부분이 없습니다. 따라서 바퀴 부분으로 가장 적당하지 않은 모양은 모양입니다.

2 모양은 3개, 모양은 3개 사용했습니다. 따라서 오른쪽 모양을 만드는 데에 모양은 필요하지 않습니다.

3 모양은 2개, 모양은 4개, 모양은 1개를 사용해서 만든 모양을 찾습니다.

4 그림의 작은 한 칸의 크기는 모두 같으므로 칸의 수가 많을수록 더 넓습니다.
산 모양은 6칸이고, 토끼 모양은 8칸입니다. 따라서 더 넓은 것은 토끼 모양입니다.

5 큰 그릇에 물을 가득 채운 뒤, 작은 그릇에 물을 모두 옮겨 담으면 물이 넘칩니다.

참고

큰 그릇 

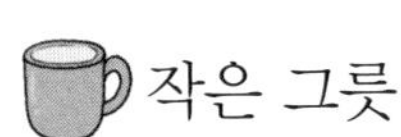
작은 그릇

6 (1) 높이를 비교할 때는 더 높다, 더 낮다라고 합니다.
(2) 무게를 비교할 때는 더 무겁다, 더 가볍다라고 합니다.

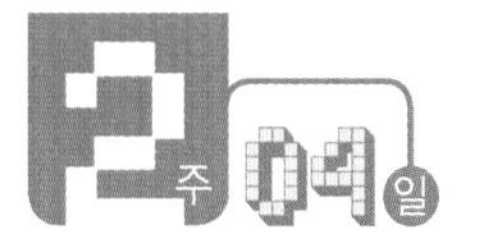

교과서 대표 전략❶ 60~63쪽

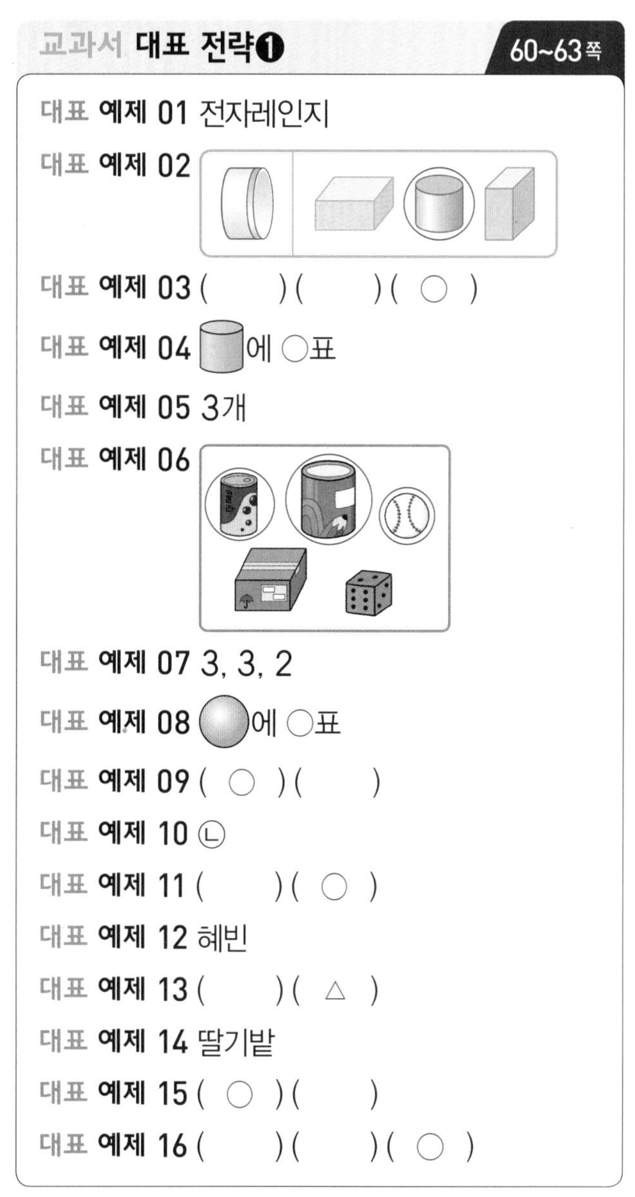

대표 예제 01 전자레인지
대표 예제 02
대표 예제 03 ( )( )(○)
대표 예제 04 에 ○표
대표 예제 05 3개
대표 예제 06
대표 예제 07 3, 3, 2
대표 예제 08 에 ○표
대표 예제 09 (○)( )
대표 예제 10 ㉡
대표 예제 11 ( )(○)
대표 예제 12 혜빈
대표 예제 13 ( )(△)
대표 예제 14 딸기밭
대표 예제 15 (○)( )
대표 예제 16 ( )( )(○)

대표 예제 01 모양은 평평한 부분이 있고, 둥근 부분이 없습니다.

대표 예제 02 주어진 물건은 뾰족한 부분이 없고 둥근 부분이 있어 잘 굴러갑니다. 따라서 모양입니다.

정답 및 풀이

대표 예제 03 상자 안의 물건은 둥근 부분만 있으므로 ● 모양입니다.
따라서 상자 안에 있는 물건과 같은 모양은 농구공입니다.

대표 예제 04 ▯ 모양은 둥근 부분이 있어 잘 굴러가고, 평평한 부분이 있어 쌓을 수 있습니다.
참고
● 모양은 평평한 부분이 없으므로 잘 쌓을 수 없습니다.

대표 예제 05 ● 모양은 둥근 부분만 있으므로 쌓을 수 없습니다.
참고
▯ 모양은 ● 모양과 같이 둥근 부분이 있지만 평평한 부분도 있습니다. 따라서 쌓을 수 있습니다.

대표 예제 06 ▢ 모양은 둥근 부분이 없으므로 잘 굴러가지 않습니다.

대표 예제 07 ▢ 모양은 3개, ▯ 모양은 3개, ● 모양은 2개 사용했습니다.

대표 예제 08 ▢ 모양은 2개, ▯ 모양은 4개 사용했습니다.
따라서 사용하지 않은 모양은 ● 모양입니다.

대표 예제 09 위쪽 끝을 맞추었으므로 아래쪽 끝이 더 많이 나간 바지가 더 깁니다.

대표 예제 10 아래쪽 끝을 맞추었으므로 위쪽 끝이 가장 적게 나간 것이 가장 짧습니다.

대표 예제 11 무거운 물건을 올려놓으면 접은 종이는 무너집니다.

대표 예제 12 시소에 앉았을 때 더 무거운 쪽이 내려갑니다.
따라서 혜빈이가 동희보다 더 무겁습니다.

대표 예제 13 포개어 봤을 때 남는 부분이 없는 것이 더 좁습니다.

대표 예제 14 그림의 작은 한 칸의 크기는 모두 같으므로 칸의 수가 많을수록 더 넓습니다.
딸기밭의 칸의 수가 가장 많으므로 딸기밭이 가장 넓습니다.
참고
포개어 봤을 때 남는 부분이 없는 것이 가장 좁습니다.
따라서 오이밭이 가장 좁습니다.

대표 예제 15 그릇이 클수록 담을 수 있는 양이 더 많습니다.

대표 예제 16 같은 종류의 컵이므로 물의 높이가 가장 높은 것을 찾습니다.

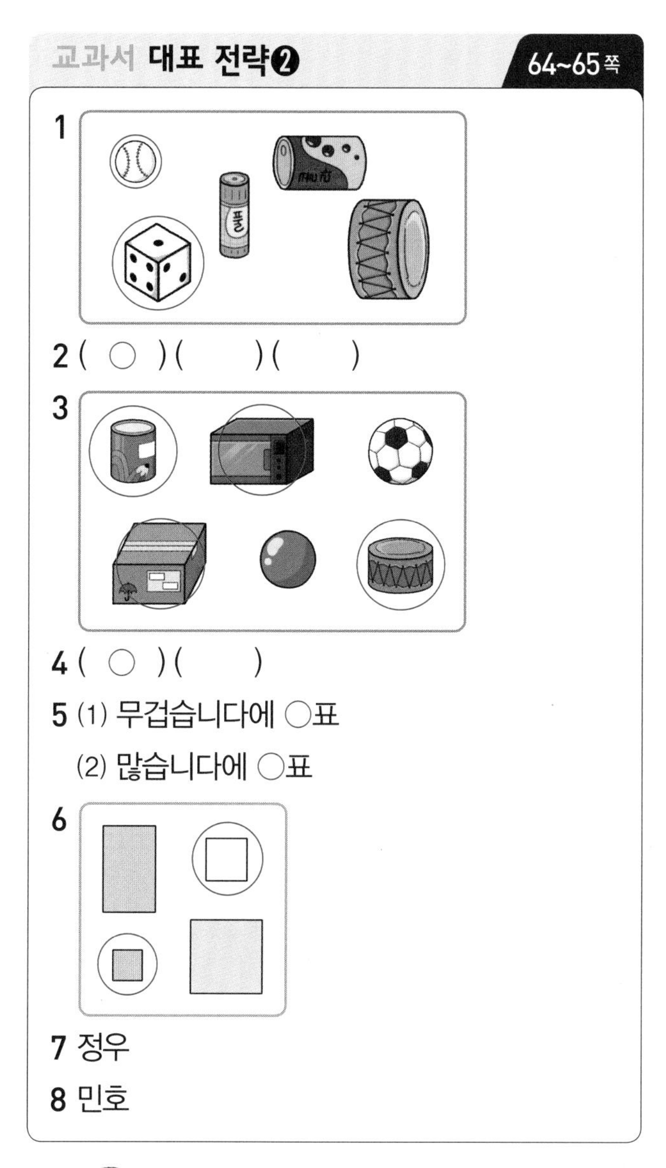

교과서 대표 전략❷ 64~65쪽

1

2 (○) ( ) ( )

3

4 (○) ( )

5 (1) 무겁습니다에 ○표

(2) 많습니다에 ○표

6

7 정우

8 민호

1 는 둥근 부분이 있고 평평한 부분이 있으므로 모양의 일부분입니다.
따라서 모양이 아닌 것을 찾습니다.

2 모양은 뾰족한 부분이 없고 둥근 부분이 있어 굴리면 잘 굴러갑니다.
따라서 설명하는 모양은 모양입니다.

3 모양은 둥근 부분만 있으므로 쌓을 수 없습니다.
따라서 축구공, 구슬은 쌓을 수 없습니다.

4 주어진 모양은 9개인데 오른쪽 모양은 8개만 사용했습니다.

5 무게를 비교할 때에는 '더 무겁다, 더 가볍다'라고 합니다.
담을 수 있는 양을 비교할 때에는 '더 많다, 더 적다'라고 합니다.
(1) 수박은 딸기보다 더 무겁습니다.
(2) 욕조가 종이컵보다 크므로 담을 수 있는 양이 더 많습니다.

참고
길이의 비교: 더 길다, 더 짧다.
높이의 비교: 더 높다, 더 낮다.
키의 비교: 더 크다, 더 작다.

6 포개어 봤을 때 남는 부분이 있는 색종이가 더 넓습니다.

7 네 사람의 머리끝이 철봉으로 맞추어져 있습니다. 따라서 발끝이 가장 많이 나간 정우의 키가 가장 큽니다.

8

지훈이가 진우보다 더 무겁습니다.

민호는 지훈이보다 더 무겁습니다.

따라서 민호가 가장 무겁습니다.

누구나 만점 전략 66~67쪽

01 에 ○표　　02 에 ○표
03 축구공　　04 4개
05 에 ○표　　06 (　　)(○)
07 ㉡　　08 적습니다에 ○표
09 (　　)(○)(　　)(　　)
10 빨강

01 모양은 뾰족한 부분이 없습니다.
그런데 는 뾰족한 부분과 평평한 부분이 있는 모양이므로 윗칸으로 옮겨야 합니다.

02 모양은 뾰족한 부분이 없고 평평한 부분이 있어서 쌓을 수 있습니다.

03 축구공은 모양입니다. 둥근 부분만 있으므로 쌓을 수 없습니다.

04 둥근 부분이 있는 물건은 굴리면 잘 굴러갑니다. 모양은 둥근 부분이 없으므로 잘 굴러가지 않습니다.

참고
주어진 물건 중에 모양은 냉장고이고, 모양은 시계, 유리병, 휴지통입니다. 모양은 축구공입니다.

05 모양은 1개, 모양은 9개 필요합니다.
따라서 모양은 필요하지 않습니다.

06 책상의 위를 포개어 보았을 때 오른쪽 책상에 남는 부분이 있으므로 오른쪽 책상의 위가 더 넓습니다.

07 세 건물의 아래쪽 끝이 맞춰져 있으므로 위쪽 끝이 더 많이 나간 것이 더 높습니다.

08 물의 높이가 같으면 그릇의 크기가 작을수록 담긴 물의 양은 더 적습니다.

참고

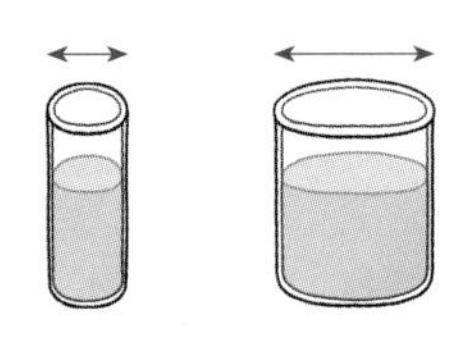

두 그릇의 높이는 같지만 그릇의 크기는 오른쪽 그릇이 더 큽니다.

09 줄의 위쪽 끝이 맞춰져 있습니다. 따라서 아래쪽 끝이 가장 적게 나간 줄이 가장 짧습니다.

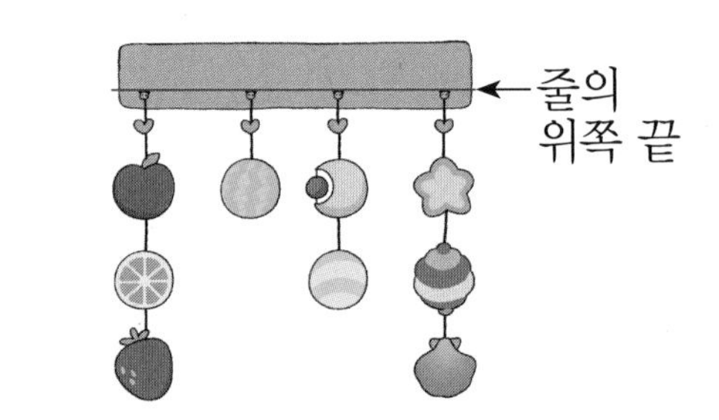

10

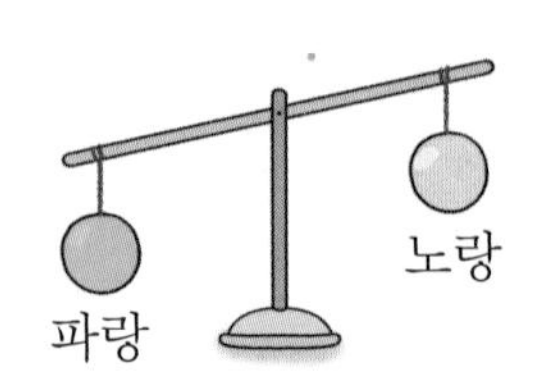

파란색 공보다 빨간색 공이 더 무겁습니다.

파랑　노랑

노란색 공보다 파란색 공이 더 무겁습니다.

따라서 빨간색 공이 가장 무겁고 노란색 공이 가장 가볍습니다.

창의•융합•코딩 전략❶ 68~69쪽

1 서연 2 ㉠

1 모양은 둥근 부분만 있으므로 쌓을 수 없습니다.

2 포개었을 때 남는 부분이 없는 것이 더 좁습니다. 따라서 준우의 찰흙은 ㉠입니다.

창의•융합•코딩 전략❷ 70~73쪽

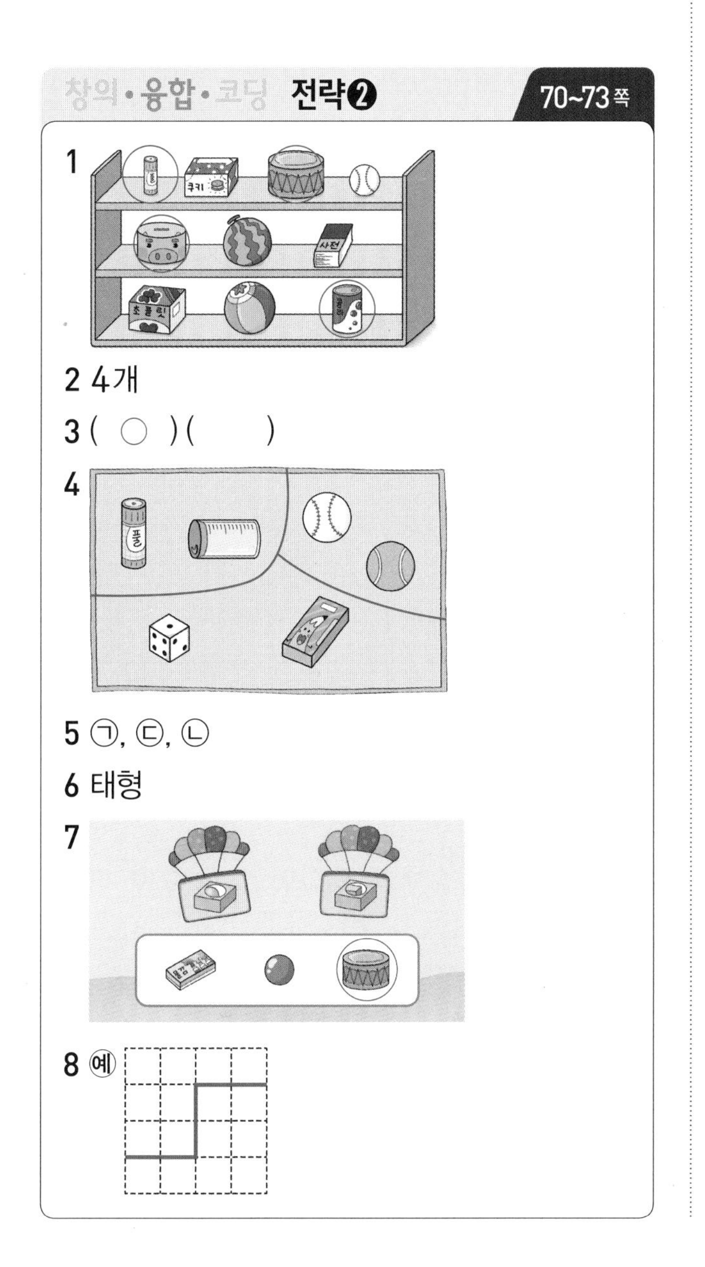

1

2 4개

3 (○)(   )

4

5 ㉠, ㉢, ㉡

6 태형

7

8 예

1 모양은 풀, 북, 돼지 저금통, 음료수 캔입니다.

2 잘 굴러가는 모양은 모양과 모양입니다.
따라서, 지구본, 연필꽂이, 두루마리 휴지, 음료수 캔입니다. ⇨ 4개

3 사진보다 더 좁은 액자에 사진을 넣을 때에는 사진을 자르거나 접어야 합니다.
따라서 사진보다 더 넓은 액자를 골라야 합니다.

4 풀과 물통은 모양이고 야구공과 테니스공은 모양입니다.
주사위와 필통은 모양입니다.
따라서 풀과 물통, 야구공과 테니스공, 주사위와 필통이 같이 놓이도록 서랍을 나눠야 합니다.

참고

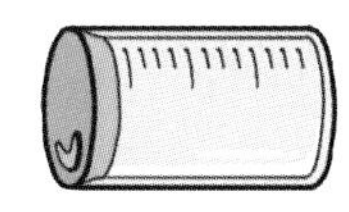

왼쪽은 둥근 부분이 있고 평평한 부분이 있는 모양의 물통을 눕힌 것입니다.

5 물건이 무거울수록 상자는 더 많이 찌그러집니다. 따라서 가장 가벼운 물건을 담은 주머니는 ㉠이고 가장 무거운 물건을 담은 주머니는 ㉡입니다.

6 같은 컵에 우유를 가득 따랐으므로 우유를 적게 남길수록 더 많이 마신 것입니다. 남은 우유의 양이 더 적은 사람은 태형이므로 우유를 더 많이 마신 사람은 태형입니다.

참고

모양과 크기가 같은 컵이므로 우유의 높이가 더 높은 호석이의 컵에 우유가 더 많습니다.

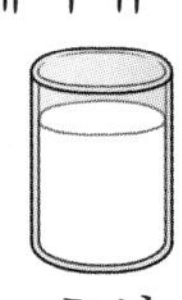

태형 호석

7 선물 상자 안의 물건은 모든 부분이 둥근 모양이거나 평평한 부분과 뾰족한 부분이 있는 모양입니다.

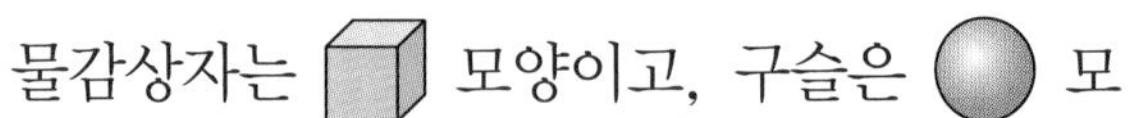
물감상자는 모양이고, 구슬은  모양이고, 북은 모양입니다.

따라서 북은 어린이 축제에서 받을 수 있는 선물과 모양이 다릅니다.

8 보기의 굵은 선의 길이는 4칸입니다. 따라서 4칸보다 더 긴 선을 그으면 됩니다.

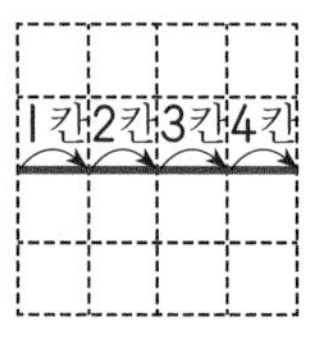

예를 들어 다음과 같이 선의 길이가 6칸인 선을 그으면 보기의 굵은 선보다 깁니다.

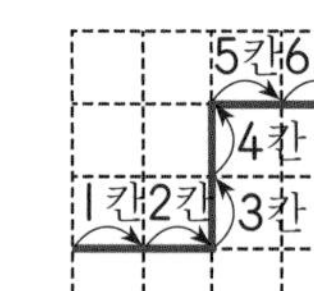

참고

선의 길이가 1칸, 2칸, 3칸이면 보기의 굵은 선보다 길이가 짧습니다.

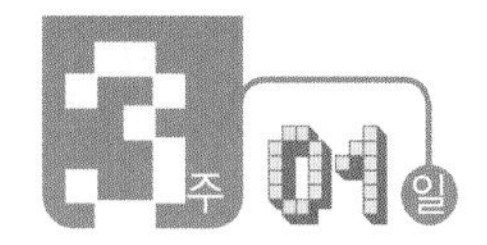

개념 **돌파 전략❶** 개념 기초 확인 77, 79쪽

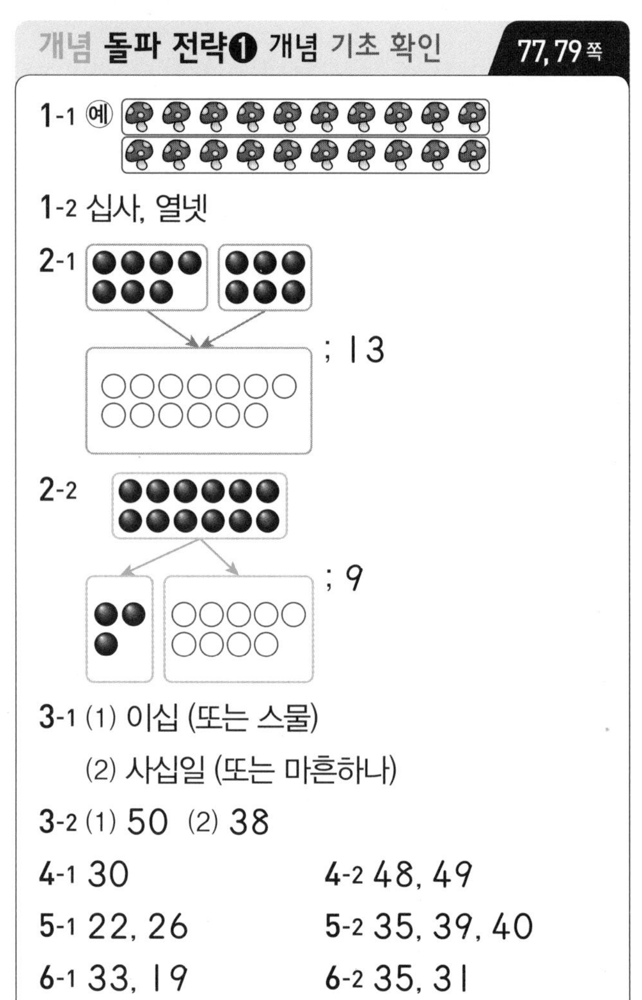

1-1 예

1-2 십사, 열넷

2-1 ; 13

2-2 ; 9

3-1 (1) 이십 (또는 스물)
(2) 사십일 (또는 마흔하나)

3-2 (1) 50 (2) 38

4-1 30 4-2 48, 49

5-1 22, 26 5-2 35, 39, 40

6-1 33, 19 6-2 35, 31

1-2 10개씩 묶음 1개와 낱개 4개인 수는 14입니다. 14는 십사 또는 열넷이라고 읽습니다.

2-2 바둑돌이 12개가 되려면 ○를 9개 더 그려야 합니다.
따라서 12는 3과 9로 가르기 할 수 있습니다.

3-2 (1) 오십을 수로 쓰면 50입니다.
(2) 서른여덟을 수로 쓰면 38입니다.

4-2 47과 50 사이에 있는 수는 48, 49입니다.

참고

47과 50 사이에 있는 수에 47과 50은 포함되지 않습니다.

5-2 34 바로 뒤의 수는 35입니다. 38과 41 사이에 있는 수는 39, 40입니다.

6-2 35는 10개씩 묶음이 3개, 낱개가 5개인 수입니다. 31은 10개씩 묶음이 3개, 낱개가 1개인 수입니다.
10개씩 묶음의 수가 같으므로 낱개의 수를 비교하면 35가 31보다 큽니다.

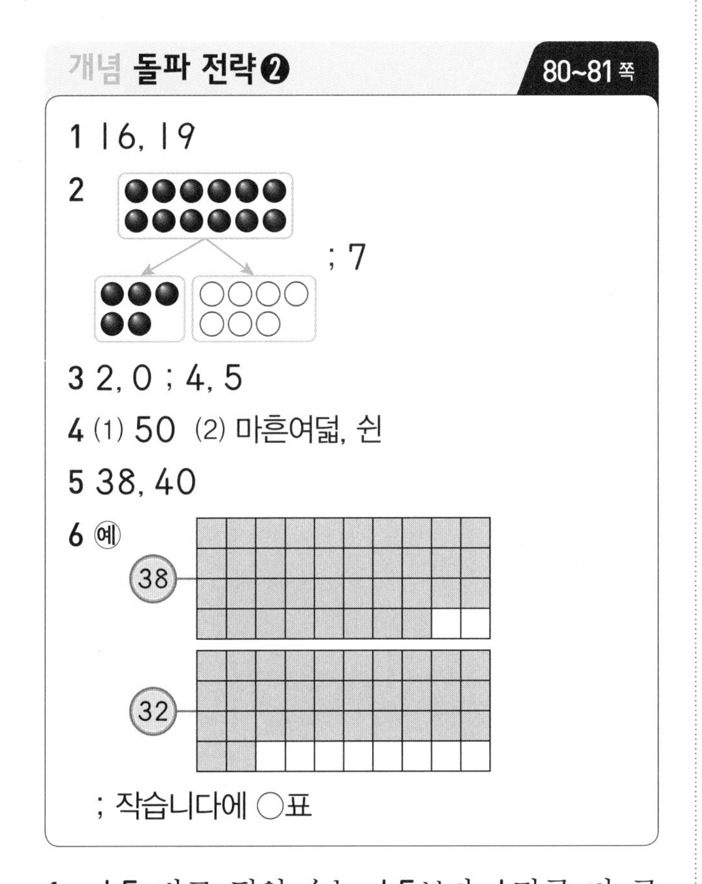
개념 돌파 전략❷ 80~81쪽

1 16, 19

2 ; 7

3 2, 0 ; 4, 5

4 (1) 50 (2) 마흔여덟, 쉰

5 38, 40

6 예

; 작습니다에 ○표

1 15 바로 뒤의 수는 15보다 1만큼 더 큰 수인 16입니다.
18 바로 뒤의 수는 18보다 1만큼 더 큰 수인 19입니다.

2 바둑돌 12개 중에 5개를 지우면 7개가 남습니다.
따라서 12는 5와 7로 가르기 할 수 있습니다.

3 20은 10개씩 묶음이 2개이고 낱개는 없습니다.
45는 10개씩 묶음이 4개이고 낱개는 5개입니다.

4 (1) 49 바로 뒤의 수는 50입니다.
(2) 마흔일곱 다음의 수는 마흔여덟입니다.
마흔아홉 다음의 수는 쉰입니다.

5 39 바로 앞의 수는 39보다 1만큼 더 작은 수인 38입니다.
39 바로 뒤의 수는 39보다 1만큼 더 큰 수인 40입니다.

6

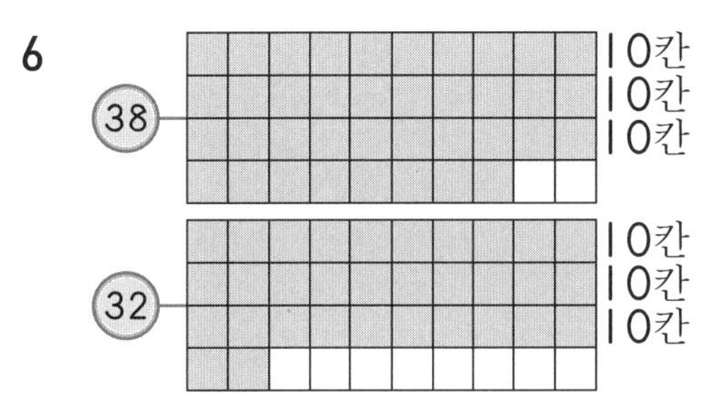

38은 10칸씩 3줄을 색칠하고 8칸 더 색칠합니다.
32는 10칸씩 3줄을 색칠하고 2칸 더 색칠합니다.
32는 38보다 색칠한 칸이 적으므로 32는 38보다 작습니다.

참고

38과 32는 10개씩 묶음의 수가 같으므로 낱개의 수를 비교합니다. 2는 8보다 작으므로 32는 38보다 작습니다.

필수 체크 전략❶ 82~85쪽

필수 예제 01 15 ; 십오, 열다섯
확인 1-1 11 ; 십일, 열하나
확인 1-2 18 ; 십팔, 열여덟
필수 예제 02 5, 4, 3 ; 3
확인 2-1 11, 10, 9 ; 9
확인 2-2 9
필수 예제 03 3, 2 ; 32
확인 3-1 3, 5
확인 3-2 4, 0
필수 예제 04 33 ; 삼십삼, 서른셋
확인 4-1 38 ; 삼십팔, 서른여덟
확인 4-2 42 ; 사십이, 마흔둘

확인 1-1 

막대사탕은 10개씩 묶음이 1개, 낱개는 1개입니다.

확인 1-2

나뭇잎은 10개씩 묶음이 1개, 낱개는 8개입니다.

확인 2-1 12부터 1씩 작아지게 거꾸로 3번 쓰면 12 → 11 → 10 → 9입니다.
따라서 12는 3과 9로 가르기 할 수 있습니다.

확인 2-2 18부터 1씩 작아지게 거꾸로 9번 쓰면 18 → 17 → 16 → 15 → 14 → 13 → 12 → 11 → 10 → 9입니다.
따라서 18은 9와 9로 가르기 할 수 있습니다.

확인 3-1 구슬을 10개씩 묶어 보면 10개씩 묶음이 3개, 낱개는 5개입니다.

확인 3-2 나뭇잎을 10개씩 묶어 보면 10개씩 묶음이 4개이고 낱개는 없습니다.

확인 4-1 꽃을 10송이씩 묶어보면 10송이씩 묶음이 3개이고 낱개가 8송이이므로 꽃은 모두 38송이입니다.

확인 4-2 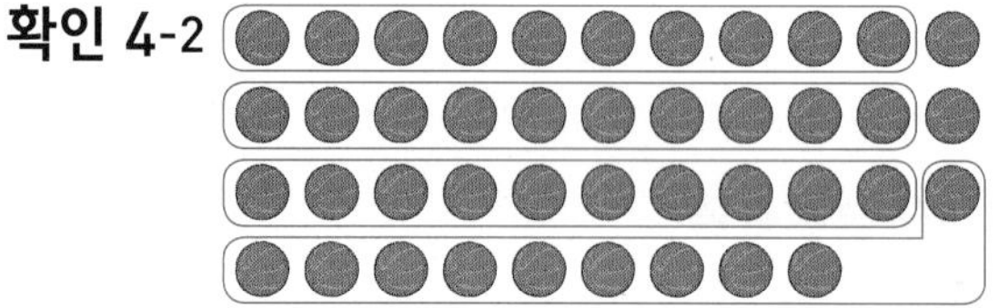

농구공을 10개씩 묶어 보면 10개씩 묶음이 4개이고 낱개가 2개입니다.

필수 체크 전략❷ 86~87쪽

1 예

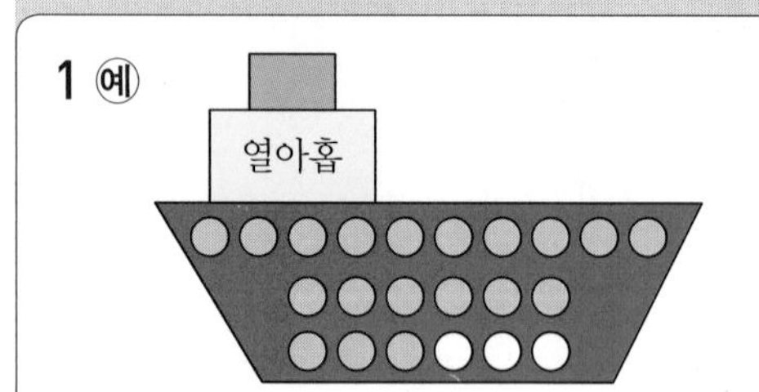

2 17, 14, 10
3 (1) 11 (2) 13 (3) 13 (4) 17
4 (1) 7 (2) 5 (3) 7 (4) 9
5 2, 8 ; 4, 3
6 37 ; 삼십칠, 서른일곱

1 열아홉을 수로 쓰면 19입니다. 19는 10개씩 묶음이 1개, 낱개가 9개인 수입니다.

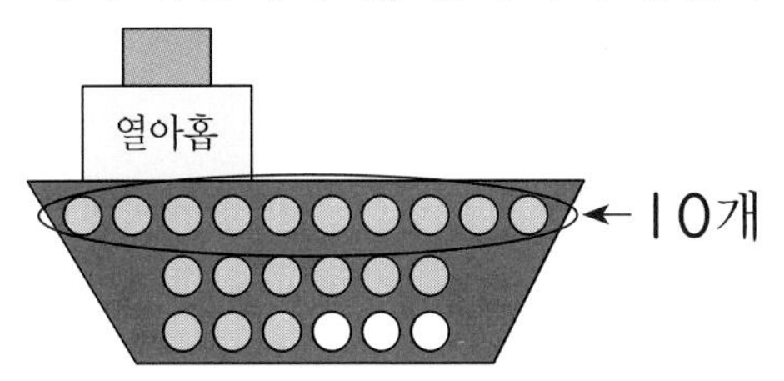

○를 10개 색칠하고 9개를 더 색칠합니다.

2 19부터 수를 거꾸로 씁니다.

3 (1) 8과 3을 모으기 하면 11입니다.
(2) 9와 4를 모으기 하면 13입니다.
(3) 7과 6을 모으기 하면 13입니다.
(4) 8과 9를 모으기 하면 17입니다.

4 (1) 11은 4와 7로 가르기 할 수 있습니다.
(2) 12는 7과 5로 가르기 할 수 있습니다.
(3) 15는 8과 7로 가르기 할 수 있습니다.
(4) 18은 9와 9로 가르기 할 수 있습니다.

5 28은 10개씩 묶음이 2개, 낱개가 8개인 수입니다. 43은 10개씩 묶음이 4개, 낱개가 3개인 수입니다.

6 10개씩 묶음이 3개, 낱개 7개를 수로 나타내면 37입니다. 37은 삼십칠 또는 서른일곱이라고 읽습니다.

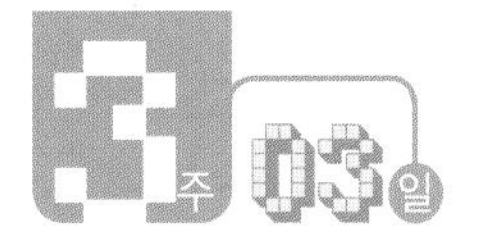

필수 체크 전략❶ 88~91쪽

필수 예제 01 (1) 40 (2) 41 ; 40, 41
확인 1-1 20, 21
확인 1-2 33, 34
필수 예제 02 35 ; 38 ; 42, 43, 45
확인 2-1 19, 20 ; 27, 29
; 34, 35 ; 39, 40
확인 2-2 ④
필수 예제 03 큽니다에 ○표, 작습니다에 ○표
확인 3-1 31
확인 3-2 예

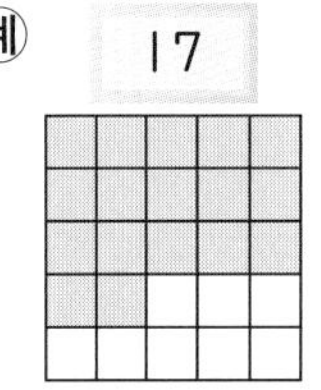
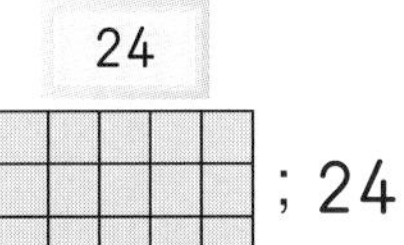

; 24
필수 예제 04 3에 ○표, 큽니다에 ○표
확인 4-1 10개씩 묶음에 ○표,
작습니다에 ○표
확인 4-2 큽니다에 ○표

확인 1-1 19 바로 뒤의 수는 19보다 1만큼 더 큰 수인 20입니다.
22 바로 앞의 수는 22보다 1만큼 더 작은 수인 21입니다.

확인 1-2 서른둘은 32입니다. 32 바로 뒤의 수는 32보다 1만큼 더 큰 수인 33입니다.
서른다섯은 35입니다. 35 바로 앞의 수는 35보다 1만큼 더 작은 수인 34입니다.

확인 2-1 18부터 41까지 수를 순서대로 씁니다.

확인 2-2

26	27	28	29	30	31
32	33	34	35	36	37
38	39	40	41	42	43
44	45	46	47	48	49

확인 3-1 31의 10개씩 묶음의 수는 3이고, 29의 10개씩 묶음의 수는 2입니다. 10개씩 묶음의 수를 비교하면 31이 29보다 큽니다.

확인 3-2 24칸이 17칸보다 더 많습니다. 따라서 24는 17보다 더 큽니다.

확인 4-1 두 수의 10개씩 묶음의 수를 비교하면 1이 3보다 작으므로 13은 31보다 작습니다.

확인 4-2 두 수의 10개씩 묶음의 수는 4로 같습니다. 낱개의 수를 비교하면 1은 4보다 작으므로 44는 41보다 더 큽니다.

필수 체크 전략 ❷ 92~93쪽

1 48, 50　　2 27, 28, 30, 31
3 37, 39　　4 (○)(　)
5 (1) 24에 △표 (2) 31에 △표
6 21, 27, 32

1 47에서 오른쪽으로 한 칸 이동하면 47보다 1만큼 더 큰 48입니다. 49에서 오른쪽으로 한 칸 이동하면 49보다 1만큼 더 큰 50입니다.

2 순서대로 배열하면 5개의 숫자 중에 가장 작은 27이 가장 앞에 있습니다.
가장 큰 31은 가장 뒤에 있습니다.

3 35와 40 사이에 있는 수는 35보다는 크고, 40보다는 작은 수입니다.
보기 에 있는 수 중에 35보다 크고 40보다 작은 수는 37, 39입니다.
참고
35와 40 사이에 36, 37, 38, 39가 있습니다.

4 10개씩 묶음이 4개, 낱개는 3개인 수는 43입니다. 30보다 1만큼 더 큰 수는 31이고, 10개씩 묶음은 3개입니다.
10개씩 묶음의 수를 비교하면 4가 3보다 크므로 10개씩 묶음이 4개, 낱개는 3개인 수가 더 큽니다.

5 (1) 24는 10개씩 묶음의 수가 2, 41은 10개씩 묶음의 수가 4, 38은 10개씩 묶음의 수가 3입니다.
따라서 10개씩 묶음의 수가 가장 작은 24가 가장 작습니다.
(2) 10개씩 묶음의 수가 3으로 같으므로 낱개의 수를 비교합니다.
따라서 낱개의 수가 가장 작은 31이 가장 작습니다.

6 21의 10개씩 묶음은 2개, 32의 10개씩 묶음은 3개, 27의 10개씩 묶음은 2개입니다. 따라서 10개씩 묶음의 수가 가장 큰 32가 세 수 중에 가장 큽니다.
21과 27은 10개씩 묶음의 수가 같으므로 낱개의 수가 더 큰 27이 21보다 큽니다.

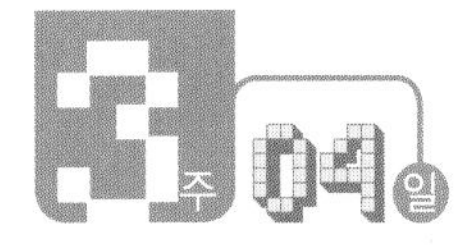

교과서 대표 전략❶ 94~97쪽

대표 예제 01 (1) 4 (2) 3
(3) 10 (4) 2

대표 예제 02 12 ; 십이, 열둘

대표 예제 03 14, 17

대표 예제 04 (1) 11 (2) 6
(3) 15 (4) 8

대표 예제 05 9, 7

대표 예제 06 50 ; 오십, 쉰

대표 예제 07 45 ; 사십오, 마흔다섯

대표 예제 08 11, 37

대표 예제 09 30, 31

대표 예제 10 35, 37, 38

대표 예제 11

22	23	24	○			28
29			32	33	34	
	37	38		×		42

대표 예제 12 예

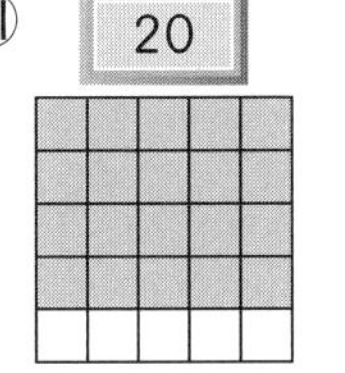

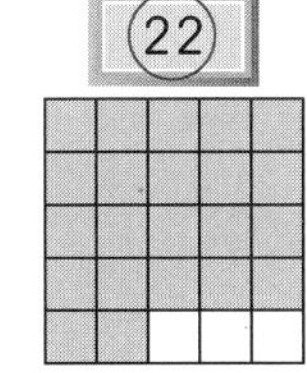

대표 예제 13 27, 33

대표 예제 14 (1) 28에 ○표 (2) 43에 ○표

대표 예제 15 윤지

대표 예제 16 (1) 24에 △표
(2) 37에 △표

대표 예제 01 (2) 10은 7과 3으로 가르기 할 수 있습니다.
(4) 10은 8과 2로 가르기 할 수 있습니다.

대표 예제 02 소라는 10개씩 묶음 1개, 낱개는 2개입니다. 따라서 소라의 수는 12이고 십이 또는 열둘이라고 읽습니다.

대표 예제 03 13부터 수를 순서대로 씁니다.

대표 예제 04 (1) 9와 2를 모으기 하면 11입니다.
(3) 7과 8을 모으기 하면 15입니다.

대표 예제 05 9와 7을 모으기 하면 16입니다.

대표 예제 06 블록은 10개씩 묶음이 5개이므로 블록의 수는 50입니다. 50은 오십 또는 쉰이라고 읽습니다.

대표 예제 07

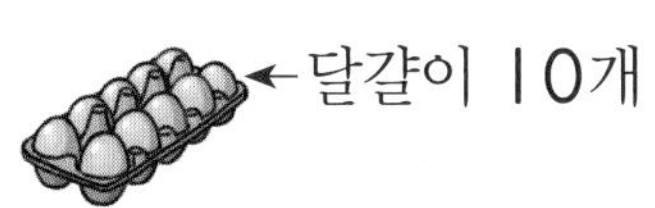

달걀은 10개씩 묶음이 4개, 낱개가 5개이므로 달걀의 수는 45입니다. 45는 사십오 또는 마흔다섯이라고 읽습니다.

대표 예제 08 10개씩 묶음 1개와 낱개 1개는 11입니다.
10개씩 묶음 3개와 낱개 7개는 37입니다.

대표 예제 09 29와 32 사이의 수는 30, 31입니다.

대표 예제 10 32부터 수를 순서대로 씁니다.

대표 예제 11 25는 24보다 1만큼 더 큽니다. 40은 38과 42 사이의 수이고 41보다 1만큼 더 작습니다.

대표 예제 12 20은 10개씩 묶음이 2개인 수입니다. 22는 10개씩 묶음이 2개이고 낱개가 2개인 수입니다.
22가 20보다 2칸 더 색칠했으므로 22가 20보다 더 큽니다.

참고
20과 22는 10개씩 묶음의 수가 2로 같습니다. 낱개의 수를 비교하면 2>0이므로 22가 20보다 더 큽니다.

대표 예제 13 수 모형이 나타내는 두 수는 27, 33입니다. 10개씩 묶음의 수가 더 큰 33이 27보다 큽니다.

대표 예제 14 (1) 26과 28은 10개씩 묶음의 수가 2로 같으므로 낱개가 더 많은 28이 더 큽니다.
(2) 43은 10개씩 묶음의 수가 4이고 34는 10개씩 묶음의 수가 3입니다.
4가 3보다 크므로 43이 34보다 큽니다.

대표 예제 15 10개씩 묶음의 수를 비교하면 3>2이므로 윤지의 점수가 더 높습니다.

대표 예제 16 (1) 10개씩 묶음의 수를 비교하면 2<3<4이므로 24가 가장 작습니다.
(2) 10개씩 묶음의 수를 비교하면 3<4이므로 37과 39의 낱개의 수를 비교합니다. 낱개가 더 적은 37이 가장 작습니다.

교과서 대표 전략❷ 98~99쪽

1 예 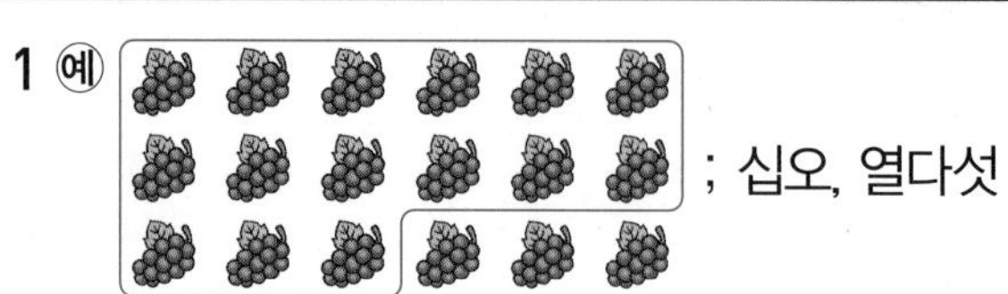 ; 십오, 열다섯

2 삼십이, 서른둘 3 1, 4 ; 41 ; 4, 0

4 예 6, 7 ← (1, 12), (2, 11), (3, 10), (4, 9), (5, 8)도 정답입니다.

5 19, 20, 21, 22, 23

6 27 7 39, 40, 41에 ○표

8 30, 34, 48

1 15는 10개씩 묶음이 1개, 낱개가 5개인 수입니다.
15는 십오, 열다섯이라고 읽습니다.

2 벌은 10마리씩 묶음이 3개와 두 마리이므로 32마리입니다.
32는 삼십이, 서른둘이라고 읽습니다.

3 14는 10개씩 묶음이 1개, 낱개는 4개인 수입니다.
41은 10개씩 묶음이 4개, 낱개는 1개인 수입니다.
40은 10개씩 묶음이 4개인 수입니다.

4 색칠된 칸의 수가 더 크도록 가르기 한 것은 (1, 12), (2, 11), (3, 10), (4, 9), (5, 8), (6, 7)이 될 수 있습니다.

5 19는 10개씩 묶음의 수가 가장 작으므로 가장 작습니다. 20, 21, 22, 23은 10개씩 묶음의 수가 같으므로 낱개의 수가 가장 작은 20부터 순서대로 씁니다.

6 10개씩 묶음이 2개, 낱개가 7개인 수는 27입니다. 스물을 숫자로 쓰면 20이고, 10개씩 묶음이 2개인 수입니다.
10개씩 묶음의 수가 2로 같으므로 낱개의 수를 비교하면 27이 20보다 큽니다.

7 34부터 수를 순서대로 쓴 것이므로 38보다 큰 수는 38 뒤에 있습니다.

8 10개씩 묶음의 수가 가장 큰 48이 세 수 중에 가장 큽니다.
30과 34는 10개씩 묶음의 수가 3으로 같으므로 낱개의 수를 비교하면 30이 34보다 작습니다.

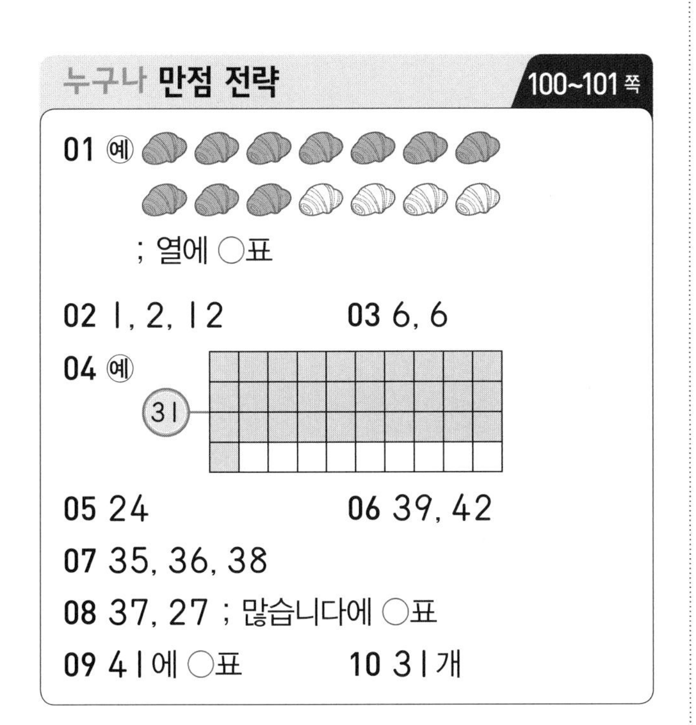

누구나 만점 전략 100~101쪽

01 예 ; 열에 ○표

02 1, 2, 12 03 6, 6

04 예 31

05 24 06 39, 42

07 35, 36, 38

08 37, 27 ; 많습니다에 ○표

09 41에 ○표 10 31개

01 빵의 수는 2와 8을 모으기 한 수이므로 10입니다. 10을 개수로 말할 때는 열이라고 읽습니다.

02 해파리는 10마리씩 1묶음과 2마리이므로 12마리입니다.

03 12는 6과 6으로 가르기 할 수 있습니다.

04 31은 10개씩 묶음이 3개, 낱개가 1개인 수입니다. 따라서 10칸씩 3줄을 색칠하고 한 칸 더 색칠합니다.

05 밤은 10개씩 2묶음이고 낱개가 4개이므로 24개입니다.

06 서른일곱을 수로 쓰면 37이고, 마흔넷을 수로 쓰면 44입니다.
37과 44 사이에 있는 수는 39와 42입니다.

07 33부터 수를 순서대로 씁니다.

08 구슬의 수는 37이고 블록의 수는 27입니다. 10개씩 묶음의 수를 비교하면 3이 2보다 크므로 구슬이 블록보다 더 많습니다.

09 10개씩 묶음의 수를 비교하면 4가 3보다 큽니다. 따라서 41이 32보다 큽니다.

10 25보다 크고 32보다 작은 수는 26, 27, 28, 29, 30, 31입니다. 10개씩 3상자이고 낱개가 있으므로 사과는 31개입니다.

참고
30은 10개씩 묶음이 3개이고 낱개가 없습니다.

창의•융합•코딩 전략❶ 102~103쪽

1 25개 2 2개

1 준우는 사탕 10개 받을 수 있는 쿠폰이 1장, 사탕 1개를 받을 수 있는 쿠폰이 15장 있습니다. 따라서 준우가 받을 수 있는 사탕은 10개씩 묶음이 2개, 낱개는 5개인 25개입니다.

2 14를 같은 수로 가르기 하면 7과 7로 가르기 할 수 있습니다. 서연이의 만두는 9개, 준우의 만두는 5개이므로 서연이의 만두 2개를 옮겨야 합니다.

창의•융합•코딩 전략❷ 104~107쪽

1 ㉠
2 십오에 ○표, 열일곱에 ○표, 열에 ○표
3 17, 21, 24 ; 10, 14, 15 ; 4
4 50살
5 6쪽
6
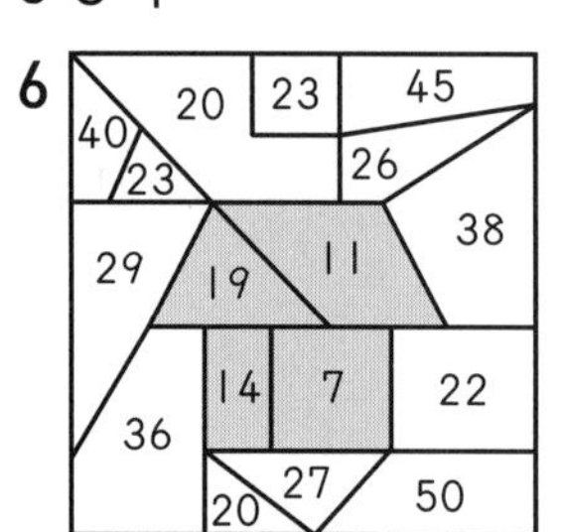

7 23, 41 ; 41
8
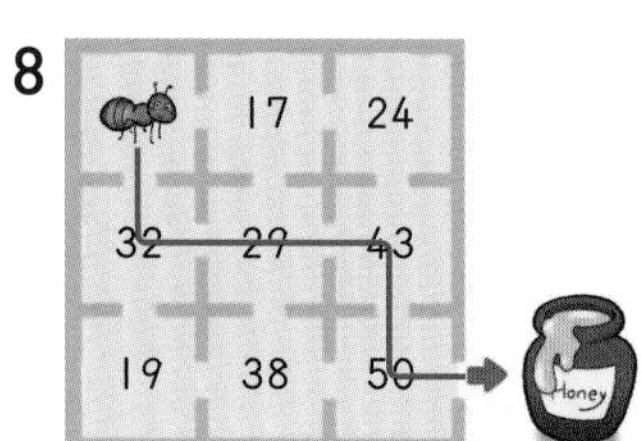

1 ㉠ 10개씩 묶음이 1개, 낱개가 3개인 수는 13입니다.
㉡ 서른하나는 31입니다.
㉢ 30보다 1만큼 더 큰 수는 31입니다.

2 15일은 십오일, 17개는 열일곱 개, 10살은 열 살이라고 읽습니다.

3 가장 아래 줄부터 수를 순서대로 씁니다.

4 긴 초가 4개, 짧은 초가 7개 있으므로 10개씩 묶음 4개와 낱개 7개와 같습니다. 엄마는 47살입니다. 따라서 삼촌은 50살입니다.

5 29부터 36까지 수를 순서대로 쓰면 29－30－31－32－33－34－35－36입니다.
따라서 찢어진 부분은 30, 31, 32, 33, 34, 35쪽으로 모두 6쪽입니다.

6 20보다 작은 수만 색칠해야 하므로 1부터 19까지의 수를 찾아 색칠합니다.
7, 14, 11, 19가 쓰인 칸을 색칠합니다.

7 10개씩 묶음의 수가 1보다 큰 수는 23, 41입니다. 30보다 큰 수는 41입니다.

8 17과 32 중 32가 큽니다.
→ 29와 19 중 29가 큽니다.
→ 43과 38 중 43이 큽니다.
→ 50이 쓰여 있는 칸으로 나옵니다.

신유형•신경향•서술형 전략 110~115쪽

1 ❶ 깁니다에 ○표
❷ 스탠드
❸ 믹서기

2 ❶ 0+5=5 (또는 5+0=5) ; 5
❷ 3+4=7 (또는 4+3=7) ; 7

3 ❶ 2, 3, 4 ; 큰에 ○표
❷ 8 ; 8, 7, 1

4 ❶ 8, 9
❷ 8, 15
❸ 8
❹ 8, 3

5 ❶ 23
❷ 30
❸ 24, 25, 26, 27, 28, 29
❹ 6개

6 ❶ 에 ○표
❷ 2개에 ○표
❸ ㉢

1 ❶ 가전 제품의 선은 양쪽 끝이 맞추어져 있으므로 많이 구부러져 있을수록 선의 길이는 더 깁니다.
❷ 스탠드의 선이 가장 곧으므로 선의 길이가 가장 짧습니다.
❸ 선이 길이가 길수록 멀리 떨어진 곳에서 사용할 수 있습니다. 따라서 선이 가장 긴 믹서기를 가장 멀리 떨어진 곳에서 사용할 수 있습니다.

2 ❶ 주어진 도형의 수는 0과 5이므로 겹쳐진 부분이 나타내는 수는 0과 5의 합입니다. 따라서 0+5=5 또는 5+0=5입니다.
❷ 주어진 도형의 수는 3과 4이므로 겹쳐진 부분이 나타내는 수는 3과 4의 합입니다. 따라서 3+4=7 또는 4+3=7입니다.

3 ❶ 1번 공을 넣었을 때 2번, 2번 공을 넣었을 때 3번, 3번 공을 넣었을 때 4번 공이 나왔습니다.
따라서 상자에 넣은 공에 쓰인 수보다 1만큼 더 큰 수가 쓰인 공이 나옵니다.
❷ 8은 7보다 1만큼 더 큰 수입니다.

4 ❶ 규칙에 의해 3과 5의 위층에는 3과 5를 모으기 한 8이 들어갑니다.
4와 5의 위층에는 4와 5를 모으기 한 9가 들어갑니다.
❷ ●에 들어갈 수는 7과 8을 모으기 한 수입니다. 7과 8을 모으기 하면 15입니다.
❸ 17은 9와 8로 가르기 할 수 있으므로 5와 ▲의 위층에 들어갈 수는 8입니다.
❹ ▲에 들어갈 수는 5와 모으기 해서 8이 되는 수입니다. 8은 5와 3으로 가르기 할 수 있습니다.
따라서 ▲에 들어갈 수는 3입니다.

참고

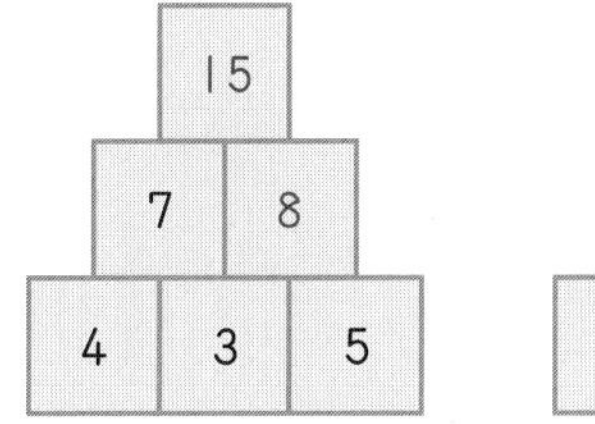

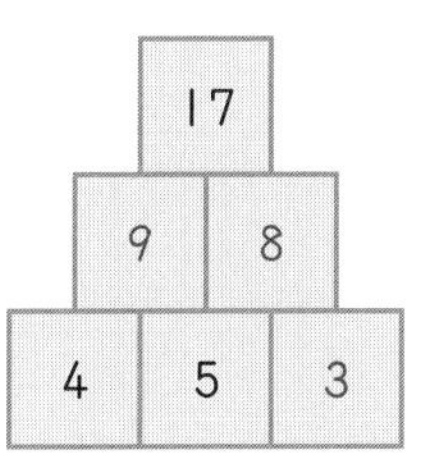

5 ❶ 24보다 1만큼 더 작은 수는 24 바로 앞의 수인 23입니다.
❷ 29보다 1만큼 더 큰 수는 29 바로 뒤의 수인 30입니다.
❸ 23과 30 사이에 있는 수는 24, 25, 26, 27, 28, 29입니다.
❹ 23과 30 사이에 있는 수는 24, 25, 26, 27, 28, 29이므로 모두 6개입니다.

6 ❶ 조건에 의해 모양은 다른 칸과 달라야 하는데 주어진 그림에는 모양과 모양이 있습니다.
따라서 ?에 들어갈 모양은 모양입니다.
❷ 조건에 의해 모양의 개수는 다른 칸과 달라야 하므로 1개나 3개는 아니어야 합니다. 따라서 들어갈 모양은 2개입니다.
❸ ?에는 다른 모양과 같은 색깔의 모양 2개가 들어가야 합니다.

학력진단 전략 1회 116~119쪽

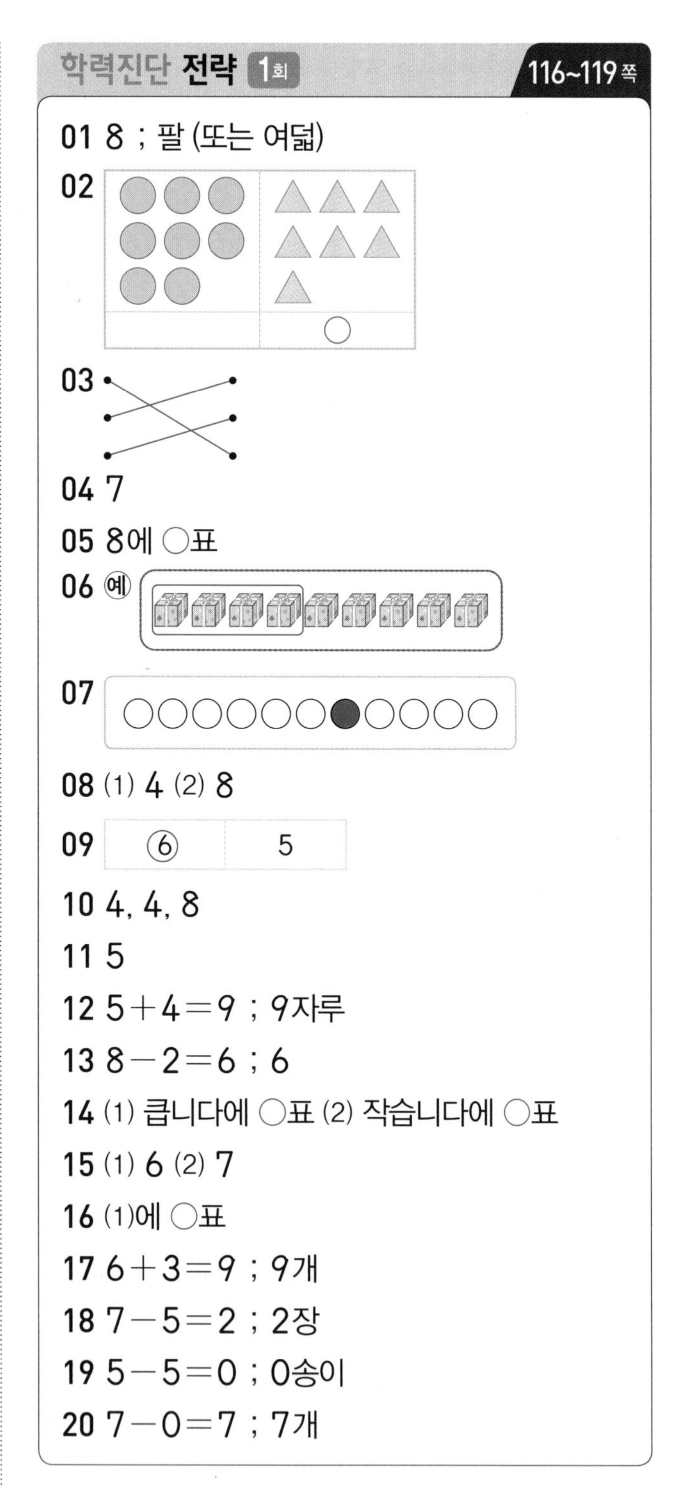
01 8 ; 팔 (또는 여덟)
02
03
04 7
05 8에 ○표
06 예
07
08 (1) 4 (2) 8
09 ⑥ 5
10 4, 4, 8
11 5
12 5+4=9 ; 9자루
13 8−2=6 ; 6
14 (1) 큽니다에 ○표 (2) 작습니다에 ○표
15 (1) 6 (2) 7
16 (1)에 ○표
17 6+3=9 ; 9개
18 7−5=2 ; 2장
19 5−5=0 ; 0송이
20 7−0=7 ; 7개

01 참새의 수는 8이고 팔 또는 여덟이라고 읽습니다.

02 동그라미는 8개이고 세모는 7개입니다. 일곱은 7이므로 세모에 ○표 합니다.

03 첫째를 수로 나타내면 1, 넷째는 수로 나타내면 4, 여섯째는 수로 나타내면 6입니다.

04 모자의 수는 6입니다. 따라서 6보다 1만큼 더 큰 수는 7입니다.

05 개구리의 수는 8이고, 꽃의 수는 5입니다. 개구리가 꽃보다 더 많으므로 8이 5보다 더 큽니다.

06 선물 상자를 하나, 둘, 셋, 넷 세어 묶습니다.

07 왼쪽에서부터 첫째, 둘째, 셋째, 넷째, 다섯째, 여섯째, 일곱째 세어 동그라미 한 개만 색칠합니다.

08 (1) 5보다 1만큼 더 작은 수는 5 바로 앞의 수인 4입니다.
(2) 7보다 1만큼 더 큰 수는 7 바로 뒤의 수인 8입니다.

09 수를 순서대로 썼을 때 6은 5보다 뒤에 있습니다. 따라서 6이 5보다 더 큽니다.

10 그림의 수는 각각 4입니다. 4와 4를 모으기 하면 8입니다.

11 7은 2와 5로 가르기 할 수 있습니다.

12 연필 5자루와 4자루를 더하면 연필은 9자루입니다.

13 사탕 8개에서 2개를 가져가서 6개가 남았습니다. 식으로 쓰면 $8-2=6$입니다.

14 (1) 4－5－6으로 6은 4보다 뒤에 있으므로 6은 4보다 큽니다.
(2) 7－8－9로 8은 9보다 앞에 있으므로 8은 9보다 작습니다.

15 (1) 2 더하기 4는 6과 같습니다.
(2) 4 더하기 3은 7과 같습니다.

16 (1) $9-6=3$
(2) $4-0=4$
(3) $7-3=4$

17 주희와 동생이 먹은 사탕의 개수는 $6+3=9$(개)입니다.

18 편지지 7장 중에 5장을 썼으므로 뺄셈을 이용합니다.
남은 편지지는 $7-5=2$(장)입니다.

19 포도 5송이가 있었는데 모두 먹었으므로 남아 있는 포도는 없습니다. 따라서 남은 포도의 수는 0입니다.

20 책상 위 우유를 한 개도 가져가지 않았으므로 $7-0=7$(개)입니다.

학력진단 전략 2회 120~123쪽

01 □에 ○표
02 선호
03 배추
04 ○에 ○표
05 (　　)(△)
06 ○에 ○표
07 (　　)(○)
08 (1) 높습니다 (2) 낮습니다
09 (○)(　　)
10 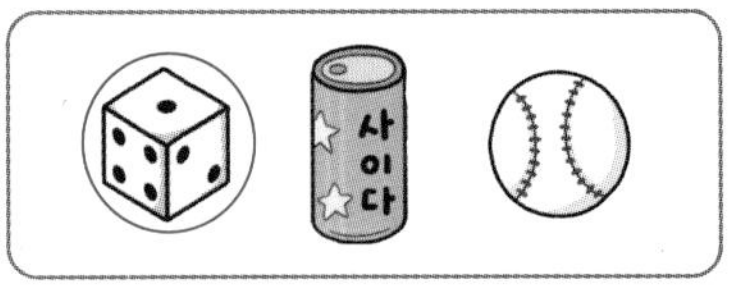
11 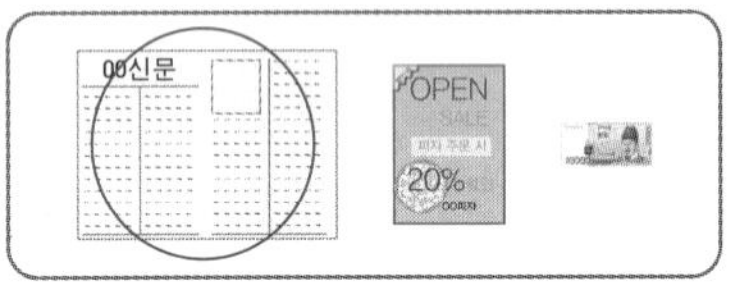
12 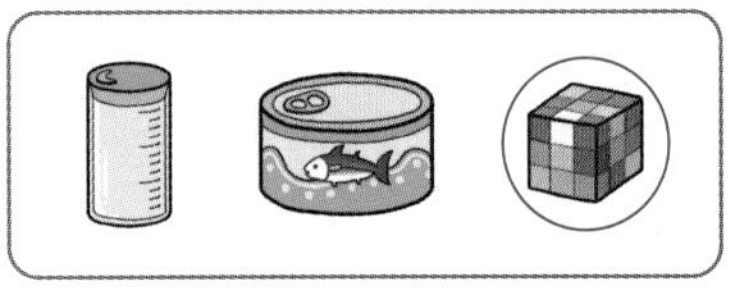
13 (○)(　　)
14 (　　)(　　)(○)
15 □에 ○표
16 1
17 (　　)(○)
18 
19 진운
20

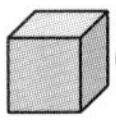

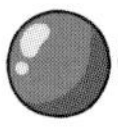

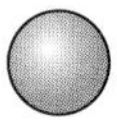

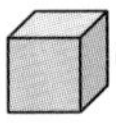

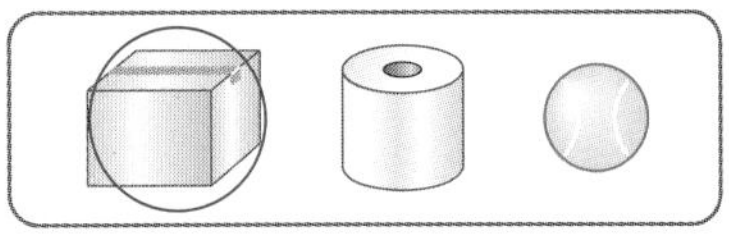

01 과자 상자는 뾰족한 부분과 평평한 부분이 있습니다. 따라서 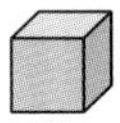 □ 모양과 같습니다.

02 발끝이 맞추어져 있으므로 머리끝이 더 많이 올라간 선호의 키가 더 큽니다.

03 손으로 직접 들었을 때 힘이 더 들어가는 것이 더 무겁습니다. 따라서 배추가 방울토마토보다 더 무겁습니다.

04 구슬은 둥근 부분만 있는 ○ 모양입니다.

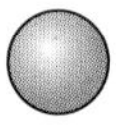

05 두 창문을 포개었을 때 오른쪽 창문은 남는 부분이 없으므로 더 좁습니다.

06 둥근 부분만 있으므로 ○ 모양입니다.

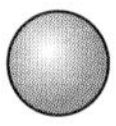

07 양팔 저울에서는 아래로 내려가는 쪽이 더 무겁습니다. 따라서 더 가벼운 것은 오른쪽에 있는 과일입니다.

08 건물들의 위쪽 끝이 맞추어져 있으므로 아래쪽으로 많이 내려갈수록 높습니다.
(1) 병원 건물의 높이가 가장 높습니다.
(2) 경찰서 건물의 높이가 가장 낮습니다.

09 두 그릇의 크기는 다르고 물의 높이가 같으므로 크기가 더 큰 왼쪽 그릇에 담긴 물이 더 많습니다.

10 상자에서 본 물건의 모양은 뾰족한 부분이 있고 평평한 부분이 있습니다. 따라서 상자 속 물건은 □ 모양인 주사위입니다.

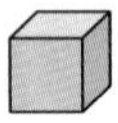

11 포개어 봤을 때 남는 부분이 있는 물건이 더 넓습니다. 따라서 신문지가 가장 넓습니다.

12 모양 물건은 뾰족하고 평평한 부분이 많아 잘 굴러가지 않습니다. 모양 물건은 둥근 부분이 있어 잘 굴러갑니다.

13 모양을 2개, 모양을 3개, 모양을 3개 사용한 모양을 찾습니다.

14 모양은 둥근 부분만 있어서 잘 쌓을 수 없습니다.

15 모양은 3개, 모양은 2개, 모양은 2개 사용했으므로 모양을 가장 많이 사용했습니다.

16 1번 못과 2번 못은 오른쪽 끝이 맞춰져 있으므로 왼쪽 끝이 더 많이 나가 있는 1번 못이 더 깁니다. 2번 못과 3번 못은 왼쪽 끝이 맞춰져 있으므로 오른쪽 끝이 더 많이 나가 있는 2번 못이 더 깁니다.
따라서 1번 못이 가장 깁니다.

17 모양은 1개, 모양은 7개, 모양은 1개 사용했습니다.

18 쌓을 수 있으므로 평평한 부분이 있고, 잘 굴러가므로 둥근 부분도 있습니다.
따라서 설명하고 있는 물건은 모양인 페인트 통입니다.

19 규원이가 수진이보다 무거우므로 진운이는 수진이보다 무겁습니다. 따라서 진운이는 규원, 수진이보다 무겁습니다. 세 사람 중 가장 무거운 사람은 진운입니다.

20 모양의 축구공을 가져왔으므로 규칙에 따라 모양의 종이 상자를 가져와야 합니다.

학력진단 전략 3회 124~127쪽

01 8, 10
02 열에 ○표
03 7, 8, 10
04 예 ☆☆☆☆☆☆☆☆☆☆☆
05 9, 8, 17
06 12
07 4, 40
08 28 ; 이십팔 (또는 스물여덟)
09 5 ; 8
10 (43) 24
11 5, 5
12 37
13 21, 22 ; 23, 26 ; 29, 30, 31 ; 39, 40
14 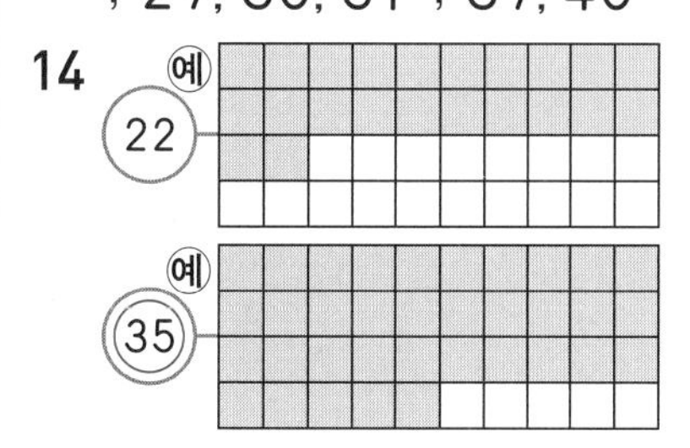

15 29, 30
16 (1) 20 (2) 사십 (또는 마흔)
17 50장
18 24, 39, 45
19 2, 9
20 (1) 23점 (2) 32점 (3) 동규

정답 및 풀이

01 9보다 1만큼 더 작은 수는 8입니다.
9보다 1만큼 더 큰 수는 10입니다.

02 딸기의 수는 10개입니다. 10개는 열 개라고 읽습니다.

03 6과 9 사이에 있는 수는 7, 8입니다.
9 바로 뒤의 수는 10입니다.

04 10은 5와 5로 가르기 할 수 있습니다.
별이 5개 색칠되어 있으므로 별 5개를 더 색칠합니다.

05 구슬의 수 9와 8을 모으기 하면 17입니다.

06 4와 8을 모으기 하면 12입니다.

07 10개씩 묶음 4개이면 40입니다.

08 참외는 10개씩 묶음이 2개, 낱개가 8개입니다. 따라서 참외의 수는 28이고 이십팔 또는 스물여덟이라고 읽습니다.

09 14는 9와 5, 6과 8로 가르기 할 수 있습니다.

10 10개씩 묶음의 수를 비교하면 4가 2보다 크므로 43이 24보다 큽니다.

11 10을 5와 5로 가르기 할 수 있습니다.

12 10개씩 묶음이 3개, 낱개가 7개인 수는 37이라고 씁니다.

13 순서에 맞게 수를 씁니다.

14 22는 10개씩 묶음이 2개, 낱개가 2개인 수입니다. 35는 10개씩 묶음이 3개, 낱개가 5개인 수입니다. 10개씩 묶음이 더 많은 35가 22보다 더 큽니다.

15 스물여덟은 28입니다. 따라서 그 뒤에 올 수는 29, 30입니다.

16 (1) 19부터 수를 순서대로 세면 19, 20, 21, 22이므로 19와 21 사이에 있는 수는 20입니다.
(2) 39 바로 뒤의 수는 40이고 사십 또는 마흔이라고 읽습니다.

17 10개씩 묶음이 5개인 수는 50입니다.
따라서 색종이는 모두 50장입니다.

18 10개씩 묶음의 수가 39는 3, 24는 2, 45는 4입니다. 10개씩 묶음의 수가 가장 작은 24가 가장 작고, 10개씩 묶음의 수가 가장 큰 45가 가장 큽니다.

19 29는 10개씩 묶음이 2개, 낱개는 9개인 수입니다.
따라서 29개의 구슬을 10개씩 실에 꿰면 10개씩 묶음이 2개이고, 9개가 남습니다.

20 (1) 진수는 10점짜리 문제 2개, 1점짜리 문제 3개를 맞혔으므로 23점입니다.
(2) 동규는 10점짜리 문제 3개, 1점짜리 문제 2개를 맞혔으므로 32점입니다.
(3) 32의 10개씩 묶음의 수는 3, 23의 10개씩 묶음의 수는 2이므로 32가 23보다 더 큽니다.
따라서 동규가 이겼습니다.

정답은
이안에
있어!

수학
전략

배움으로 행복한 내일을 꿈꾸는

천재교육 커뮤니티 안내

교재 안내부터 구매까지 한 번에!

천재교육 홈페이지

천재교육 홈페이지에서는 자사가 발행하는 참고서,
교과서에 대한 소개는 물론 도서 구매도 할 수 있습니다.
회원에게 지급되는 별을 모아 다양한 상품 응모에도
도전해 보세요.

구독, 좋아요는 필수! 핵유용 정보 가득한

천재교육 유튜브 <천재TV>

신간에 대한 자세한 정보가 궁금하세요?
참고서를 어떻게 활용해야 할지 고민인가요?
공부 외 다양한 고민을 해결해 줄 채널이 필요한가요?
학생들에게 꼭 필요한 콘텐츠로 가득한 천재TV로 놀러 오세요!

다양한 교육 꿀팁에 깜짝 이벤트는 덤!

천재교육 인스타그램

천재교육의 새롭고 중요한 소식을 가장 먼저 접하고 싶다면?
천재교육 인스타그램 팔로우가 필수!
누구보다 빠르고 재미있게 천재교육의 소식을 전달합니다.
깜짝 이벤트도 수시로 진행되니 놓치지 마세요!